日本の新時代ビジョン

「せめぎあいの時代」を生き抜く楕円型社会へ

鹿島平和研究所／PHP総研 編
Kajima Institute of International Peace / PHP Research Institute

PHP新書

はじめに

本書は、社会や経済、政治のこれからについて、独立した立場から研究・提言を続けてきた一般財団法人鹿島平和研究所と政策シンクタンクＰＨＰ総研が共同で進めてきた「新時代ビジョン研究会」の活動をまとめたものです。

新時代ビジョン研究会は、「変われない日本」を変えるにはどうしたらいいかをテーマとして、二〇一八年五月にスタートしました。そして、日本がどのような時代認識の下でこれからどのような社会を目指していくのか、そのためにいかなる変革が求められるのか、二十世紀末以降の日本が必要な変革を遂げられずにいるのはどうしてか、これからの日本が新しい時代を築くべく変革を遂げるには何が必要なのかについて考えることを目的として、検討を重ねてきました。

二〇二〇年の新型コロナウイルス（ＣＯＶＩＤ－19）によるパンデミックは、以前から存在していた課題をより深刻化させ、すでに起こりつつあった変化やトレンドを加速させています。では、我々が置かれている状況の本質はどのようなものでしょうか。

本研究会の時代認識は、これからの時代を特徴づけるのはダイナミックな「せめぎあい」である、というものです。さまざまな領域で、古いものと新しいもの、互いに鋭く矛盾する事象が並存し、激しくぶつかり合いながら影響を及ぼし合っています。矛盾する方向のどちらに進むかわからない「せめぎあいの時代」には、私たちの意志と行動によって未来の姿、大きく言えば人類文明の姿が変わりうる、そうした自覚が必要です。

振り返れば、平成期の日本も、冷戦の終結やグローバル化、ICT（情報通信技術）の目覚ましい発展といった大きな環境変化に直面していました。それに対応するための改革の必要性が声高に叫ばれ、政治改革や企業統治改革など実行に移されたものも少なくありません。しかし、日本の現状をみれば、これらの改革が期待された成果を上げたとは言えないでしょう。一時は世界トップクラスに立った日本の一人当たりGDPは多くの国に抜かれていき、世界の中での日本企業の存在感は薄れています。人口減少にも歯止めがかからず、財政健全化からも遠ざかるばかりです。

平成の日本が昭和の成功体験から抜け出せず、必要だったはずの自己変革を実現できなかった要因の一つは、平成期には、明治期の列強や第二次大戦後のアメリカのような、わかりやすい「お手本」が存在しなかったことに求められます。お手本がない以上は、自らそれをつくり出さなければならなかったのですが、新しい文脈の中で日本が何を目指していくのか、共通のビジョンが定着することはついにありませんでした。多くの場合、周囲で起きている変化になんとなく合わせようとするばかりで、何のために、あるいは誰のために改革が必要なのか、何を変えるべきで、何を変えるべきではないのかといった本質的問いへの答えは曖昧なままでした。改革自体が自己目的化する中、かつての成功モデルに戻ろうとする力はかえって強まることになったのではないでしょうか。

第一部で見るように、近代以降の日本は、明治維新を起点として列強入りし、第二次世界大戦の敗北にいたる盛衰、そして、戦後復興から先進国入りを経てバブル崩壊後の長期停滞にいたる消長、という二つのライフサイクルを描いてきました。厳しくもあり不確実でもある「せめぎあいの時代」のただ中で、日本は新たなライフサイクルを開始できるかどうかを鋭く問われています。しかも、過去二つのライフサイクルと違って、これからの日本にはお手本が存在しません。

ではどうするのか。既存のシステムを破壊してゼロベースでやりなおそうというご破算モデルが唱えられることもあります。しかし、ハードランディングは新たな悲劇を生む可能性が高く、特に弱者ほど大きな被害を受けがちであることに注意が必要です。むしろ、これまでの日本の積み重ねや幾多の経験をふまえながら、日本という国の新たなライフサイクルを始め、求められる自己変革の実現をはかることはできないものだろうか。こうした問題意識も、本研究会が一貫して抱いてきた視点の一つです。

環境変化にただ適応しようとしてやみくもに改革を進めた平成期の反省に立つならば、日本が与件として対応せざるを得ない領域と日本次第で変えることのできる領域を見定めながら、その中でこうありたいと願う日本の輪郭を描き、それを実現する強固な意志を持つことから始めるべきでしょう。既存のシステムを変えようとするだけではうまくいかないことも、平成期の経験から私たちが得たもう一つの教訓です。新しい文脈の中に日本の強みや弱みを位置づけなおし、望む姿を目指して強みを磨き、弱みを克服する着実な努力を重ねることが肝心です。国内に閉じた環境で自己満足に浸ることは解にはなりません。世界の中で日本を相対化し、再発見することがカギになります。

過去の成功体験に戻ろうとする強い力を乗り越える実践的なコンセプトも必要になります。私たちがたどりついたのは、既存の中心の打倒に力を使うより、「せめぎあい」の中で生まれている変化の兆しを新しい中心として育てることに力を注ぎ、二つの焦点を持つ「楕円型社会」を目指す、というコンセプトです。本研究会では、地域や企業、大学などで新たな挑戦に日々取り組んでいる実践者との対話を重ねてきましたが、それを通じてはっきりわかったのは、新たな中心のもとになる変化の兆しは、日本のさまざまな場で着実に芽生えているということです。こうした変化の萌芽をつぶしてしまうことなく、複数の中心を育てていくことができれば、「せめぎあいの時代」をリードする日本が立ち上がってくるはずです。

本書の構成は三つに分かれています。第一部では、今という時代、それからこれからの時代はどういうものなのか、私たちがなぜ変わらなければならないのかを明らかにしていきます。これからの時代の本質を、①グローバル化と国家の復権、②工業化とデジタル化、③テクノロジーの活用とリスク社会化、④ヒエラルキーとネットワーク、の四つの軸での「せめぎあい」と捉える時代認識が示されます。

第二部は、ゲストスピーカー一七名との対話です。本研究会では、それぞれの専門分野から時代の本質を捉える研究者やさまざまな領域で新たな価値を創出しているリーダーのお話をじっくりうかがい、文字通り自由闊達に意見交換を行ないました。魅力あるゲストと繰り広げられた対話の楽しさと熱気を、読者の皆様にもぜひ感じていただければ幸いです。

第三部は、せめぎあいの時代に私たちがいかなる姿勢で臨むのか、必要な自己変革を遂げるために何が必要かをめぐる、本研究会からの提案です。複数の中心を自覚的に並存させる「楕円型社会」のコンセプトを示した上で、試行錯誤の中で新しい中心が生まれてくる三つの場〔地域・企業・教育〕をとりあげます。そして、楕円型の日本を築く際に大切にしたい五つの原則を示しています。

なお、第一部と第三部は、研究会で重ねてきた議論を、研究会メンバーの亀井善太郎氏（PHP総研主席研究員）がまとめ、さらなる検討を経て完成させたものです。第二部は、ゲストスピーカーとの対話を再現した『Voice』誌の記事がもとになっていますが、同誌の掲載順とは異なり、相互の関連性を考えて並べ替えています。

未来の日本の姿は、現在の私たちの営みの積み重ねの先にみえてくるものです。未来の世代から、私たちの世代が意志と努力で困難な転換期に立ち向かったことが日本の潜在力を覚醒させた、と誇りをもって振り返ってもらえるようでありたいものです。そのために今何をすべきか。本書が、志あるみなさんとともに考え、ともに動く呼び水になれば幸いです。

一般財団法人鹿島平和研究所会長　平泉信之
政策シンクタンクPHP総研代表　金子将史

日本の新時代ビジョン

「せめぎあいの時代」を生き抜く楕円型社会へ

目次

第二部

対話編

第三部 せめぎあいの時代を生き抜くために

「新時代ビジョン研究会」メンバー（五十音順）

小黒一正《おぐろかずまさ》（法政大学教授／鹿島平和研究所理事）

一九七四年生まれ。京都大学理学部卒業、一橋大学大学院経済学研究科博士課程修了（経済学博士）。九七年大蔵省（現・財務省）入省後、大臣官房文書課法令審査官補、関税局監視課総括補佐、財務省財務総合政策研究所主任研究官、一橋大学経済研究所准教授などを経て二〇一五年から法政大学経済学部教授。厚生労働省「保健医療2035」推進参与、内閣官房「革新的事業活動評価委員会」委員等を歴任。近著に『日本経済の再構築』『薬価の経済学』（以上、日本経済新聞出版社）等。

金子将史《かねこまさふみ》（PHP総研代表／研究主幹）

一九九三年、東京大学文学部卒業。ロンドン大学キングスカレッジ戦争学修士。広告会社勤務、松下政経塾塾生等を経て現職。株式会社PHP研究所執行役員。専門は外交・安全保障。著書に『パブリック・ディプロマシー戦略』（共編著、PHP研究所）、『日本の大戦略 歴史的パワー・シフトをどう乗り切るか』（共著、同前）、『世界のインテリジェンス』（共著、同）等。「国家安全保障会議の創設に関する有識者会議」議員、外務省「科学技術外交推進会議」委員等を歴任。

亀井善太郎《かめいぜんたろう》（PHP総研主席研究員／立教大学大学院21世紀社会デザイン研究科特任教授）

慶應義塾大学経済学部卒業。日本興業銀行、ボストン コンサルティング グループ、衆議院議員等を経て現職。内閣官房行政改革推進本部歳出改革WG委員、内閣官房行政改革推進本部参考人（EBPM推進、政策立案支援）、総務省行政評価局アドバイザー、文部科学省EBPMアドバイザー、外務省ODAに関する有識者懇談会委員等、政策立案と評価を中心に政府の各種会議体に参画。NPO法人アジア教育友好協会理事（山岳少数民族教育支援）。

末松弥奈子《すえまつみなこ》（ジャパンタイムズ 代表取締役会長兼社長）

広島県出身。一九九三年、学習院大学大学院修士課程修了後、インターネット関連ビジネスで起業。ウェブサイト制作やオンラインマーケティングに携わる。二〇〇一年に株式会社ニューズ・ツー・ユーを設立。二〇一七年六月、一八九七年創刊の日本で最も歴史のある英字新聞を発行する株式会社ジャパンタイムズの代表取締役会長・発行人に就任。二〇二〇年四月、日本初の全寮制の文科省認定小学校「神石《じんせき》インターナショナルスクール」を開校。

永久寿夫《ながひさとしお》（PHP研究所取締役専務執行役員）

一九八二年、慶應義塾大学法学部政治学科卒業。同年PHP研究所入社。八八年、スタンフォード大学にてロシア・東欧学修士号（A.M.）取得。九四年、カリフォルニア大学（UCLA）にて政治学博士号（Ph.D.）取得。PHP総研代表を経て、現在に至る。杉並区行政評価検討委員会委員、神奈川県「21世紀の県政を考える懇談会」委員、国家戦略会議フロンティア分科会事務局長、内閣官房行政改革推進本部歳出改革WG委員・行政改革推進会議年次公開検証評価者、関西大学客員教授などを歴任。

平泉信之《ひらいずみのぶゆき》（鹿島平和研究所会長）

一九五八年生まれ。八二年、早稲田大学商学部卒、PHP研究所入社。八四年、鹿島建設入社。バージニア大学経営管理大学院卒。同社営業本部企画部担当部長兼建築管理本部LCM室兼開発事業本部資産マネジメント事業部兼株式会社イー・アール・エス、財務省財務総合政策研究所研究部総括主任研究官、鹿島建設開発事業本部資産マネジメント事業部担当部長等を経て、二〇〇九年、同社退職。アバン アソシエイツ顧問、鹿島建設取締役。

松本道雄《まつもとみちお》（CBREグローバルインベスターズ・ジャパン取締役／鹿島平和研究所理事）

東京大学経済学部、ロチェスター大学経営大学院卒業。一九九三年、鹿島建設入社。開発事業部門において、主に宅地・住宅・オフィス等の開発業務や収益物件の売買等に従事。二〇〇六年よりドイツ証券不動産投資銀行部において、海外投資家向けにオフィス・商業施設・物流施設のアクイジション、開発事業等を行なう。一三年よりCBREグローバルインベスターズ・ジャパン取締役・投資企画部長として日本のアクイジションヘッドを担う。

御立尚資《みたちたかし》（ボストン コンサルティング グループ〈BCG〉シニア・アドバイザー）

京都大学文学部米文学科卒、ハーバード大学経営大学院修士。BCGでは日本代表、グローバル経営会議メンバーを務める。現在は、複数の企業の社外取締役を務めながら、京都大学経営管理大学院特別教授として教鞭をとる。大原美術館理事、マクドナルドハウスチャリティーズジャパン専務理事など、非営利組織のマネジメントにも携わっている。近著に、『「ミライの兆し」の見つけ方』（日経BP）など。

第一部

なぜ私たちは変わらなければならないのか

日本のライフサイクルは転換点にある

二〇二〇年に世界を襲った新型コロナウイルス感染症により、私たちは働き方や暮らし方を前提から見直すことを迫られています。国境を越えた人の行き来や貿易も大きな制約を受け、国家間の対立が目立つようになるなど、国際環境も大きな変化を被っています。しかし、日本がこうした危機や変化を経験するのは初めてのことではありません。振り返ってみれば、日本はこれまでにもさまざまな危機や変化を乗り越えてきました。図表1-1は近代以降の日本の歴史を起承転結のあるライフサイクルと捉え、戦前と戦後について、比較したものです。

戦前においては、明治維新を起点とすれば、日露戦争によって列強の一角に達しましたが、第一次世界大戦後の世界の空気を見誤り、対中戦争は対米戦争に拡大し、77年後に第二次世界大戦の敗戦を迎えました。

戦後は、朝鮮動乱をきっかけに復興は加速し、一九七九年には〝Japan as Number One〟と呼ばれるまでに至りましたが、その後のバブル崩壊、平成の停滞が続きました。

図表1-1　日本のライフサイクル

西暦	経過年数	事件		西暦	経過年数	事件
富国強兵を通じた列強入り（不平等条約改正）			目標	加工貿易立国を通じた戦後復興		
1868	0	明治維新	起	1950	0	朝鮮動乱
1904	36	日露戦争	承	1979	29	“Japan as Number One”
1914－18	50	総戦力となった第一次世界大戦	転	1985	35	日米貿易摩擦～プラザ合意
1922－24	56	薩長最後の元老・山縣有朋、松方正義死去				
1931	63	満州事変	結	1992	42	資産バブル崩壊
1945	77	終戦		2020?	70?	財政破綻～インフレ

出典：平泉委員提供

第二次世界大戦のような終末がどのようなかたちで訪れるのか、それは自然災害かもしれませんし、パンデミックかもしれません。また、巨額に膨らんだ財政破綻が招くハイパー・インフレかもしれません。いずれにせよ、ひとつのサイクルのおわりにあるようにも見えるのではないでしょうか。厳しい結末を望むものではありませんが、新しいサイクルに向けた社会の準備をしておかねばならないことは間違いありません。

世界の知恵を受け入れ、独自の変化を続けてきた日本

近現代に限らず、有史以来、日本は世界の

国々の知恵を積極的に取り入れ、独自の形で深化させ、自らを変化させてきました。

古くは、当時の最先進国の一つであった唐からの律令制度の導入が挙げられるでしょう。律令制度ばかりではなく、宗教、文化など、様々な「もの」や「こと」を輸入し、取り入れました。大宝律令の導入が七〇一年とされていますから、いまの奈良に遷都する少し前のことです。律令は、言葉のとおり、法律、法令であり、統治機構を定めるものでもありました。その後、百年ほど経って、平安時代になれば、導入された制度は唐のものとは異なるかたちで独自の発展を遂げていきます。もっともわかりやすい独自の変化は、漢字から生まれたひらがなやカタカナでしょう。

近代の大きな変化のきっかけは「黒船」来航でした。三百年間続いた徳川体制においては、その後の社会や経済の発展の基礎となる教育水準の向上等、内発的な成熟が進んだと指摘されていますが、ついに、七百年続いた武士による政治の終わりを迎えます。

幕末、これに続く明治維新は、日本にとって近代化の起点となりました。欧米列強が植民地化政策を進める中、彼らのやり方の優れたところを取り入れ、明治の新体制を構築し、天皇を君主としながら民主的な政府と議会をつくり、国をあげて産業を興し、育成しました。これまでの手工業中心だった産業の機械化を遂げ、その規模を拡大していきました。また、日々の暮らしや社会も西洋化を進め、さらには、軍隊も幅広く皆兵《かいへい》とし、軍事的にも強化を遂げ、国の独立を守ることができました。

一方、その成功が戦争への道にもつながっていったことは、現代に生きる私たちなら誰もが知ることでしょう。各国を巻き込んだ世界ではじめての大規模な近代戦となった第一次世界大戦の経験から、欧米の各国が国民を総力戦に動員し、多大な被害を招いた反省に転じる中、日本は中国との戦争を収束させることができず、やがては対米開戦に至り、敗戦の坂道を転がり落ちてしまいました。

敗戦後の日本は、戦争への深い反省を胸に、あらためて、近代化の歩みを始めました。焦土からの復興、やがては、世界でも稀な経済成長を成し遂げ、昭和の時代の最後には、一人当たりの経済生産（ＧＤＰ）は世界トップクラスに至りました。

世界一の源泉は、現在でも日本の強みの一つとされる「ものづくり」でした。質の高いものをより安くつくることができる。よいものであることはあたりまえで、ちょっとしたひねりも加えて、新しい価値を創造する、そんな製品が日本からたくさん産み出されました。ソニーが作ったウォークマンは一九七九年に販売開始された製品です。音声の録音と再生の媒体であるカセットテープを使い、そこから録音機能を取り去って、再生機能だけに絞り込んだものです。加えて、イヤホンやヘッドホンと組み合わせ、一人だけしか聞くことができない製品を作り上げました。それまでの常識では「役に立たない」「誰も使わない」「意味がわからない」ものでしたが、音楽鑑賞のポータブル化の実現によって音楽を楽しむシーンを新しく創造し、爆発的なヒットとなりました。

ちょっとした工夫を取り入れ、優れた製品を均質につくる「ものづくり」に適した工業化社会に対応した組織、つまり、「会社」においては、一人ひとりの社員に組織の歯車になることを求めました。基本的な知識を身につけ、与えられた問いに向き合い、これをきちんと解く訓練を重ねる日本の教育によって生み出された人々は、企業と終身雇用の関係を結び、組織の中で階段を昇っていくように組織に適した人材になっていきました。

近代の日本は、成功と失敗を繰り返してきました。開国から、天皇を君主としつつ、議会を設置する政治体制を構築し、植民地化されずに独立を守り、日本独自の近代国家を構築することができました。その後、戦争によって国土は焦土と化し、国民は苦しい生活に陥りましたが、戦後は、復興からの高度経済成長を経て、世界のトップにまで駆け上がることができました。大きく見れば、二度にわたって、危機をきっかけに海外の知恵を取り入れて自らを変化させ、一体となって困難な坂道を登り、山の頂《いただき》に至ることができたのです。

経済力でトップにはなったけれど

戦後から高度経済成長期にかけての「みんなで豊かになる」「欧米のような暮らしができるようになる」というのは、とてもわかりやすい共通の目標でした。一九五〇年代の家電の三種の神器（白黒テレビ、洗濯機、冷蔵庫）、その後の六〇年代半ばの3C（カラーテレビ、クーラー、自動車）、さらには新3C（電子レンジ、セントラル・ヒーティング、別荘）のような、賞与などでまとまったお金が入れば、これを買おう、我が家に備えようという「もの」がたしかにありました。3Cとは古いと言われるかもしれませんが、その後に出てきた新製品の多くは、三種の神器や3Cの高機能化、バージョンアップであったのは、昭和の歴史の一部です。

世界のトップになってみれば、身の回りのものはそれなりに揃って、たしかに物質的な飽和感は得ることができました。しかし、日本はどこに進むのか、次の方向性を見失いました。かつての3Cのような、誰もが欲しがる「もの」はなかなかありません。時間の使い方や人と人の交わりといった日々の暮らしにおける豊かさの実感は乏しく、また、社会に対す

図表1-2　G20各国における1人当たりGDPの推移（ドルベース）

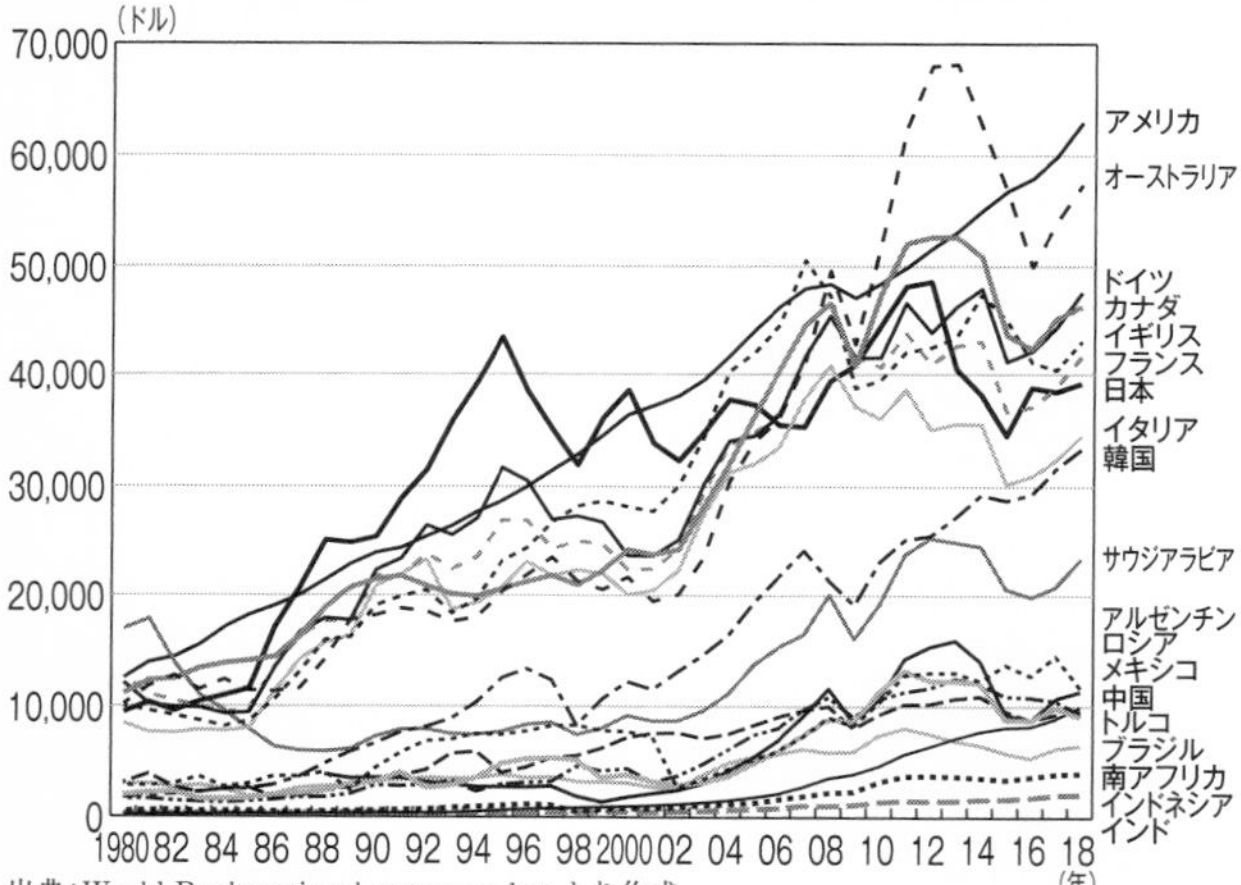

出典：World Bank national accounts dataより作成

る閉塞感も残りました。偏差値の高い大学に進んだ若い世代が入信したオウム真理教が起こした地下鉄テロをはじめとする犯罪は、昭和末期から平成初期にかけて起きた事件でした。社会を震撼させた一連の事件は、日本が次の方向性を見失っていたことと無関係ではないでしょう。

加えて、平成の三十年を経て、経済的な成功も過去のものとなりました。経済的な豊かさの指標である「一人当たりのGDP」を見れば、九〇年代にG20トップとなった日本でしたが、四半世紀以上を経た二〇二〇年時点でも、絶対額はほぼ同じ水準にあって、日本の停滞は明らかです。

就労構造の変化は起きているが……

とはいえ、日本の産業構造にまったく変化が無かったわけではありません。

昭和期には農業から製造業へと労働力がシフトしました。次の二つの図表は日本の産業別就労者数の推移です（次ページの図表1-3は実数、図表1-4は構成比）。これらを見れば明らかなように、平成期には製造業からサービス業に労働力がシフトしています。直近ではサービス業への就労は半数を上回っている現状です。しかし、就労構造が変化する一方で、それが必ずしも付加価値の高い産業への労働移動を伴っていないところに日本の抱える課題があります。

サービス化の時代には、工業化とは異なる戦略が求められます。しかし、日本経済がものづくりの成功体験から転換できたとは言い切れません。「よいものをより安く」というのは、日本人を雇用するコストが相対的に安い時代にはうまくいった戦略です。しかし、すでに日本は成熟化を遂げており、同じ品質であれば、日本国内より安く作ることができる国や地域がたくさん出てきています。じっさい、安く売るのであれば、圧倒的に大量に生産できなけ

図表1-3　日本の産業別就労者数の推移(万人)

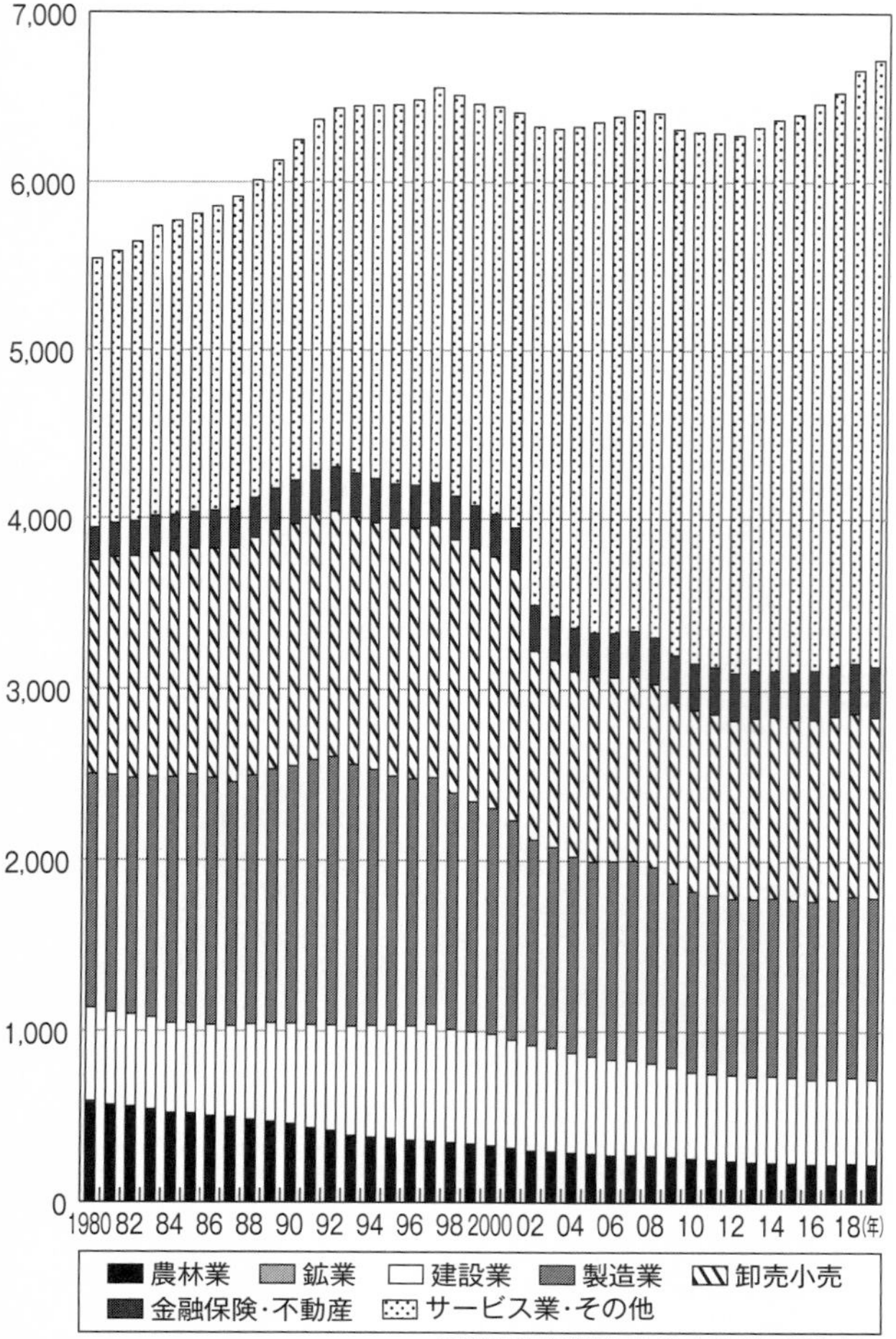

出典：総務省・労働力調査より作成

※鉱業は数値が極端に小さいため、図には表れない

図表1-4　日本の産業別就労者数の構成比の推移(%)

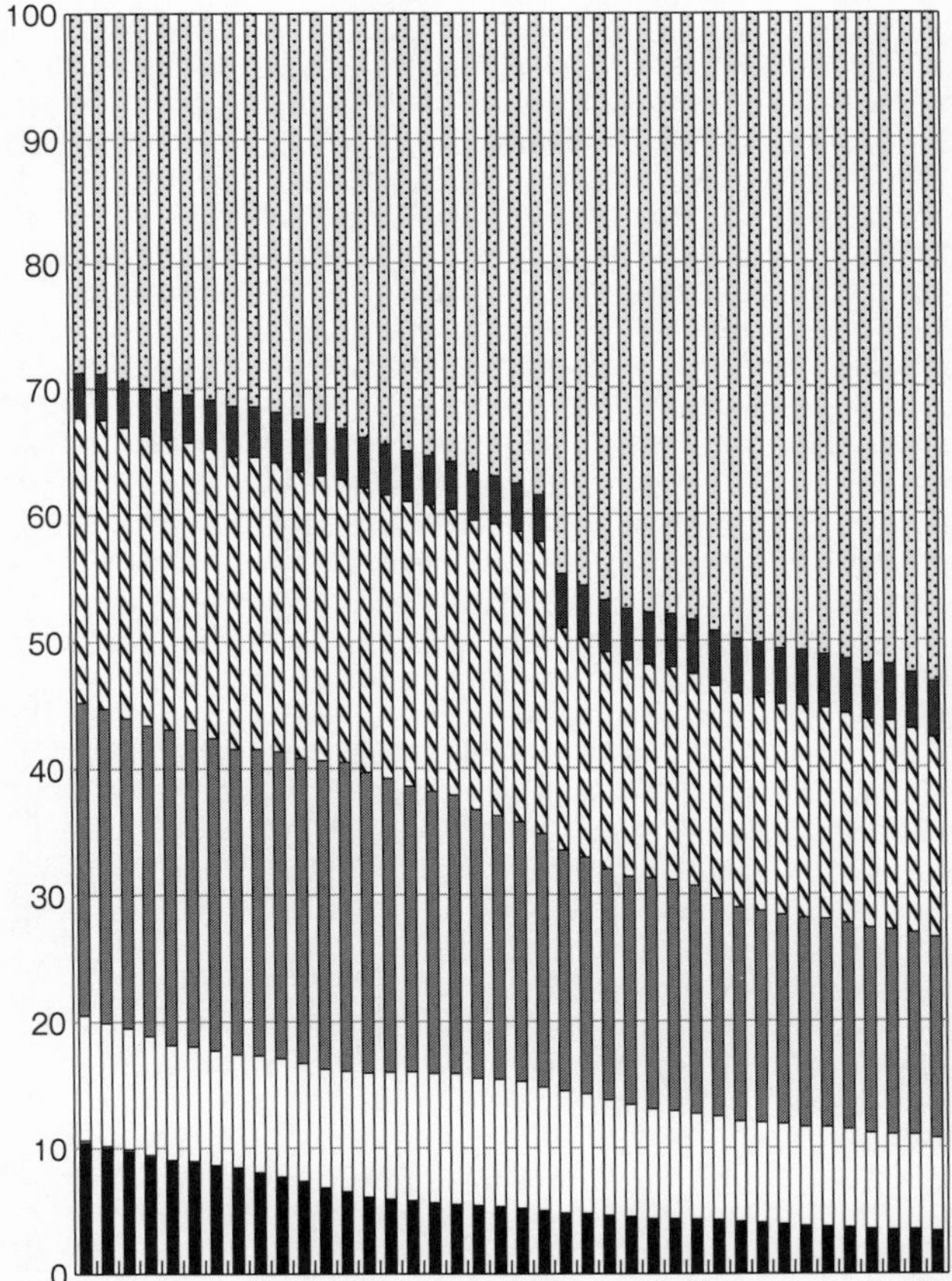

出典：総務省・労働力調査より作成

※鉱業は数値が極端に小さいため、図には表れない

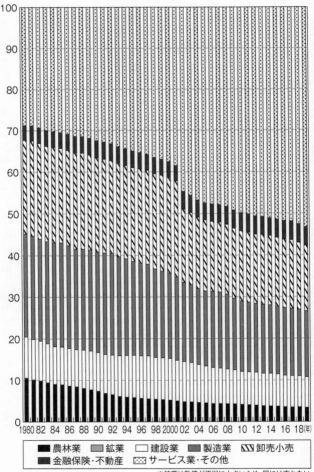

れば利潤の最大化はできませんが、そのためには、世界市場においてシェアを獲得できなければいけません。日本がそうしたポジションを確保できている分野は、必ずしも多くありません。また、独自性が高く、他にはないものを提供できれば、価格引き下げ競争に巻き込まれず、利潤を最大化することができますが、それができていれば、一人当たりGDPの推移は、もう少し上向きになっていたでしょう。

幸せの実感はどうだったのか

社会の豊かさを測る指標は経済力だけではありません。図表1-5は、日本の幸福度と生活満足度の推移です。幸福度というのは主観であり、生まれた年代や経験、住まいや働く環境によっても異なるので、一つの指標にするのはたいへん難しいものです。とはいえ、内閣府の研究によれば、内閣府が調査してきた生活満足度との相関が高いことが見えてきています。

幸福度は人それぞれの感じ方によるものですが、例えば人口一〇万人当たりの自殺者数を示す自殺死亡率の推移は、幸福度とはまったく異なるアプローチではあるものの、社会の空

図表1-5　日本における幸福度の推移

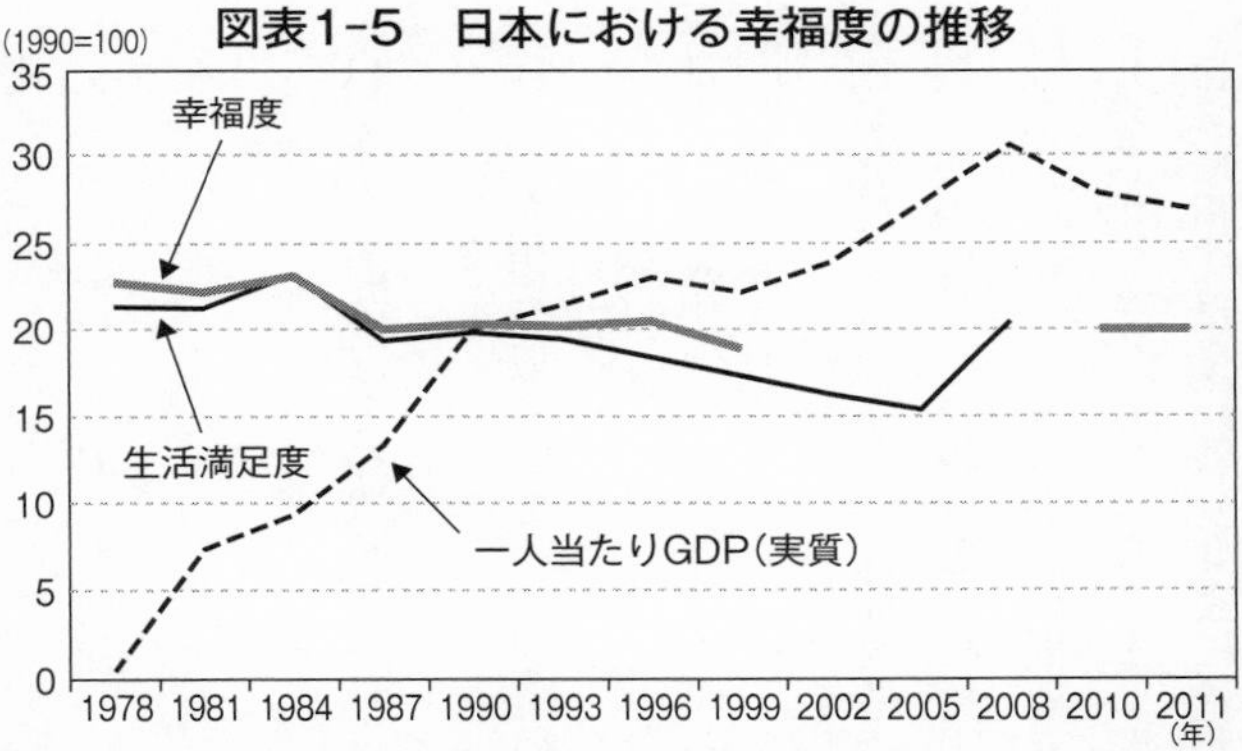

備考：1.「幸福度」「生活満足度」は内閣府「国民生活選好度調査」における3年度毎の回答に基づく平均値を1990年を100として指数化したもの。
2. 一人当たりGDPは内閣府「国民経済計算確報値」及び「四半期別GDP速報」、総務省「推計人口」により算出し、1990年を100として指数化したもの。
3. 2002年、05年、08年の幸福度、2010年以降の生活満足度はデータなし。
出典：内閣府・幸福度に関する調査研究会報告（2011年8月）

気を見るには忘れてはならない視点でしょう。

社会は、人と人の関係性で成り立っています。それぞれの努力と努力による支えあいと言ってもよいでしょう。記憶に新しいところでは、新型コロナウイルスの感染拡大を抑えるため、医療をはじめとする様々な現場がギリギリの奮闘を続けています。また、物流や小売をはじめとして、様々な産業における一つひとつの組織、一人ひとりが社会を懸命に支えています。感染拡大の抑止のため、人と人との距離を空けなければならないと言われたとき、誰もが、自分は一人では生きていないこと、また、社会が無名の一人ひとりによって支えられていることを実感しました。

幸福度にしても自殺にしても、現代社会の深刻な課題である「孤立」と無縁ではないと考えられています。それぞれが感じる「孤立」をいかにして克服していくのか。私たちは、社会全体として、またその一員として、何らかの変化を遂げていかねばなりません。

日本が直面する深刻なリスク：高齢化社会

日本が変化を迫られている理由の一つは高齢化の加速です。高齢化と共に少子化も進行しています。国全体が老い、そして、小さくなっています。

日本の高齢化は突出していますが、じつは他国も同じ傾向にあります。これは、いわゆる先進国に限った問題ではありません。

高齢化は、社会全体の変化する力、動く力を減退させますが、それ以上に考えておかねばならないのは、若い現役世代の負担が増すことでしょう。一般には、年金や医療費といった財政負担の増大というお金の問題がまず考えられます。しかし、それ以上に、実際のフィジカルな負担こそ忘れてはならない問題です。

自宅で祖父母や両親の介護に追われながらも、家計のために仕事も続けなければならない

図表1-6　各国の高齢化率の推移(%、2020年以降は推計値)

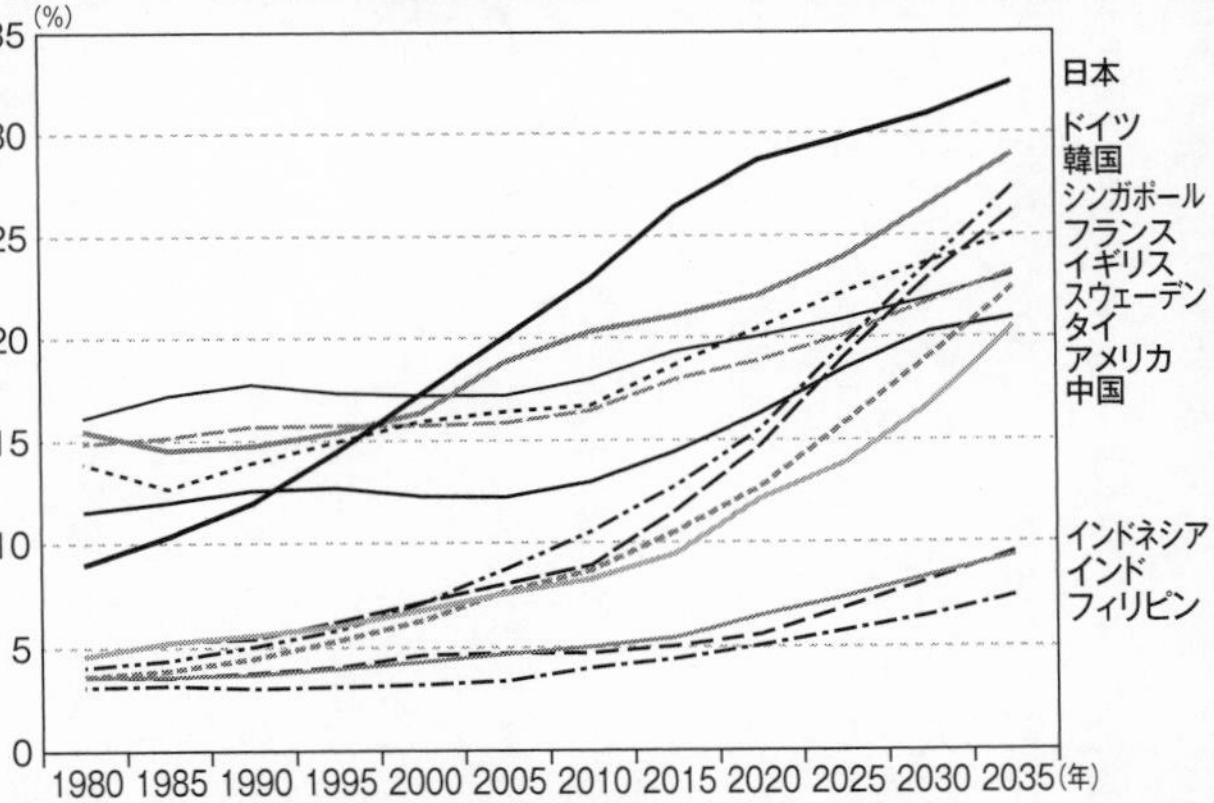

出典：UN, World Population Prospects：The 2017 Revisionより作成
注：2020年以降は国立社会保障・人口問題研究所「日本の将来推計人口(平成29年推計)」の出生中位・死亡中位仮定による推計結果による。

人々が増えています。介護と仕事の両立が求められているのです。夫が外で働き、専業主婦が介護を担っていた時期もかつてはありましたが、共働きが増え、介護を女性だけに任せることはいまやできません。介護は家族それぞれの問題であって、会社に持ち込むものではないという考えが一般的だった時代もありました。

しかし、もはや、こうした問題は大半の家庭で起きています。日本の出生率は一・四四(二〇一六年)です。子どもを持たない人や、一人っ子が増えています。一人っ子同士が結婚すれば、その夫婦が介護しなければならない親はそれぞれの両親が健在であれば四人いることになります。その四人が、時には同時に、あるいは連続して、介護が必要な状態になるのです。たとえ、親と離れて住んでいたとしても、何らかのかたちで対応する必要が出てきます。

こうした現状を、それぞれの勤め先である企業はもちろんのこと、社会全体として受けとめていかねばなりません。働きながら介護と両立できる、これまでとは異なる働き方をいかにして実現するか、いままでの考え方をどのように転換し、対応していくのか、待ったなしの状況です。

小さくなるのは日本だけではありません。世界の多くの国々が同じ状況にあります。東南アジアの各国は経済成長著しいですが、例えば、タイでは、すでに少子化が進んでいます。タイの合計特殊出生率（女性一人当たり）は一・四八人（二〇一六年）であり、一・四四人の日本とほぼ同じ水準です。中国も同様で一・六二人です。他の国でも、ドイツは一・五〇人、アメリカとイギリスは一・八〇人、家族手当や保育の充実などの子育て政策が成功しているとされるフランスでも一・九六人です。

そうした中、日本が、一足先に高齢化社会に突入します。課題先進国である日本が、たいへん困難な課題である高齢化にいかに向き合い、解決していくのか、世界が注目しているのです。

四つの「せめぎあい」から見る現代社会

以上、日本がいまこそ変わらねばならない理由を挙げてきましたが、私たちが生きているいまこの時代は、本質的にどのようなものなのでしょうか。本研究会では、現代を「せめぎあいの時代」と捉えました。

例えば世界規模で国境を越えた経済や社会の動きが活発になり、国家の存在は希薄になりつつありましたが、近年、急速に国家の復権が進んでいます。テクノロジーによる競争ばかりではなく、新型コロナウイルスの感染拡大といったパンデミックにおいても、国家の復権は進みました。ここには二つのまったく対立するベクトルが存在します。私たちはこれを「グローバル化と国家の復権」のせめぎあいと捉えました。この「せめぎあい」は、それぞれが対立しているばかりではなく、お互いが影響しあい、組み込みながら展開しています。云《い》わば、弁証法のような動きと考えるべきでしょう。

「せめぎあい」が起きているのは「グローバル化と国家の復権」だけではありません。社会や経済における「工業化とデジタル化」の並存や、豊かさの源泉であるテクノロジーの発達がリスクそのものに直結している状態も、「テクノロジーの活用とリスク社会化」というせめぎあいの一つといえるでしょう。組織や社会においてタテの関係とヨコの関係がせめぎあう「ヒエラルキーとネットワーク」もあります。これら、私たち日本を取り巻く前提条件ともいえる四つの「せめぎあい」は相互に密接に関係しています。ここでは、それぞれの「せめぎあい」について詳しく見ていきます。

▒グローバル化と国家の復権

はじまりは新自由主義

あらためて「グローバル化と国家の復権」から見ていきましょう。

グローバル化の流れは、米ソが対立する東西冷戦下にあった一九七〇年代後半あたりから八〇年代にかけて、英国におけるサッチャー（首相在任は一九七九年〜九〇年）、米国におけるレーガン（大統領在任は一九八一年〜八九年）といったリーダーが推進した、国家による福祉や公共サービスの縮小（小さな政府や民営化等）、規制の大幅な緩和、市場を主体とした経済の重視を特徴とした新自由主義が原点です。日本では、中曽根康弘が首相となり（在任は一九八二年～八七年）、旧国鉄や電電公社等の民営化に取り組みました。西側各国は、資本の移動の自由化を進め、人、モノ、カネが国境を越えて、動くことが増えていきました。

この後、日本が経済力でトップに立ったのとほぼ同じ時期ですが、一九八九（平成元）年十一月、ベルリンを東西に隔てていた壁が崩壊しました。これを契機に、旧東側諸国も含めた世界はそれまでのアメリカとソ連の冷戦構造から脱却し、ヒト、モノ、カネ、情報が国境を越えて動き回る全世界レベルでのグローバル化が進みました。

日本は、米ソ冷戦下では、アメリカ、イギリス、フランス等の自由主義、民主制、資本主義を選択した西側体制の一員でした。安全保障では、日米安保条約を締結し、アメリカの軍事的な保護の下、経済の隆盛に注力することができました。このため、政策面でもアメリカとの協調、追随が目立ちました。アメリカからしても、太平洋の安全保障を考えれば、ソ連との間に日本が存在することは重要なことでした。

ベルリンの壁崩壊から二年後の一九九一（平成三）年十二月、ソ連の共産党が解散し、これに伴い、連邦の各国が主権を回復し独立、ソ連が崩壊しました。ロシア革命が一九一七年、ソ連の成立が一九二二年ですから、約七十年の歴史に幕を閉じたわけです。これと前後して、一九九〇年には東ドイツと西ドイツが統合し、現在のドイツとなりました。ソ連、東ドイツ、旧ユーゴスラビアなど、一党独裁で共産主義や社会主義を目指した多くの国々の政権は崩壊し、国家体制の転換がありました。アメリカの政治学者であるブレジンスキーは、二十世紀は、共産主義という壮大な社会的実験が始まり、そして、失敗した世紀だったと説きましたが、十九世紀にマルクスとエンゲルスによって書かれた構想（『共産党宣言』は一八四八年発刊）が、しばらくしてから実際の社会で試みられ、そして、七十年を経て崩壊するという、まさに、その言葉通りの歴史だったといえるでしょう。

振り返ってみれば、冷戦時代は、核を相互に使用した第三次世界大戦の勃発には至りませんでしたが、世界各地では代理構造の紛争が頻発し、きわめて緊張感に満ちた時代でした。

アメリカの政治学者であるフランシス・フクヤマは、一九八九年、『歴史の終わり？』（著作としての発刊は一九九一年）を発表し、国際社会における民主制と自由主義経済の勝利を宣言し、これまでの歴史を振り返れば、体制転換に伴って多くの興亡があったものの、もはや、いわゆる西側体制の勝利に帰したと示しました。いまを生きる私たちは、その後の世界が必ずしも彼の言う通りには進まなかったことを知っていますので、楽観的すぎたのではないかと感じてしまうかもしれませんが、彼の著作は多くの人が読み、当時の西側のリーダーや社会の感覚を代表していたものといえましょう。

欧州各国のＥＵ（欧州連合）への加盟も進み、そこから、国境を越えた経済活動はさらに活発化していきました。人、モノ、カネ、さらには、技術の発展に伴って、情報が世界を駆け巡る時代がやってきました。

こうした国境を越える時代のメリットを享受したのが巨大企業です。より安い生産地を、そして、より大きな市場、販売先を求め、世界各地とつながっていきました。さらには、国を越えたサプライチェーンも構築されました。仕事によっては、アジア、欧州、米州と八時間ずつ割り振って連携することで、二十四時間フル回転で仕事を進める企業も出てきました。これに対し、そもそもの定義からして国境を越えることができない国家（政府）の役割が相対的に小さくなりました。

グローバル化によって、私たちは、よりよいものをより安く買えるようになりました。そうなると、日本のように成熟した国内市場を相手にしているだけでは、ビジネスは拡大できません。よほど誰にも真似できない差別化戦略を継続できないかぎり、成長は見込みにくくなってしまいます。一人ひとりの働き手からすれば、そうした変化に対応できる人とできない人の間の経済的な格差が拡大するといった問題が生まれました。グローバル化に対応できる人はグローバル化に対応できる企業に入り、グローバル化した経済の様々な果実を獲得できるのに対し、対応できない人は対応できない企業に入ることしかできません。さらに、先行して経済的に豊かになった日本人にとっては、自分と同じ能力で、より安い賃金で働く他国の人と勝負しなければなりませんから、なかなか賃金も上がらないという状態に陥りました。

多極化、無極化の時代へ

しかし、グローバル化は必ずしも進展する一方というわけではありません。米ソの冷戦が終わった後、唯一の超大国であった米国の成熟化が進み、世界の警察として君臨してきた米国の態度が変わってきました。他国のことよりも自国のこと、「アメリカ・ファースト」と唱えたトランプ大統領が誕生したのは二〇一七年のことでした。

この流れの中で忘れてはならないのは中国の台頭です。世界一人口の多い中国が、アヘン戦争以来の暗い近代化の歴史を経て、経済的な発展を遂げて、世界第二位の経済大国となりました。また、インドをはじめとする新興国の勃興も忘れてはなりません。世界はパックス・アメリカーナ（アメリカによる平和）の時代を終え、米中による新秩序、あるいは、多極化、無極化の時代に向かいつつあります。アメリカの政治学者であるイアン・ブレマーは、こうした流れについて、世界の課題を設定し、その方向性を導いてきたG7や近年のG20がリーダーシップを失う、グローバル・リーダー不在の時代がやってきたと指摘し「G0(ゼロ)」の時代に突入したと指摘しています。

こうした流れの中心にあるのが、アメリカと中国のテクノロジー覇権競争でしょう。テクノロジーと地政学が密接に絡み合い、国家の安全保障とも直結し、経済覇権の行方をも左右しています。また、軍事力を行使せずに相手国に対して影響力を行使し、相手国の考え方を自国に引き寄せる外交手段のひとつとして、経済制裁が頻繁に用いられるようになってきています。手法自体は目新しいものではありませんが、協調や協力ではなく、自国の利益のみを優先して経済制裁を重ねれば、グローバル化したサプライチェーンは機能しなくなり、経済活動の見直しは進みます。覇権競争の激化に伴って、相互依存の脆弱性を嫌って、相手国に重要な部品や材料の供給を求めず、サプライチェーンそのものを見直す動きも出てきています。さらには、新型コロナウイルスの感染拡大、パンデミックに伴って、海外に展開してきた自らの生産拠点を自国に戻す動きも見られます。

こうした趨勢がどこに向かうのか、私たちにはまだわかりません。大切なことは、パックス・アメリカーナの下の日本という安定した時代、経済のことだけ考えていればよかった時代は終わってしまったということです。グローバル化後の不安定な時代に私たちは生きていることを忘れてはなりません。

地域の自立

グローバル化と国家の復権がせめぎあいを続ける中、私たち一人ひとりが暮らす、足元の都市や地域はどうなっていくのでしょうか。

グローバル化の時代においては、国家を飛び越えて、都市や地域そのものが世界各地とつながっていくことができると見られていました。

どこかに旅行しようと考えるとき、具体的な都市や地域をイメージする人が多いのではないでしょうか。その国全体を周遊するのはなかなか時間的にも予算的にも難しいからかもしれませんが、やはり、具体的な一つの都市や地域を目的地として、旅が計画されています。それは、国というのはあまりに大きな単位で、それぞれの場、特定の都市や地域が持つ特有の魅力を十把《じっぱ》一絡《ひとから》げにはできないからです。日本の場合、南北に長く、風土も異なりますから、それぞれの魅力も多彩です。

また、日本という国が人口規模で見れば、比較的大きな国だということも忘れてはなりません。国連人口基金（ＵＮＦＰＡ）「世界人口白書２０１９」（本土と属領の合計）によれば、日本は一・三億人、世界で第一〇位の人口を有しています。第一位は中国一四・四億人、第二位はインド一三・七億人、第三位はアメリカ三・三億人、第四位はインドネシア二・七億人、第五位はパキスタン二・二億人です。お隣の韓国は五一〇〇万人（二八位）、台湾は二四〇〇万人（五六位）です。欧州を見れば、ドイツ八四〇〇万人（一七位）、イギリス六七〇〇万人（二一位）、フランス六五〇〇万人（二二位）、イタリア六〇〇〇万人（二三位）です。幸福度が高く、しばしば社会保障制度でお手本とされるフィンランドは五五〇万人（一一四位）です。人口で見れば、イギリスやフランスは日本のほぼ半分で、フィンランドは福岡県と同じくらいの規模なのです。

日本では、人口構造が変化したにも関わらず社会保障制度の改革が進まない、負担と便益のバランスの偏りを是正できない、そのための社会的合意ができない、諸外国の取り組みを見習え、といった声を聞きますが、その原因のひとつとして考えられるのは、こうした規模の大きさではないでしょうか。

また、医療や介護、福祉の現場を見れば、都市と地方における課題のあり方はまったく異なるものとなってきています。すでに高齢化が進み、静かに対応を重ねてきた地方の経験は、これから高齢化が本格化する都市で活かせるものもあれば、都市の変化があまりに巨大で急激なため、まったく活かせないものもあるでしょう。こうした現実を直視すれば、それぞれの地域社会の課題に応じた機動的な政策対応ができる自由度をより高めていく工夫が求められます。

安全保障や市場規模の観点から見ると、日本全体が連帯し、まとまっていることは、大いに意味のあることで、これは持続していかねばなりません。これは国家の復権にもつながることです。これと同時に内政面では、それぞれの地域の課題に応じた政策決定の自由度を高めていくことも必要です。風土においても、文化の面でも、これだけ多様で多彩な地域を有するならば、それぞれの独自性を発揮した動きはもっと見えてきてもよいのではないでしょうか。

■工業化とデジタル化

データという新しい資源

冷戦が終わった後、科学による社会の進歩、自由貿易と資本主義、民主制、人権の確立、労働市場の開放、教育による平等、民族の独立といった、いわゆる西側のイデオロギーに基づく体制は盤石のもので、これが揺らぐことはないと思われていました。途上国の支援である経済開発においても、経済を動かし、生活を豊かにすることができれば、自ずから民主主義的な価値観が拡がり、民主制が定着するとのストーリーが前提になっていました。「工業化」の進展によって物質面での供給が潤沢になり、経済と生活が豊かになる局面では、工業化と民主制は相互に強め合うと考えられていたのです。

ところが、いま見えてきているのは、これとは別のストーリーです。工業化によって進んだ物質面での充足は前提としながらも、経済も社会も、急速にデジタル・データを一つの資源として積極的に活用する「デジタル化」が進んでいます。デジタル化の進展は、分散化や個別最適化といった構造変化をもたらし、工業化時代の勝ちパターンであった集約化や規模のメリットが通用しない場面が出てきます。

デジタル化した社会や経済においては、必ずしも、民主制が最適なわけではありません。むしろ、土地や建物といった資産を、国民を豊かにするために政府が保有してきた共産主義においては、デジタル・データも新たな資産と見なし、これを積極的に保有し、経済的な豊かさのために活用すればよいのではないかという考えのもと、その実践が進んでいます。

デジタル・データにおいて、取り扱いが難しいのは、一人ひとりのプライバシーの問題です。誰がどこにいるのか、誰とどんな情報をやりとりしたのか、何を買ったのか、買う前に何を悩んだのか、インターネット上のデジタル・データを見ることができれば、多くのことを知ることができます。また、最近ではスマートフォンと組み合わせて、実際の移動情報を加えることで、ネット上の活動だけではなく、リアルな社会における経済活動や社会活動も覗くことができるのです。これらの情報があれば、マーケティングや新しい製品やサービスの企画もこれまでよりも確度の高いものになります。しかし、それが何の制約もなくできるはずはありません。いま、日本の社会で常識とされているプライバシー、ひいては人権に対する考え方からすれば、そうした配慮が無ければ、企業や組織として、信用を失墜させることになるでしょう。

しかし、経済的な豊かさのために政府がデジタル・データを保有することを認める国家や社会においては、そうした問題は、大したことではありません。これは、デジタル・データを活かした経済活動や研究等を進める上で大きなアドバンテージになります。

共産主義とデジタル化の相性のよさを私たちは現実のものとして見ています。新型コロナウイルスの対応を見ていても、一人ひとりの自由や人権に配慮した政治体制よりも、感染拡大の抑え込みの一点に限れば、デジタル・データを駆使して人の活動を把握し、自由を無視する体制の方がより効果的と見えなくもありません。私たちが共有してきた価値観からすれば、政府による積極的な情報共有と私たち市民社会の強い協力、併せて、政府に対する監視も、同様に効果があるものであってほしいと願うところですが、強制力を持たない要請による社会的隔離政策の成立がきわめて難しいことも、私たちの記憶に新しいところです。

企業の垣根を越えた協働へ

私たち日本は工業化による成功体験を持っています。それゆえに、工業化社会で積み重ねてきた過去の経験に、デジタル化社会の様々な要素が組み合わさってきているいまの現実と今後の方向性を見きわめるのは、きわめて難しいことでしょう。

デジタル化の動きについては、第二部でも最先端の実務を担う方々や専門家の様々な声を聞いていますが、画像認識技術の発達により急速に進化したＡＩ（人工知能）や、リアルな社会や経済の一つひとつの動きを捉えるカメラやセンサーと組み合わされて、デジタル・データはこれまでとはまったく異なる社会や経済の創造を可能にしています。とくにＡＩは、いくつかの面では従来の人間以上の能力を持つ存在です。画像認識×推論モデルの構築によってできること、つまり、パターン化した事例抽出・分類・仕分け、品質検査といった認識の分野で、人よりも秀でていることはすでに見えていますが、これから、さらなる可能性が模索されることでしょう。

電子化された情報であるデジタル・データには、工業化社会における常識がそのまま通用するとは限りません。具体的には、デジタル・データの特徴としては、初期費用はかかりますが、ランニングコストがきわめて低く、センサーやカメラと連動して、リアルタイムに情報を集めることができること、さらには、データそのものの特性として、記録・分析・予測がしやすいことなどがあります。画像認識技術の急速な発達は、従来、データ化できないとされていたものを、デジタル・データに変換することを可能にしていきます。こうした変化は、前述したような倫理上の問題はありますが、大きな流れとして止められるものではありません。これまでのものづくりの知見や経験だけでは対応できないことも多くあるでしょう。

いまを生きる私たちにとってやっかいなことは、これまで、モノを飽和させてきた工業化社会と新たなデジタル化社会が並存した状態がしばらくは続くということです。経済活動においては、付加価値化の一つとして、工業化だけではなく、そこにサービスを絡めていく、工業化とサービス化の掛け算が求められてきましたが、顧客の動向がすぐに把握できるようにもなるデジタル化社会においては、その進化・深化がさらに求められますし、デジタル化に伴って、俊敏さも要求されるようになってきます。

また、こうした工業化とデジタル化の掛け算の進化は、企業の内のリソースだけで対応することはできない場合が多いですから、企業の垣根を越えた協働を要求します。社内ではすでに進んでいた人と人の掛け算ですが、組織を越えた人と人の掛け算、さらには、これにデータを組み合わせた動きも必要となるでしょう。

日本では工業化社会に適合する中で、組織の垣根が強固になってきました。これまでは企業の中で問題解決できましたが、今後はおそらく難しい場合が多くなるでしょう。そうしたことも含めて、これまでの工業化社会の成功体験を捨てる必要も出てくるかもしれません。

大切なことは、AIを含めたデータ社会化の方向性をよく見定めた上で、AIやデータを利用してできること、人にしかできないこと・人が担うべきことを見極め、そこに資源を集中することです。AIに代替できない「人ならではの力」が試される時代がやってきている と考えることもできます。美に対する感覚、文脈を読み解く力、他人の感情に対する共感、人と人をつなげる言葉の力といった、人が持つ根源的な力をあらためて見極め、自ら育て、活かす努力が求められている時代に私たちは生きているのです。これは、経済のみならず、人の生き方そのものにも関わってくる問題かもしれません。

■テクノロジーの活用とリスク社会化

次に「テクノロジーの活用とリスク社会化」について見ていきましょう。

ドイツの社会学者であるウルリッヒ・ベックは、一九八六年、『リスク社会』（邦訳『危険社会』法政大学出版局）という著書を通じて、現代社会が直面するリスクとは何かを明らかにしました。

近代以降の社会は、技術の面はもちろん、それぞれのつながりの面でも、発展と拡大を遂げました。また、地球環境に対しても大きな影響を与えています。その結果、私たちはより大きな果実を得ることができましたが、それと同じように、より大きなリスクにさらされています。ベックが示したのは「気候変動や生態系の破壊に伴う環境的リスク」、「原子力や遺伝子操作といった新技術に伴う技術的リスク」、「就労形態の不安定化や治安といった社会的リスク」の三つのリスクですが、いずれも元をたどれば、人の行為によるものばかりです。つまり、人が科学技術を社会に取り入れ、使えば使うほど、それに伴って、リスクも大きくなり、私たちを襲う可能性があるというのです。

人間の経済・社会活動の活発化に伴って温暖化ガスの排出量が急速に増加したことを主な要因とする気候変動の影響は深刻なものです。近年、日本各地で過去見ることがなかったレベルの風水害が発生していますが、これは日本だけのことではありません。近年の風水害の拡大は特筆すべきことです。

風水害が激甚化する中、ダムを増設し、堤防をかさ上げするといったハード面での対応には限界があります。一からインフラを構築していく時代であれば、ハード面の整備が一定の成果を上げていたことは間違いありません。しかし、近年の災害時の対応では、地域社会におけるお互いの声掛けといった、ソフト面での工夫がむしろうまく機能した例が各地域から報告されています。ハード面の整備のみに頼らず、地域社会の住民同士の積極的な協力によって、リスクを最小化する取り組みはすでに始まっているし、現場レベルで進化を遂げています。

日本人にとって忘れることができないのは、東日本大震災によって起きてしまった東京電

図表1-7　世界における自然災害の推移（災害タイプ別）

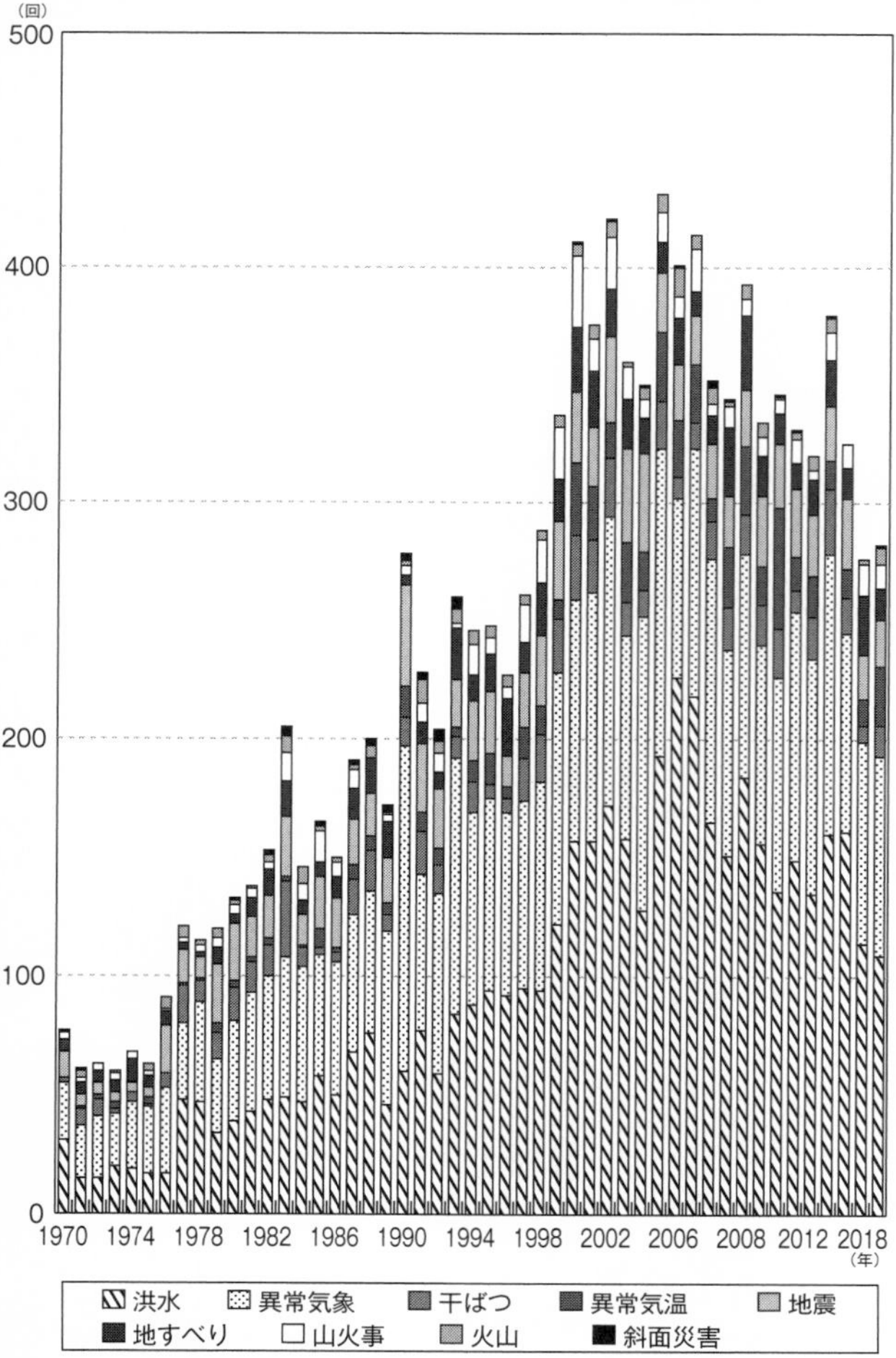

出典：International Disaster Database

力福島第一原子力発電所の事故です。チェルノブイリ原子力発電所の事故は一九八六年のことです。技術の発展は、社会や経済に大きな果実をもたらしましたが、リスクがひとたび現実のものとなれば、その影響はきわめて甚大なものとなることを思い知らされました。

新型コロナウイルスの感染も世界各地にあっという間に広がりました。感染症の拡大は、グローバル化に伴う人の移動の活発化と相まって、きわめて早く、より広大なものとなっています。

経済や社会のグローバル化に伴って、雇用の流動化も進みました。右肩上がりの時代の日本は分厚い中間層が安定的な社会の核となりましたが、移民を積極的に受け入れた米国ですでに見られるような動きは他人事ではありません。

そもそも、日本は災害が多い国です。地震は頻発し、火山はたびたび噴火してきました。富士山が最後に噴火したのは一七〇七年の宝永大噴火ですが、それも地球の惑星としての歴史からすれば、ちょっと前のことなのでしょう。そうした自然災害が多い国に生きてきた私たちならではの性格や考え方、そして、先人の知恵は現代社会を生きる術にもなるでしょう。

私たちは、生存の危機と呼んでもよい時代に生きているのかもしれません。すでに顕在化しているリスクも少なくありませんが、世の中の理解はそこまで至ってはいないかもしれません。折々に発生する危機に向き合い、これに応じざるをえない時代に生きていることを忘れてはなりません。

■ヒエラルキーとネットワーク

最後に、タテの関係性とヨコの関係性、言い換えれば、「ヒエラルキーとネットワーク」のせめぎあいも見てみましょう。

一般的に、組織というものは、特定のミッションを実現するために存在します。しかし、その構成員全員がミッションを実現できる十分なスキルを持っているとは限りませんから、経験の浅い人材を育成したり、必要なスキルを持った新しい人を迎え入れたりして世代交代を図っていかなければ、組織は持続可能なものにはなりません。

かつての組織論は、上意下達の典型である軍隊をモデルにしたヒエラルキー（階層型）組織をあるべき姿と考えていました。経験のある人がリーダーとなり、そうでない人を牽引《けんいん》する組織です。指揮者に統率されるオーケストラも同じようなかたちでしょう。目指すべき音楽の全体像を示す指揮者や技術に秀でる（経験も長い場合が多い）それぞれの楽器のパート・リーダーの指導の下、経験の浅い人は学びながら、一緒に音楽をつくっていきます。経験の浅い人もやがては一人前になり、指導する役割を担っていきます。これが世代交代です。これは企業においても、非営利組織においても同様でしょう。

しかし、現在ではよく知られていることですが、オーケストラ型だけが組織のあるべき姿ではありません。ジャズ型の組織もあります。ジャズ・バンドには指揮者はいません。あるときはピアノ、その後はクラリネット、次はトランペット、ベース、ドラムというように、テンポを決め、音楽をリードする楽器が移行していきます。あるときはリーダーとして、また、あるときはフォロワーとして、その時々の機能を見出し、リードしたり支えたりしながら、フラットな関係性を構築し、プレーヤーが相互に刺激し合って、音楽をつくっていきます。こうしたジャズ型の組織には、それぞれのプレーヤーが一定程度の技術や習熟を経ていないと参加しにくいという難しさがあります。

言い換えれば、オーケストラはヒエラルキー型、そして、ジャズはネットワーク型の組織です。現在の多くの組織は、オーケストラとジャズ、ヒエラルキー型とネットワーク型のそれぞれのよいところを用いながら運営されているのではないでしょうか。

デジタル化やグローバル化に対応して、企業の枠を越えた連携の必要性があると指摘しましたが、企業の枠を越えるためには、ネットワーク型のコミュニケーションをより進めていかねばなりません。

歴史学者であるニーアル・ファーガソンは、二〇一七年に発刊された『スクエア・アンド・タワー』（邦訳：東洋経済新報社、二〇一九年）において、私たちが知るさまざまな歴史は、ヒエラルキーの関係（塔：タワー）だけではなく、ネットワークの関係（広場：スクエア）によっても作られてきたことを明らかにしました。私たちが教科書で学んできた歴史は政権の興亡に関するものが多く、ついタテの関係ばかりを見てしまいますが、いま生きている社会を見てみれば、タテだけでもないし、ヨコだけでもないことがわかります。さまざまな場やシーンにおいて、それぞれが組み合わさって組織が動いているし、社会も同じです。そうやって時代が作られていることに気付くことでしょう。ソーシャルメディアが拡がり、ネットワーク化が進むかと思えば、感染症対策で政府が暮らしに介入し、ヒエラルキーの存在を感じること、それぞれがあるわけですから。

私たちは時代の分岐点に立っている

本には分量の制約がありますから、これ以上、私たちを取り巻く環境変化について、書くのはやめておきましょう。読者の皆さんも、ここに書いてあることに限らない、身の回りに起きている様々な変化を思い出し、あらためて実感したのではないでしょうか。

私たちは、時代の分岐点に立っています。分岐点といっても、一瞬にして過ぎるものではなく、変化の中で生きていく状態がしばらく続くでしょう。

日本が、過去経験してきた「変化」は、追い付け追い越せの時代のもので、目指すべき国や社会というお手本がありました。しかし、これから私たちが遂げなければならない「変化」は、誰も経験したこともないし、見たこともないものです。

こうした時代や文明の変革期には、旧勢力の徹底的な破壊とセットのハードランディング待望論が出てきます。例えば、日本は一度、財政破綻してしまえばよいとか、既存の体制を転覆させればよいといった意見です。過去を見れば、日本が第二次世界大戦に突き進んでいった一九四二（昭和十七）年には、少壮の学者たちによる「近代の超克」と呼ばれる座談会が開かれました。それぞれの主張はさまざまでしたが、戦争や暴力を容認する声もありました。こうした動きは一見勇ましく、もっともなように見えるものの、実際の社会や経済への影響を考えれば、私たちが積極的に選択すべきものではありません。弱者ほどより厳しい現実に直面し、犠牲にされ、さらなる置き去りを助長してしまうことも含めて、社会や経済を徹底的に破壊するものだからです。

二〇一六年に公開された映画『シン・ゴジラ』は、自然災害や原発事故を比喩したものと受けとめる人もいましたが、シン・ゴジラを自ら招くようなことは現実的な対応とはいえません。シン・ゴジラを待つのではなく、知性の力で工夫を重ね、この難局を具体的にいかに乗り越えるのか、自らいかに変化していくのか、知恵を絞り、集め、実践につなげていく道しかないのです。

それでは、私たちは、どのような変化を遂げていかねばならないのでしょうか。

そのヒントは、このせめぎあいの時代の中で、世界と日本の潮流を捉えて、具体的な活動を興《おこ》している実践者・実務家たち、そして、時代の動きの本質を捉えて、未来に思いをはせる先覚者や知的リーダーたちの真摯な取り組みの中に見出せます。

続く第二部では、そうした人々の生の声と、彼らとの対話をお読みいただきます。皆さんも、彼らの声に耳を傾け、一緒に考えていきましょう。

第二部

対話編

爆発するルネサンス

古代の復活が国家を閉塞感から脱却させる

御立尚資《みたちたかし》（ボストン コンサルティング グループ シニア・アドバイザー）

京都大学文学部米文学科卒、ハーバード大学経営大学院修士。ＢＣＧでは日本代表、グローバル経営会議メンバーを務める。現在は、複数の企業の社外取締役を務めながら、京都大学経営管理大学院特別教授として教鞭をとる。大原美術館理事、マクドナルドハウスチャリティーズジャパン専務理事など、非営利組織のマネジメントにも携わっている。近著に、『ミライの兆し』の見つけ方』（日経ＢＰ）など。

閉塞感と古代の復活

永久　まず、新時代ビジョン研究会のメンバーの一人である御立さんに講師としてお話を伺いたいと思います。

①

御立　皆さん、よくご存じの面々なのでいきなりクイズから始めたいと思います。まず、この絵は何でしょうか（①）。

平泉　ボッティチェッリの「プリマヴェーラ（春）」。

御立　お見事、正解です。じつは講演などで同じ質問をすると、ほとんどの人が題名を答えられません。大学生が聴衆でも、理系の学生だと一人も知らない場合があります。

「プリマヴェーラ」は一四八二年ごろの作品で、ルネサンスに移行する十五世紀の時代の空気が表れている、といわれます。まず中央の女神ヴィーナスは妊婦で、出産を控えている。上方にいるキューピッドは恋の矢を放つ寸前で、左端の男性（マーキュリー）は隣にいる三美神の誰かと恋に落ちることが予

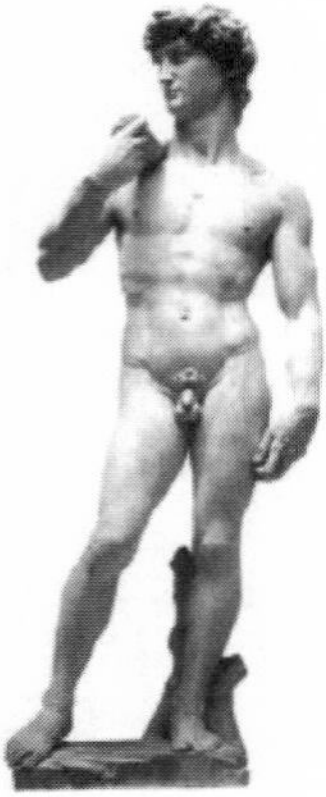

②

③

見されます。ちなみに三美神の踊りは当時、流行したフォークダンス（民族舞踊）だそうです。右端のゼフィロスは、ニンフ（妖精）クロリスを連れ去ろうとしている。性愛を含めて人間のあるがままの姿を認め、受け入れることを示した作品とされます。

ではもう一問。この彫刻は何でしょうか（②）。そう、ミケランジェロ作のダビデ像（フィレンツェ・アカデミア美術館蔵）です。先ほどの「プリマヴェーラ」に近い一五〇四年に完成したもので、じつは五mもある巨大な大理石彫刻。研究者によれば、右肘から指までだけ通常の人間より少し長いそうです。その他の部分はすべて解剖標本さながら、筋骨隆々たる人間の裸体を隠さず、リアルに表現しています。

ところがルネサンス前に遡《さかのぼ》った十二〜十三世紀には、次のような彫刻（③）が見られます。顔や体はリアル感がなく平板で、視線もどの方向を見ているか定かではありません。絵画の分野でも似た現象が起きます。次の絵画（④）は聖人を描いたものですが、やはり平板で、「プリマヴェーラ」のような遠近法が使われていない。結果、画中のどの聖人も同じように見えてしまう。技術的には稚拙《ちせつ》ですが、個人的にはこういう絵も味があって大好きです（笑）。

④

⑤

平泉　イコン（聖画像）特有の表現ですよね。

御立　では、最後のクイズです。次の彫刻は何世紀に作られた何という作品でしょう（⑤）。事務局の山田さん、いかがですか。

――（山田）ラオコーン像。タイトル以外はわかりません。

御立　素晴らしい。題名を答えられるだけで十分です。じつはラオコーン像が作られたのは、紀元前一世紀。ところが先ほどのダビデ像のように、人体のリアリティが細部にわたって再現されており、圧倒的な技術の高さを感じます。

ルネサンス期のダビデ像と紀元前のラオコーン像の両者を比べると、まるで時代が逆戻りしたかのような印象を受けます。ヤーコプ・ブルクハルト（「ルネサンス」という言葉を初めて使った歴史家）が述べたとおり、Re（再び）+naissance（生まれること）こそルネサンスの本義だといえるでしょう。十四～十六世紀のイタリア美術はまさに「古代の復活」の時代でした。

ルネサンスの背景にあるのは、「いまの閉塞感《へいそく》から脱却したい」という「思い」です。この点で、日本に通じる点が多いように感じます。当時のイタリアは小さな都市国家の集まりにすぎず、絶対王政のフランスと勃興《ぼっこう》するプロシアという二つの大国の狭間《はざま》に立たされていました。軍事力や経済力の差はいかんともしがたく、鬱屈《うっくつ》した思いを「文化大国として生き残る」という国家アイデンティティとともに爆発させた現象がルネサンスだといえるでしょう。

では、イタリアのルネサンスを生んだものとは何だったのか。「知」「技」「富」の三点から考えられます。

まず「知」に関して、東方の大変化と「新知識」の流入が挙げられます。当時はローマ帝国が分裂・崩壊し、中東からオスマン・トルコ帝国を中心にイスラム勢力が伸長しました。ビザンティン（東ローマ帝国およびその文化）が消滅の危機に瀕《ひん》するなかで、東ローマ帝国側は初めてベニス、フィレンツェなどの都市国家に使節を送り、支援を求めます。

そして東ローマ帝国の要請を受け入れたのが、皆さんご存じのメディチ家です。銀行家の富豪だったコジモ・デ・メディチは、古代ギリシャの哲学者アリストテレスやプラトンの思想に魅せられ、アカデミア・プラトニカ（プラトン・アカデミー）の礎《いしずえ》を築きます。ここから「ギリシャ語学習ブーム」が澎湃《ほうはい》と沸き上がりました。さらにイスラム世界から数学、哲学、美術に至るまで包括的な知が外部から入り、ルネサンスという精神運動の爆発を促《うなが》しました。

次の「技」について、代表例は冒頭でご紹介したミケランジェロです。彼のデッサンやスケッチを見ると、精密な計算を丹念に積み重ねて作品を作っており、芸術制作というより「技術開発」といったほうがよい。よく知られているように、ミケランジェロは単独で制作を行なっておらず、一四〜三〇人ほどの制作チームを束ねる工房のディレクターであったとされています。

ダビデ像のような巨大な彫刻は、たんに大きな石を削るだけでは作れません。集団による知の集積が不可欠で、ミケランジェロらは鑿《のみ》や槌《つち》の道具も自分たちで新たに開発し直しました。古代の復元に不可欠な技術や知識が、中世の時代に失われてしまったからです。必要な「技」を身につけさせるため、数少ない遺物や文献を頼りに工房のメンバーに訓練を施《ほどこ》し、経験を積ませていきました。

最後の「富」について、見逃せないのは当時のイタリアにおいて、ミケランジェロたちの技術開発を支援した「実利」と富の蓄積です。初めは精神復興の「思い」だけだったルネサンスがヨーロッパ全域に広がったのは、メディチ家のような金融富裕層が毛織物産業に投資して東方貿易、バルト貿易を金融面でサポートしたことが大きい。ワインとオリーブがヨーロッパ全土に広まったのはイタリアのパトロンたちのおかげ、ともいわれます。

工業化の最終盤に入った

御立　日本に話を移すと、たとえば十九世紀の薩摩藩はイタリアのように（密）貿易で得たお金を工業化に回し、ガラスや船、大砲をつくって近代化の先駆けとなりました。植民地化を何としても回避し、欧米列強に伍《ご》するという「思い」だけではなく、「実利」が精神運動を加速させたのです。実利の改革に乗り出した藩と出遅れた藩の明暗が、明治維新から大政奉還の実相として表れたといえるでしょう。

さらに二十一世紀の変動期を考えた場合、改革に伴なって忘れてはならないのが「想定外のリスク」です。自然災害による損害額やエアライン（航空）業界の業績変動を見ると、かつて「十年に一度」といわれていた想定外の危機、災害が一九九〇年以降は湾岸戦争、アジア通貨危機、9・11テロ、ＳＡＲＳ（重症急性呼吸器症候群）、リーマン・ショック、エボラ（出血熱）ショック、さらに東日本大震災と激発しています。経営と無関係の要因で業界全体の収入が前年比で五〜一〇％落ちてしまう、という出来事がこの三十年間、続いている。資本コストを払って設備投資を続けるという大企業型の企業活動が限界に達しつつあります。さらに工業化の影響として、高密度の都市居住に伴うパンデミック（感染症）リスクも高い。

現在、起きている変化は日本のみならず世界的なものです。端的にいえば「工業化の最終盤に入った」ということでしょう。世界の人口変動、一人別ＧＤＰの推移を見ると、一九五〇年代から二〇〇〇年代への上昇カーブは過去の千年間と比べて突出しており、工業化による未曾有《みぞう》の人類の繁栄を物語っています。もっともユヴァル・ノア・ハラリ(『ホモ・デウス』著者)にいわせれば、人口爆発で最も得をしたのは牧畜によって数が増えた牛や豚、鳥や穀物であり、われわれ人間は彼らの種の繁栄に奉仕しているだけかもしれない、と(笑)。

その一方、工業化に適応する国とそうでない国とのあいだで大分岐が起こります。世界が一極化から多極化の時代へ向かうなか、アジア諸国は軒並み工業化に後れを取りました。明の時代に興隆を極めた中国でさえ、時代の波に乗りきれなかった。唯一の例外は日本です。理由は東の端という地政学的幸運に加え、何といっても教育。工業社会を形成するために必須な初等教育を受ける層の広がりがアジアで唯一、存在したからです。

江戸時代に全国の各藩が藩校を設立し、藩校の下には下級武士も入れる官学塾があり、さらに豪農・百姓のなかから人材をすくい上げ、官学塾で教育していました。官学塾に通えない庶民の子供は読み・書き・そろばんを学ぶため寺子屋に通う。このような分厚い教育システムは当時、他のアジア諸国では考えられず、日本はやはり「異常な国」でした。

その後、世界中に教育が普及して衛生面が改善されると、乳幼児死亡率が劇的に下がりました。二歳以下で亡くなる子供の死因のうち、相当部分が感染症に伴う下痢だといわれます。出産および産褥《さんじょく》時、水を煮沸《しゃふつ》して石鹸で手を洗えば感染症のリスクが激減する、という情報が重要だったわけです。人口が爆発的に増え、肥料の開発・改良で農業生産が安定して食糧も普及しました。人類にとって幸福な二十世紀後半の時代だった、といえるでしょう。

ところが現在、工業化およびそれを支える資本主義、民主主義というドミナント（支配的）なシステムが行き詰まっている。従来型資本主義の行き詰まりを端的に示すのが、世界銀行による「エレファントカーブ」といわれる分析です。「先進国の富裕層」「新興国の中間層」「先進国の中間層」の所得変化を見ると、「先進国の富裕層」はこの二十年間でじつに四〇〜六〇％もの実質所得増を示しています。中国を中心とした「新興国の中間層」もこの二十年間で七〇％、所得を増やしている。

問題は「先進国の中間層」です。グローバル化に伴って人件費の安い国に生産と雇用が移ってしまい、先進国の中間層の実質所得の伸びだけがゼロからマイナス一〇％の範囲に落ち込んでしまいました。これらをグラフ化すると、先進国中間層が象の鼻の付け根にあたるいちばん低い部分にあるので、エレファントカーブ、といわれるわけです。

アメリカ、イギリスで中間層の不満がトランプやブレグジットなどシステム破壊型の政策に向いているのはご承知のとおりです。日本も実質世帯所得がこの十年で一〇〇万円以上下がり、相対的貧困にある子供の割合は七人に一人に達しています。

世界の人口も当面は増えるけれども、二一〇〇年の一〇九億人をピークに、二十二世紀以後の世界は人口減に転じる、という国連による最新の人口推計（The 2019 Revision of World Population Prospects）があります。やはり工業化は限界局面にある、といわざるをえません。

変化と並存の時代

御立　かといって現在、工業化に代わる分散化やデジタル社会はこれから本格化する前段階です。工業化の終盤とデジタル社会化のとば口が並存するなかで、世界的なポピュリズムの広がりが見られます。いわば心理的なマグマが溜《た》まり、一部が噴出しはじめている状況にあるわけです。この認識に立って、ルネサンス期のように新たな技術やルール、仕組みを「再び生む」、しかも社会心理のマグマをうまく方向付け、活用することを考えなければならない。

日本でも時代を遡れば、平安から鎌倉時代にも「貴族の時代」と「武士の時代」という異なる時代の社会システムが並存していました。この時期に混乱とシステムの再創造があったわけです。ルネサンス期、あるいは平安末期、この時代を見つめながら、われわれも「工業化社会」と「デジタル社会」という二つの仕組みが並存するなかで改革を進めていかねばなりません。

新時代ビジョン研究会の議論で見えてきた点として、少なくともわれわれは「変革モデル自体を変革」しなければならない。具体的には、従来のように共同体の構成員すべてに「魚を配る」モデルではなく、各人に「魚の獲り方を教える」モデルに変える必要があります。「食えるもの（仕事のタネ）」は身の回りを見渡せば必ずあります。各人がそれに気付き、多様な手段で多様なものを生み出せば、資金分配の必要はありません。

ただしその際、求められるのは創造力です。T型フォードのように時代の常識を上書きする力が必要で、その意味でも、われわれはルネサンス期のイタリアをめざすべきでしょう。創造力あるリーダーとチームが、ミケランジェロの工房のように集まって「種の爆発」を起こす。座して「種の淘汰《とうた》」を待つより、はるかに有益ではないでしょうか。

たとえば、私は以前から、日本に国家的な文化戦略がないことが最大の問題だと考えています。国の仕事の根幹である徴税と外交、防衛、災害対応とともに文化戦略を大きく打ち出し、共同体の求心力と成長を担保しなければならない。この点に関し、日本は残念ながら怠慢といわざるをえません。

ガンジーとアムンセンに学ぶ

永久　国民の求心力を生むために国が文化戦略を打つ、というのは重要だと思います。その一方で、文化や芸術の戦略を具体的な政策レベルに落とし込むと、上から押し付けられた方針にアレルギーを感じる人も多いと思います。どのようなイメージで文化戦略を立てればよい、とお考えですか。

御立　愛国者で天皇制を残すべきだと考え、かつリベラルである私としては（笑）、国家としての文化戦略構築・実行は矛盾しないと考えています。ただし、自らの文化のユニークさをきちんと世界のなかで位置付け、そのうえで、何をどう振興していくかの方向付けが国の主たる仕事です。

たとえば以前この研究会で話題になった、シャンパンの普及を奨励するため民間の「シャンパーニュ騎士団」を助成したフランスが好例でしょう。あるいは中国のように欧米から中国文化の研究者を数十年間、招聘《しょうへい》し続ける。併せて中国からパリやニューヨークに研究者を送り続け、ネットワークに入り込む。日本もこれくらいのしたたかさは必要です。

縄文以降の美術が脈々と残る日本の文化ストックは世界一です。たとえばミケランジェロの三百年前、運慶が大日如来坐像や金剛力士像など世界が驚くレベルの彫刻を生み出している。ただ、これがきちんと世界で位置付けられるように動けてこなかった。海外と比較できる学術的な研究を助成し、世界に打ち出せばよいだけなのに、です。

亀井　徹底的に世界との相対化を行なう、ということですね。

金子　御立さんのお話が興味深いのは、たとえば明治維新というのは志士たちの手によるものかもしれませんが、明治以降の変革はある意味で国家・政府主導によるものだったわけですよね。それに対して、芸術家によるルネサンスをモデルとおっしゃるところが面白い。

しかも明治維新の時代は、世界システムの潮流のなかで「未開から文明へ」の道筋として工業化という目標が明確に見えていました。しかし現代における文明の理想像が自明かといえば、決してそうではない。

御立　おっしゃるとおりで、したがってまず「復古」なわけです。たとえ将来が見通せなくても、過去を振り返り「少なくともこれだけはやってはいけない」という反面教師の例は見つかりますから。

松本　近年は時代の先行きが不透明で、企業の現場のリーダーの在り方も変わってきたように思います。昔は営業のトップが「俺のやり方を見ていれば大丈夫だ。ついてこい」という姿勢を示していればよかったのですが、最近のマネジメントはサーバント・リーダーシップ（相手に奉仕して導く支援型リーダーシップ）が求められており、「いかにやる気を出させるか」が問われています。

問題は、強権型リーダーシップが機能しないとしても、リーダーとして最低限、めざすべき地点は示さないといけない、ということです。

御立　まったく同感です。私のリーダーの定義は、まずチーム全体の行き先を示せること。そこからメンバーの相互作用を引き出し、目標点に到着しやすいように準備やアドバイスを行なう。社会を変える何らかの結果が出たら、いち早く成功要素を把握してフィードバックを行ない、さらにゴールに向かいやすいよう改善する。

この点、たとえばガンジーはリーダーシップの天才です。進化の大枠と方向性を決める際、いちばん大切なのはプリンシプル（規範）を言語化することです。ガンジーは社会変革にあたり、まず「労働なき富（Wealth Without Work）」や「人格なき学識（Knowledge

Without Character)」「人間性なき科学（Science Without Humanity)」など「七つの社会的罪（Seven Social Sins)」を簡潔に記しました。守るべき大枠だけを決め、あとは個人で考えるよう促したのです。

平泉　これはすごいですね。求める価値観を示すと同時に、いかにしてわれわれのパフォーマンス（実行・成果）を測るか、という尺度を決めている。曖昧な多神教社会でプリンシプルのない日本という国に、最も欠けている要素です。御立さんのいうように、パックス・アメリカーナ（アメリカによる覇権秩序）が壊れて世界が「多極化」するなか、本来なら日本が真っ先にプリンシプルを打ち立て、世界の一翼《いちよく》を担うべきでしょう。世界史の例でいえば、ローマ帝国崩壊後の混乱状況下でフランク王国／神聖ローマ帝国として世界秩序を継承するぐらいのエネルギーが、日本の国内から湧き出てこなければならない。

御立　もう一つ興味深いと思うリーダーシップの例は、南極点をめざした二人の探検家、アムンセンとスコットです。一九一一年の同時期に出発し、アムンセンは十二月十四日、先に人類初の南極点到達の成果を上げて無事、帰還します。ところがスコットのほうは翌年一月十七日に南極点へ到着したものの、帰路で猛吹雪に襲われてしまい、探検隊全員が遭難死する悲劇に見舞われます。

二人の成否を分けたものは何か。ジャーナリストの本多勝一氏や西堀栄三郎氏が両者の違いを記しています。西堀氏曰《いわ》く、アムンセンの特長は「楽観から来る平常心」。「これだけ準備して乗りきれなかったら、誰も南極点に到達できないさ」と割りきる楽観的なリーダーでした。

対するスコットは、アムンセンに南極点到達の先を越された際に「神よ、ここは恐ろしい土地だ」と日記に書き残したように、「なぜこんなところに来てしまったのか、神はなぜ試練を与えるのか」という悲観に取りつかれていた。未踏の地への探検と同様、先が読めない脱工業化時代には、リーダーが楽観的でないとチームの力が十全に発揮されない、ということを肝に銘じなければならない。

アムンセンのもう一つの長所は「徹底的な準備と細部へのこだわり」。スコットのチームは探検に馬を連れていきながら食糧が足りず殺してしまい、エンジン駆動のそりも故障して役に立たず、人力でそりを引く羽目になります。一方、アムンセンは先人の探検記を残らず読み、探検の成否を分ける装備品は各メンバーに改良の知恵を求め続け、ゴーグルの改良コンテストまで実施したそうです。まさにゼロから道具の製作を始めたミケランジェロのように。

「勝算がありそうな人」に賭けよ

金子　いまの企業を見ていると、松本さんがおっしゃる「俺についてこい」型でもサーバント・リーダー型でもなく、どちらかといえば評論家的な経営者が多い気がします。近年のガバナンス改革が、輪を掛けて社内に「評論家」を増やす方向に進んでいるようにも感じます。どうすればよいとお考えですか。

御立　従業員の側の「思い」、すなわち心理的マグマのパワーも含めた経営資源を「勝算がありそうな人」に賭けること。そして皆でサポートすることでしょう。とくに経営者として貴重なタイプは、創造力があり、率先して行動できる多動型の「ファーストペンギン」。学校教育のなかで集団から弾《はじ》かれがちな人や、同調圧力すら感じないような図太い若手を許容し、応援する仕組みは最低限、必要だと感じます。

平泉　日本の本流・主流派で世界的に評価されている人は聞かないですが、傍流・非主流派で漫画やゲームをやっている人には世界的に評価されている人がけっこういます。

御立　もちろん日本型の学校教育でも能力を発揮する生徒はいるので、子供を見る視点の軸が違うだけだと思いますね。

松本　たしかに東大にいた際、「絶対、社会不適応者だろう」といいたくなるような変な人がクラスにいましたね。そういう人は大企業には採用されなくても、並外れた頭脳や才能をもっている可能性があります。

御立　難しい試験さえできれば入学できてしまうことが、逆にプラスに働くわけです。面接をしないおかげで多様な人間が集まるのは素晴らしいことだと思います（笑）。

亀井　もう一つの希望は現在、工業高校と商業高校と農業高校が一つになるモデルが、地域のなかで出てきています。この流れが、結果的に子供たちの選択肢を広げてくれているように映ります。

御立　まさにそのとおりで、デジタルとサービスの時代に合った高等専門学校教育を作ればよいと思います。制度はどんな名前でも構わない。若者の多様な選択肢を担保することが、最高の教育政策ではないでしょうか。

（『Voice』二〇二〇年二月号）

日本軍のパラダイムを考える

白兵銃剣主義と大艦巨砲主義

戸部良一《とべりょういち》（防衛大学校名誉教授／国際日本文化研究センター名誉教授）

一九四八年、宮城県生まれ。京都大学法学部卒業、同大学院法学研究科博士課程単位取得退学。博士（法学）。防衛大学校教授、国際日本文化研究センター教授、帝京大学教授などを歴任。著書に『ピース・フィーラー』（論創社、吉田茂賞）、『自壊の病理』（日本経済新聞出版、アジア太平洋賞特別賞）、『戦争のなかの日本』（千倉書房）などがある。

日本陸軍の「白兵銃剣主義」

金子　「新時代ビジョン研究会」のゲストスピーカーとして今回、戸部良一先生にお越しいただきました。戸部先生については皆さんご存知のとおりで、私も外務省や日本軍に関する本を何冊も読ませていただきました。「白兵銃剣主義と大艦巨砲主義」をテーマにお話を伺い、ディスカッションを行ないたいと思います。

戸部　私は現代の問題や、まして未来については語ることができません。過去の問題、といってもたかだか百年ほど前のことですが、日本軍におけるパラダイム（物事の見方・考え方を規定する枠組み）や「なぜそのパラダイムを変えることができなかったか」について、お話しすることにします。

一つ目のパラダイムは、日本陸軍の「白兵銃剣主義」です。戦闘の勝敗は銃剣を用いた至近距離での白兵戦で決まる、という考え方です。白兵銃剣主義を兵士のマニュアルに落とし込むにあたり、掲げられたのが「歩兵主兵主義」「攻勢主義」「精神主義」でした。たとえば一九〇九（明治四十二）年の『歩兵操典』綱領に、以下の記述があります。「歩兵ハ戦闘ノ主兵ニシテ（中略）戦闘ニ最終ノ決ヲ与フルモノナリ」「戦闘ニ最終ノ決ヲ与フルモノハ銃剣突撃トス」「勝敗ノ数ハ必スシモ兵力ノ多寡《たか》ニ依ラス精錬ニシテ且《かつ》攻撃精神ニ富メル軍隊ハ毎《つね》ニ寡ヲ以テ衆ヲ破ル」「状況已《や》ムヲ得サルトキノ外《ほか》常ニ攻撃ヲ決行スヘシ」。

「精神力が強い側が勝つ」というのは一面で正しく、西欧諸国の軍隊にも見られた考え方です。いかに強大な兵力や優れた武器があっても、肝心の兵士の精神が弛緩《しかん》しては戦いに勝てない。ただし、精神主義が発揮されるための前提条件は「物的条件が敵と同等であること」

です。一九〇九年の『歩兵操典』のように「兵力が少なくても精神力で勝てる」という考え方は、やはり世界でも稀《まれ》でした。

ところが、日露戦争（一九〇四〜〇五年）にさかのぼると、当時の日本陸軍が戦闘に用いた考え方は「白兵銃剣主義」ではなく「火力主義」でした。一八九八（明治三十一）年版『歩兵操典』に「歩兵戦闘ハ火力ヲ以テ決戦スルヲ常トス」とあり、さらに「突撃ハ敵兵既《すで》ニ去リタルカ若《も》クハ僅《わずか》ニ防守スル陣地ニ向テ行フニ過キサルモノトス（突撃は敵兵が逃げたあとか、防御がわずかな陣地に対してしか行なわないものとする）」「攻撃ハ敵ニ優ルノ射撃ヲ行フニ非《あら》サレハ其《その》奏功期ス可《べか》ラス（攻撃は、敵に優越した射撃の火力をもって行なわなければ奏功しない）」など、白兵銃剣主義とは異なる「火力主義」の考え方が記されています。

実際に、日本陸軍は師団砲兵の火力で敵軍を圧倒する、という方針で日露戦争に臨みました。その一方で、敵のロシア軍は掩蓋《えんがい》のある塹壕《ざんごう》を縦横に掘り巡らせ、砲撃を無効化するような陣地を築いていた。日本側が大砲を放ったのち歩兵を突撃させると、掩蓋陣地に潜んでいたロシア軍の歩兵が突如、飛び出して白兵戦を挑《いど》んでくる。あるいは鉄条網に掛かり、機関銃の一斉掃射を浴びてしまう。想定外の苦戦によって、歩兵のあいだでは砲兵に対する不信感が高まります。他方、砲兵からは火器や弾薬の不足を訴える声が上がりました。

しかし結果的に、日本は陸戦でロシア以上の戦死傷者を出しながら何とか日露戦争に勝利しました。そこから陸軍のなかで語られたのは「わが国は兵力や武器の物的条件で劣りながら精神力で白兵戦を挑み、ロシア軍を破ったのだ」という「勝因」です。

そして日露戦争後の『歩兵操典』の改正にあたり、陸軍の教育・訓練を担う教育総監部が示した（『歩兵操典』の）「根本主義」には、「歩兵ハ戦闘ノ主兵ナリ」「攻撃精神ヲ基礎トシ白兵主義ヲ採用シ」などの白兵銃剣主義が記され、以後の改正でもこの「根本主義」が継承されます。実際には、日露戦争における白兵戦での将兵死傷率は一％にも満たず、死因の多くは銃剣ではなく、小銃や機関銃による銃創でした。これは白兵戦がほとんど発生しなかったか、日本側が白兵戦を回避したことを意味します。

では、なぜ「根本主義」に記された白兵銃剣主義が強調されることになったのか。陸軍が日露戦争から得た教訓は「戦時には膨大な動員兵力が必要である」という点でした。戦時動員の必要性から平時の在郷軍人《ざいごうぐんじん》の練度を重視するようになる。一九〇七（明治四十）年には、歩兵の徴兵期間（現役在営期間）が三年から二年に短縮されます。日露戦争の「勝因」と「教訓」が単純明快な攻勢主義、精神主義に拍車を掛ける結果になったのではないか、と推測されます。

さらに「根本主義」には、たいへん興味深い記述があります。「操典ニ採用スル所ノ諸般ノ制式、訓練及戦法ハ悉《ことごと》ク国体、民情及地形ニ適ヒ且国軍ノ組織ト其境遇トニ応セシムルコト」。操典の内容は日本の「国体」や「民情」「国軍の組織」に応じなければならない、ということです。この点からすると、当時の日本における社会風潮が何らかの影響をマニュアル作成に及ぼしていたのではないか。このころ、明治天皇が『戊申詔書《ぼしんしょうしょ》』を発布しますが、そこには近代化の進展に伴う社会風潮の弛緩を戒《いまし》める意味合いがありました。

近年の研究では、日露戦争後に『歩兵操典』の改正作業が始まったころ、客観的な戦争の検証がなされていたことも明らかにされています（小数賀良二《こすがりょうじ》『砲・工兵の日露戦争』）。その痕跡は、同操典の「射撃ハ戦闘経過ノ大部分ヲ占ムルモノニシテ歩兵ノ為緊要ナ戦闘手段ナリ」といった記述に見られます。射撃の重要性や歩兵・砲兵の連携の必要性も説かれたのですが、陸軍全体に浸透した「白兵銃剣主義」を改めるには至りませんでした。

その後にも、白兵銃剣主義を見直して改革する可能性がなかったわけではありません。一九二九（昭和四）年版『戦闘綱要草案』の綱領では「戦捷《せんしょう》ノ基礎ハ精神的威力ト物質的威力トノ結合タル戦闘威力ヲ敵ニ優越スル如ク運用スルニ在リ」、つまり物質的威力と精神的威力を総合して敵に優越するのが戦いの要諦である、という常識的な見方が記されています。

しかし、この草案は不採用に終わりました。

仮に『戦闘綱要草案』の考え方が陸軍のパラダイムになって組織に定着していれば、日本の歴史は変わっていたかもしれません。そうならなかった理由を考えると、一つには当時の産業基盤を前提とした際、技術力や軍事予算などのリソース（資源）が足りず、根本的な改革の必要性を示唆《しさ》する文言をマニュアルに記すことが憚《はばか》られたこと。さらに大正デモクラシーの風潮による軍の特権に対する批判や、第一次世界大戦後に世界中で広まった平和主義的なムードも、軍の組織防衛を促し、保守的な行動を取らせる結果につながったのではないでしょうか。

日本海軍の「大艦巨砲主義」

戸部　二つ目のパラダイムは、日本海軍の「大艦巨砲主義」です。「大艦巨砲主義」を単純化して説明すれば次のようになるでしょう。制海権を握るためには艦隊決戦に勝たなければならない。艦隊決戦では主力艦の大砲の威力が決定的となる。大砲は口径が大きいほど強力であり、大きな大砲を搭載するためには主力艦そのものを大きくする必要がある。つまり、大きな大砲を積んだ戦艦を数多く有する艦隊が決戦に勝利し、制海権を握ることができる。「大艦巨砲主義」は日本海軍だけでなく、世界列国海軍の共通認識でした。日本海軍の大艦巨砲主義の象徴が、皆さんご存知の戦艦「大和」と「武蔵」。一九三〇年代後半、日本が（ワシントン・ロンドン）海軍軍縮条約体制から離脱することを見据えて計画・建造されました。

ところが太平洋戦争では艦隊決戦は起こらず、「大和」「武蔵」は無用の長物となってしまいました。日本海軍は真珠湾攻撃で自ら航空戦力の威力を証明しながら大艦巨砲主義にこだわり、航空主兵への戦略転換ができなかった。これはよく指摘されていることですが、もう一つ重要なことがあります。それは、大艦巨砲主義のために海上輸送の保護を軽視してしまった、ということです。

開戦時の日本のグランドストラテジーとして、一九四一年十一月十五日に大本営政府連絡会議で決定した「対米英蘭蔣戦争終末促進ニ関スル腹案」があります。東南アジアと南西太平洋における米・英・蘭の根拠地を破壊して戦略上、優位な体制を確立するというものです。重要資源地域および主要交通線を確保し、長期の自給自足体制を整える、という目標も掲げられました。

にもかかわらず、日本軍は南方で獲得した資源を本土へ持ち帰る「海上輸送」の保護を軽視していた、と批判されるわけです。日本が海上輸送路を一元的に管轄する海上護衛総司令部を設けたのは、開戦からすでに約二年が経過した一九四三年十一月のことです。

終戦までに日本は民間輸送船舶の八〇％以上を失い、南方から石油、ボーキサイトといった戦略資源を輸送することもできなくなりました。

このように、「日本海軍は海上護衛戦を軽視していた」ということはいまや通説になっているといってもいいのですが、これに対して、近年の研究では「海軍は海上護衛戦の重要性は認識しており、計画と準備を行なってきた」という通説批判が出てきました（坂口太助『太平洋戦争期の海上交通保護問題の研究』）。

たとえば、太平洋戦争における日本輸送船舶の喪失の推移を見ると、一九四三年の中ごろまで、日本と東南アジアを結ぶ輸送船舶の敵潜水艦による喪失は想定内でした。一九四二年十月以降、数が増えた喪失輸送船舶の内訳は、軍に徴用された陸海軍傭船の比率が高く、航空機の攻撃による損失が半分近くを占めています。とくに、南東太平洋方面で沈められたのは、南方から資源を運ぶ船ではなく、ガダルカナル島をはじめソロモン諸島の激戦地へ兵員と武器・弾薬を運ぶ輸送船舶でした。

こうした喪失を補うために海軍は輸送船の建造に注力しますが、その結果、開戦と同時に行なう予定だった海上輸送を守る海防艦の建造が遅れてしまいました。また当初、潜水艦の攻撃による船舶の損失は想定内だったものの、連合軍の反攻のスピードは予想外で、その後、東南アジアと本土を結ぶ海上輸送ルートで船舶の損害が急増しました。ここに至り、ようやく先述の海上護衛総司令部が設置されることになります。しかし、重要性を認識して計画と準備を行なうことと、実際に戦うことのあいだには隔たりがあります。海上護衛戦を遂行するためには十分な資源と技術の投入、戦法の研究と分析、兵士の教育と訓練を行なわなければなりません。

通説に対する批判を検証するため、イギリスの例を考えたいと思います。第一次世界大戦でドイツの潜水艦Uボートに苦しめられたイギリスですが、第二次世界大戦では当初、潜水艦の脅威をあまり重視していなかった。水上艦艇の高速化が進み、潜水時の潜水艦を振り切ることができると見なされたからです。ＡＳＤＩＣ（ソナー）によって潜水艦探知が容易になった事情もあります。

ところがその間、ドイツ海軍はカール・デーニッツらが革新的な戦法「ウルフパック（群狼作戦）」を開発していました。常時、遊弋《ゆうよく》させた複数のUボートがイギリスの護送船団を発見すると、陸の司令部へ無線で知らせ、司令部は近くにいる潜水艦にターゲットの情報を伝えて一斉攻撃する。デーニッツは潜水艦を「水に潜ることもできる水上艦」と捉えました。昼は標的から一定の距離を置いて追跡し、夜に潜航して接近し、浮上してから敵船目がけて魚雷を撃ち込む。一九四三年三月にはイギリス船舶の被害がピークに達します。

しかし興味深いことにその直後、一転してUボートの脅威は減衰する。一つの要因はイギリスがドイツのエニグマ暗号を解読し、潜水艦の動きを察知できるようになったこと。またヘッジホッグ（ハリネズミ）と呼ばれる対潜爆雷兵器が実用化され、護衛の駆逐艦の数を増やすとともに、対ドイツ戦略爆撃に充《あ》てていた長距離爆撃機B－24を海上護衛に配備し、戦況を優位に運んだのです。複数の技術革新が一九四三年に収斂《しゅうれん》することで、対独逆転がもたらされました。

日本の場合、一九四三年の海上護衛総司令部の設置後もイギリスのような試みがなされないまま、アメリカの潜水艦と航空戦力を前に、全面敗北を喫してしまう。もちろん、制海権・制空権を握っていた連合軍の大西洋における戦いと、日本の太平洋における海上護衛戦を単純に比較はできません。しかしながら日本の航空戦力はあくまで大艦巨砲主義の補助戦力にすぎず、海上護衛戦には技術も人も十分に回されなかった。教育も訓練も行なう時間がなく、多大な犠牲を生んでしまったのです。

日本陸軍と海軍は、なぜパラダイムを変えることができなかったのか。まず、リソースの限界が挙げられます。陸海軍とも、その限界に気付きながら、陸軍は精神力で克服できると強がった。海軍は「艦隊決戦で制海権を握れば、海上護衛は何とかなる」と考えていた。自らの限界をどう乗り越えるのか、真剣な検討がなされるべきだったと思います。

また、陸海軍のパラダイムは兵器体系や組織編制、教育体系と分ち難く結びついており、したがって部分的な修正では問題の解決にならず、システム全体を変える必要がありました。おそらく当時の軍首脳は全体を変えることのベネフィット（利益）とコスト（費用）を比較し、コストのほうが大きいと見積もってパラダイム転換は見送り、安定期になったら着手しようと考えたのでしょう。しかし現実は安定期が訪れる前に戦いに敗れ、日本軍という組織は解体されてしまった。そこには合理性とは別の「弱みと強がり」があったといわざるをえません。

「おかしい」といえるのが政治家の役割

金子　現代の日本を考えるうえでも含意に富むお話をいただき、ありがとうございます。一点、質問ですが、政治学者の永井陽之助はかつて、戦略の本質は「自己のもつ手段の限界に見合った次元に、政策目標の水準を下げる政治的英知」（『歴史と戦略』）にある、と述べました。戦前日本の陸海軍にとって教育や組織と密接に結びつくパラダイムの変革はできなかったということですが、戦争における「目標」や目的を変えるのもまた困難だった、ということでしょうか。

戸部　永井先生のご指摘はリデル・ハートも述べているところで、それはそのとおりでしょうが、戦争を始めてしまうと、その途中で手段に合わせて目的を変えるのは難しいでしょうね。目的に関していえば、日本海軍は膨大な予算を掛けて当時、世界最新鋭の戦艦を建造しました。しかしその際、忘れられていたのは「何のためにつくるのか」という「目的」です。戦艦建造が自己目的化してしまい、肝心の「安全保障をどのように図るか」という点に至らなかった。

御立　困難なパラダイムシフトを行なう人間の背中を押してくれる要素の一つが、インテリジェンス（情報・諜報）による敵や情勢の理解です。巷間《こうかん》いわれるように、日本の陸軍も海軍も戦前は海外の情報工作を意識して行なっていましたが、太平洋戦争では結局インテリジェンスが機能しなかった。なぜでしょうか。

戸部　陸軍の場合、白兵銃剣主義がいきおい精神主義に傾きましたから、インテリジェンス重視の姿勢は出てきませんでした。必勝の信念があれば勝てる、という話が先に立ってしまう。典型例がインパール作戦です。

もちろん、当時の軍首脳も『孫子』の「彼を知り己を知れば百戦殆《あや》うからず」は頭に入っていたでしょうから、情報の重要性は知っていたはずです。しかし外部の情勢を見る目や、基本的な判断で何か重大な間違いを犯していた気がします。たとえば海軍軍縮体制からの離脱に関し、日本海軍は、軍縮条約の拘束から逃れればアメリカと互角になれる、艦隊決戦で勝つことができると考えていました。しかし実際は、条約の枠組みがあったからこそ日本とアメリカの戦力差は六、七割で済んでいたわけです。

松本　陸軍と海軍の資源配分に関して、当時の陸軍は海軍と比べて圧倒的に資金が不足していたため、精神主義に傾いたようにも感じます。他方、海軍にはお金があったことが大艦巨砲主義に傾き、戦略をゼロから練り直せなかった理由の一つかもしれません。陸海軍間の資金や人の配分について、もう少しバランスの取りようはあったのでしょうか。

戸部　たしかに、日本海軍が世界三大海軍の一角を占めていたのに対し、日本陸軍は第一次世界大戦終了後、二流国以下の状態でした。日露戦争後、イギリスの戦艦「ドレッドノート」が従来の戦艦をすべて旧式化させたので、日本海軍は新しい戦艦建造のために大幅な予算拡大を要求し、それが陸軍の予算要求を刺激してしまいました。資源配分を決めるのは軍人ではなく政治家ですから、結局は権威をもって陸海軍をコントロールできる政治家が、とくに昭和期に入ると、日本では出てこなかった、ということです。

御立　おっしゃるとおりですね。その半面、現在の日本の問題を考えたとき「優秀なリーダーがいない」という個人的資質を、改革をしない言い訳にするわけにもいきません。必要な目標設定や資源配分の入れ替えを判断する前提として、求められる知識や経験をある程度、定めておくべきでしょう。

亀井　その意味で、大事なのはじつは官僚機構です。リーダーが判断材料とする情報を官僚・専門家が提供する体制づくりは、政治家の資質とは分けて考えなければいけない。

平泉　まさにそこが問題で、明治憲法下の戦争はリーダーではなく、独立した統帥権をもつ軍隊、すなわち官僚が指揮監督したわけです。日本全体を見た判断ではなく、軍の目から見た日本という視野しかなかったことが、「海上輸送」保護の軽視をはじめ総力戦における敗北の本質ではなかったでしょうか。

戸部　陸軍よりも技術志向の強い海軍では、人事でも専門性がより重視されました。ただその分、戦略的な判断力や大局観よりも、軍事的な専門に偏った部分が評価される傾向が強かったようです。

亀井　組織で物事を積み上げるシステムのなかにいる人は、専門外の話になかなか口を挟みにくい。組織が道を誤りそうなとき、「海軍という組織は何のためにあるのか」という原点に立ち戻り、常識的に見て「これはおかしい」といえる人が必要です。リーダーよりもオペレーターを出世させる文化の日本で、ホリスティック（全体論的）な立場から異議を唱えることこそ、じつは政治家の大事な仕事なのかもしれません。

戸部　まさしく軍事問題について「おかしい」といえる政治家が日本にはいませんでした。イギリスでは第一次世界大戦後、戦略爆撃の脅威に対して、空軍がわれわれも戦略爆撃の能力をもつことが敵を抑止する、と主張して爆撃機優先の方針を取っていました。それに異を唱えたのが政治家です。「爆撃機を増強したところで、敵に飛行場を爆撃で潰《つぶ》されたら意味がない」と主張しました。ただしその裏に、「爆撃機より戦闘機が安い」というもう一つの判断もあった（笑）。これが戦闘機の開発・増産を生み、バトル・オブ・ブリテンの勝利につながったのです。

本来の目的に立ち戻る

永久　合理的な選択というのは本当に難しくて、同じような状況で同じようなことをしても、最終的にうまくいくこともあれば、いかないときもあって、その要因もなかなか検証されません。成功した点と失敗した点を一個ずつ比較し、問題を丁寧につぶしていく必要があるでしょうね。

小黒　日本人は「全体最適」を考える社会科学的な発想や思考が弱いように思います。A、B、Cのパーツで安定している構造にDというパーツが加わると、矛盾をきたして全体が破綻《はたん》することがあります。そこでもう一度、理論的に問題点を突き止めて全体の整合性を導く作業が必要なのですが、宗教的な文化を含め、欧米人に比べて日本人は突き詰めて考えるのが苦手なのか、途中で考えることをやめてしまい、解答を出せずにシステムの破綻や敗北につながるケースが多い気がします。

平泉　それは一神教の文化との違いで、何でも物事を曖昧にしたがる。典型は、先ほど戸部先生がおっしゃった「弱みを強がりでごまかす」でしょう。皮肉にも、日本軍に最も欠けていたのは「必勝の信念」です。本当に勝ちたければ、ごまかさずに弱みを克服するか、考え抜いて弱みの出ない戦い方をしなければならない。日本人には来世で必ず救済してくれる唯一絶対神もなければ、神に代わる合理性もなく、漠然と「家族と郷土」を拠《よ》り所に不徹底な総力戦に臨まなければならなかった。さらに「生きて虜囚《りょしゅう》の辱《はずかしめ》を受けず」「お国のために死んでこい」と命じる生命を軽んじるカルチャー。これでは強い精神力や確固たる信念をもてるはずがありません。

末松　組織のカルチャー、マネジメントの面で見ると、陸軍のような人件費メインの組織と、海軍のように船のプロフェッショナルを育成する組織は明確に異なります。あくまで私見ですが、日本ではどちらかといえば陸軍型のように、組織が大きい、つまり大勢を雇用している会社がいい会社であるという前提で、事業そのものよりも雇用の維持が目的となってしまうこともあります。「企業は何のためにあるのか」という本来の目的が見失われているのではないでしょうか。

戸部　いまのご指摘で思い出したのが、先ほどのイギリスの海上護衛戦です。あの局面で最も大事なのは、敵のUボートを撃破することではない。自国の輸送船を無事に送り届けることです。その点に気付いた人がイギリスにはおり、日本にはいませんでした。

御立　まさにダニエル・カーネマン（アメリカの心理学・行動経済学者）のいう認知バイアスですね。過去の経験則に基づいて、最短で解答を出そうとするヒューリスティック（発見的）な意思決定が最も危ない。いったん立ち止まってスローパスを選び、なおかつそもそもの目的論に立ち返らなければいけない。

金子　そこに全体最適を考えうる立場であるべき政治家の強みや、専門性に膠着《こうちゃく》したパラダイムを乗り越える可能性があるのかもしれませんね。

（『Voice』二〇二〇年十月号）

国家を守る保険制度
災害多発の二十一世紀に学ぶべき先人の試行錯誤とは

片山杜秀《かたやまもりひで》（慶應義塾大学法学部教授）

一九六三年、宮城県生まれ。思想史家、音楽評論家。慶應義塾大学大学院法学研究科後期博士課程単位取得退学、現職に至る。専攻は近代政治思想史、政治文化論。著書に『音盤考現学』『音盤博物誌』（アルテスパブリッシング、吉田秀和賞・サントリー学芸賞）、『未完のファシズム』（新潮選書、司馬遼太郎賞）、近著に『皇国史観』（文春新書）など。

日本の近代化には保険が不可欠だった

永久　今回は、片山杜秀先生をゲストに「新時代ビジョン研究会」のテーマである「日本はいかにして自己変革できる社会を築けるか」に関して、関東大震災と火災保険をめぐるお話を伺い、ディスカッションを行ないたいと思います。

片山　お招きいただき、ありがとうございます。そもそも文系の学者で数学の専門知識もない私が、なぜ「保険」の話をするのか、と訝《いぶか》られると思います。じつは二〇一一年の東日本大震災後、私は近代以降の日本人がどのように災害を予見しようとし、格闘したかについて興味をもちました。雑誌にも寄稿し、自分の本（『国の死に方』新潮新書）にも戦時特殊損害保険をめぐる一章を設けました。

ご参考の資料は、『現代日本産業発達史 第27』（現代日本産業発達史研究会、一九六六年）「保険」です。『現代日本産業発達史』シリーズは、「石油」「繊維」「造船」など、明治から現代に至る日本の産業発展を分野ごとに解説するものです。遠大な企画ゆえ、残念ながら未完に終わってしまいましたが、各巻の内容はいずれも素晴らしい。「保険」の巻に関しては生命保険から損害保険まで、これほど網羅的かつ詳細にわたって保険の近現代史を論じた内容は皆無といってよいでしょう。

日本における保険論の始まりは、西南戦争の翌年にあたる明治十一（一八七八）年、大蔵省お抱えのドイツ人、パウル・マイエット（東京大学医学部教師）の演説をまとめた『日本家屋保険論』に遡《さかのぼ》ります。一節を紹介すると、「日本全国に於《おい》て年々火災風災水災戦争等の為《た》めに起る処の家屋損害の平均及び総て此危難に方《あた》り家屋保険の為めに必要なる方法を設け、所有物を保護するが為めと家屋土地を確実なる典物と為すが為めと並《ならび》に金銭貸借を為すに容易く人に信を示さんが為めに設くる処の契約の方法を左に述ぶ」。火災をはじめとする自然災害への備えとして、マイエットは何と火災保険の国営化と強制加入を訴えました。

当時の日本の財政規模や経済力、民間の資力を考えると、マイエットの主張は驚くべき理想論に映ります。しかし彼は日本の町並みを見て、自然災害が多い国土の上に建物をつくり、産業資本を蓄積することのリスクに気付いていた。災害が近代化の障害になると考え、損害保険の必要性を訴えたのです。加えてドイツ人であるマイエットの脳裡には、英仏に十数年遅れて近代化したドイツ帝国の惨状がありました。イギリスやフランスのように十分な資本蓄積の時間をもたないまま、急速な近代化を余儀なくされ、その歪《ゆが》みとして多くの工場・炭鉱労働者が労災で命を落としました。したがってドイツ以上に遅れた日本の近代化にあたり、国家主体の健康保険や失業保険の手当てが不可欠だ、と彼は考えたのです。

マイエットの損害保険論に賛同したのが、当時の大蔵卿・大隈重信です。明治十二（一八七九）年には大蔵省に火災保険取調局が設立され、法案調査が行なわれて太政官に稟議《りんぎ》が回りました。ところが参事院は財政難を理由に、強制火災保険や家屋の改良、建築制限などを定めた議案を否決してしまう。やがて明治十四（一八八一）年の政変で大隈が失脚し、国家社会主義思想に基づく損害保険の試みは頓挫《とんざ》します。もちろん強制火災保険の議案が通っていたとしても、当時の乏しい財政・経済状況では全国民を保険に加入させるのは難しく、逆に実施すれば国民負担に反対するデモが起きていたでしょう。

治安維持としての生命保険

片山　もう一人、日本の近代化に伴う保険の必要性に着目した人物が、数学者の藤澤利喜《ふじさわりき》太郎《たろう》（東京帝国大学教授）です。彼は、専門である数学を二つの分野に応用しようとしました。一つは死票を出さない選挙制度の作成、もう一つは生命保険の制度設計です。

藤澤の保険論を一言でいえば、共産・社会主義勢力に対する「国防としての保険」と表せるでしょう。後年、弟子たちが『藤澤博士追想録』（一九三八年）に寄稿した文章のなかに「先生の生命保険論は実に憂国の至情から生れ出たもので、生命保険事業によつて、当時既に現はれてゐた、又、将来現るべきところの社会経済的矛盾を修正し、且《か》つ国家及び国民をかの虚無的破壊主義から救はんとするの熱情から出たものであつた」とあります。

では、なぜ藤澤利喜太郎は生命保険に関心を抱いたのか。彼は明治十年代にイギリス、ドイツに留学しています。当時のドイツの国内状況は先述のマイエットが憂《うれ》えたとおり、急速な近代化の皺寄せを受けるかたちで労働者が劣悪な環境に置かれていました。そして、主に没落する中産階級の不満を吸い上げるかたちで社会主義勢力が伸長していた。ある選挙の日、藤澤がベルリンのカフェでビールを飲んでいたら、ドイツ人が話し掛けてきて「おまえの国の社会主義政党の名称は何か」と尋ねる。日本にはまだない、と答えると相手は驚き、社会主義の恐ろしさを藤澤に切々と説きました。当時の日本にはまだ、社会の混乱に乗じて民衆の不満を煽り、内から政府を破壊する革命勢力への危機感はありませんでした。

藤澤はドイツでの体験から、社会主義の蔓延に先んじて民間の生命保険を立ち上げることが急務である、と考えました。簡易生命保険によって低所得者を保険に加入させる「経世済民事業としての生命保険」や、社会主義に加わる労働者を増やさないための「治安維持としての生命保険」をめざしたのです。

関東大震災と火災保険をめぐる社会騒乱

片山　藤澤利喜太郎が日本の保険制度の模索を続けていた矢先、大正十二（一九二三）年九月一日に関東大震災が発生します。藤澤自身、自宅が全焼してしまい、すべての研究資料を失うことになります。関東大震災がもたらした被害のなかで、とりわけ大きいのは火災でした。当時の被害状況を伝える資料のなかに、しばしば「関東震火災」という表記がありま す。つまり、もともと地震と火災はセットであったということです。この震火災という言葉が徐々に消えていくことで、関東大震災の教訓が忘れ去られていったような気がしてなりません。

またご承知のように、関東大震災の混乱にともなって「朝鮮人が犯罪や暴動を起こす」などの流言飛語が飛び交い、朝鮮人が殺される事件が首都圏の各地で発生しました。さらに、同年十月二十五日付の関東戒厳司令部の内部文書「京浜地方震災に於ける朝鮮人の虐殺を論じ、其の善後策に及ぶ（一朝鮮人）」に次の記述があります。

「家屋を焼失せる多数の罹災者は、火災保険の規則上、天変地異に因《よ》る火災には保険金を払はざるを知り、朝鮮人の放火を放言して家屋焼失の原因となし、保険金の支払を受けんとする魂胆ありしが如し」

震災による火事では火災保険が下りないことを知った罹災者が、保険金の支払いを受けるために朝鮮人が家屋を燃やしたことにした、という。『震火災と法律問題』（眞野毅著、清水書店、一九二三年）によると、たしかに約款《やっかん》に「虫眼鏡で見なければならぬやうな小さな活字で、『原因ノ直接ト間接トヲ問ハス地震又ハ噴火ノ為メニ生シタル火災及其延焼其ノ他ノ損害』については、会社が損害塡補の責に任じないといふやうなことが書かれてあつた」「未曾有の震災が巻き起した無数の法律問題の中で、何といっても、横綱格なのは、火災保険金支払の問題である」とある。

当時の農商務省が予測した火災保険の罹災総契約高は約二四億円。他方、火災保険業界の総資産は約二億円です。すべてを投げ出しても罹災者に一〇分の一も払えない、という有り様でした。しかし前記の約款があることから、火災保険業界は支払いについてまったく心配していませんでした。

ところが同年九月十二日、天皇の名で業界が卒倒するような詔書が発せられます。「凡《およ》そ非常の秋《とき》に際しては非常の果断なかるべからず」。非常時には平時の条規にこだわらず、保険金を支払うように命じたのです。当時の山本権兵衛《やまもとごんのひょうえ》首相も「犠牲の精神を発揮して慎重の考慮を尽」くせといい、さらに「日本資本主義の父」渋沢栄一が政府の側に立ち、関東大震災を私利私欲にまみれた資本家への「天譴《てんけん》（天罰）」と断じました。

こうした情勢を受け、業界と政府は火災保険契約高の一割を限度として「見舞金」を提供する案に落ち着きます。ところが、関東と関西の生命保険業者のあいだで足並みに乱れが生じてしまう。関東に本社がある生保は猛烈なバッシングと圧力を受けており、すぐに政府提案を受け入れようとしました。しかし関西の生保はどこか「関係ない」と思っており、難色を示す。そこで政府はまず関東の会社だけに見舞金を出させ、関西の会社も支払わざるをえない状況をつくりました。これで業界がようやくまとまったと思われたら、今度は山本内閣打倒をめざす政党勢力から反対の声が上がりました。「見舞金の七割が、全罹災被保険者のうちの一割の者に流れることになり、社会政策的にみて問題がある」という理由で衆議院で政府の見舞金案を握り潰してしまったのです。

担当大臣の田健治郎《でんけんじろう》・農商務大臣は法案不成立の責任を取って辞任しました。その後、清浦奎吾《きようらけいご》が山本権兵衛から内閣を引き継ぐも、事態はさらに混迷を深めます。前田利定・農商務大臣の官邸前では市民団体が焚火をして抗議活動を行ない、東西の保険会社や支店には日中から乱入者が押し掛け、社会騒乱の様相を呈しました。火災保険業界は清浦内閣の要請でやむなく悪条件だった政府利息のパーセンテージなどを吞み、見舞金の支払いに応じます。被保険者の手に見舞金が渡ったのは、関東大震災発生からじつに九カ月余を経たのちでした。

なお、藤澤利喜太郎は当時としては先進的な生命保険論を展開する半面、損害保険に関しては最後まで明確な答えを出すことができませんでした。もとより地震国で木造家屋面積の広い日本に対し、欧米の損害保険の考え方や料率をそのまま適用するのは無理があったのかもしれない。また、歴史の教科書に出てくるお雇い外国人のなかに、パウル・マイエットの名前はありません。しかし日本の近代化や、自然災害が多発する現在の状況を考えるうえで、マイエットの損害保険論や藤澤利喜太郎の生命保険論は重要だと思います。

近代を振り返る際、われわれはとかく戦争という重大事件をクローズアップしがちです。その半面、災害を意識した日本のデザインについては、あまり注目してこなかったように思われます。災害多発時代といわれるなかで、二十一世紀の日本人が先人の試行錯誤に光を当て、議論を深めることも必要ではないでしょうか。

「変われない日本」の姿

小黒　新時代ビジョン研究会のテーマは、日本経済を取り巻く環境の変化に対応していかに自己変革できる社会を築けるか、という点にあります。システムの側面から考えると、地震と保険については関東大震災というよりも、田中角栄の時代が大きな転換点だった、と私は考えています。当時、大蔵大臣だった田中角栄は一九六四（昭和三十九）年の新潟地震を機に、「わが国が世界有数の地震国であるにもかかわらず、現在損害保険制度上その危険がほとんど担保されていない現状であるのは問題である」として地震保険を提唱しました。逆にいえば関東大震災の時点で、日本が地震保険に舵を切れなかったのは不思議です。また、関東大震災の「見舞金」については、国債発行の限界もありますが、国民負担の平準化の観点から、一時的に国債を発行して、その資金調達を行なう発想もあり、そうしなかったのはなぜでしょうか。

なお、藤澤利喜太郎については「なぜ社会保険ではなく、生命保険に着目したのか」という疑問が生じます。当時のドイツではすでに疾病・雇用・老齢年金などの保険が導入されており、生命保険よりむしろ社会保険を追究すべきではなかったか、と思います。

片山　関東大震災当時の状況でいえば、当時の日本は国家の資力が防衛・殖産興業に傾斜して投じられており、公共の力で被災者を手当てする社会的段階に達していなかった、という点に尽きるのではないでしょうか。田中角栄の発想が画期的だったというより、一九六〇年代の高度成長期を迎えてようやく災害に対応する着想が形になりはじめたのではないか、と私は見ています。

平泉　そもそも自然災害は被害が個人の範囲に留まらないので、保険の俎上に載りづらい。じつは田中角栄発案の地震保険も、厳密にいえば保険金ではなく、見舞金という位置付けです。もし本当に保険であれば、住宅を再建できる額が支払われなければならないのに、全壊でも半額しか払われません。また保険は本来、他人に払ってもらうもの。日本の仕組みは自前の積立金から払うかたちになっています。日本で起きた災害の被害額を他国が負担する代わり、他国の分は日本が負担するという相互依存モデルにするしかありません。

火災保険と関東大震災をめぐるお話は、まさに「日本が変われなかった」例の一つだと思います。首都直下型地震のリスクに対応する抜本的手段は何も講じられておらず、欧米の再保険会社から見て、東京は世界で最もリスクの高い都市と認識されています。再保険会社の認識の背景には、「リスク＝ペリル（損失発生要因）×ハザード（損失発生条件／環境）×資産」があり、次にリスクが高いとされるサンフランシスコ湾岸地域との比較では、おおむね資産つまり人口の差がリスクの差になっています。やはり日本は効率を追求した都市への過度の人口集積を改め、全国に人口を分散させるしかないと思う。ある種の政策誘導が必要なのに、政治家は分散・分権に手を付けようとしません。日本人は過去に学んでいない、といわざるをえません。

亀井　片山先生のお話を聞いて感じるのは、やはり日本という国は歴史的に見て法治の部分が弱いのではないか、ということです。保険を国が売るにせよ、民間が売るにせよ、ある程度は市場のメカニズムに委《ゆだ》ねながら、保険者の損害ができるだけ小さくなるような制度設計を行なう必要があります。なおかつ保険料や最終的な支払い額を低減させていくのが、保険制度の在り方です。

ところが日本の場合、最初に制度の設計を十分にしないまま、場当たり的な被保険者への対応に追われてしまい、天皇の詔《みことのり》まで持ち出すという乱暴な運営に終始している。この混乱を堂々巡りで続けているのが、「変われない日本」の姿ではないでしょうか。

片山　なにしろ東日本大震災時のように、菅直人総理が何の法的根拠もなく浜岡原子力発電所の停止を要請、宣言してしまうわけですから。

平泉　日本は法治より人治の国で、政治家も空気を読まないと、国民の怒りを買って失脚してしまう易姓革命のような雰囲気があります。

片山　事実、昭和十年代の日本は「テロ政治」といわれるように、政治家が国民にはっきり物を言うと暗殺や焼き討ちの目に遭《あ》う、ということが現に起こりました。

亀井　大衆が強い社会である、ともいえますね。

片山　しかもその大衆がきわめて刹那的で、感情的になりやすい。

小黒　社会保障・税制や成長戦略についても、成長率などの甘い前提で、予算制約やエビデンスを軽視し、「空気」で政策を決めてしまうことで将来、ツケが国民自身にはね返ってくる。理由はさまざまですが、厳しい現実を直視しつつ、データやエビデンスに基づき、改革を議論するという「理性」の働きが日本では弱いように思います。

末松　空気に流されやすいという日本人の性質は、自然災害の多い風土とも密接に関わっているように思います。「水に流す」という言葉があるように、どれほど嫌なことやつらい出来事が起きても、四季のお祭りを催して忘れてしまう。3・11や広島への原爆投下など、思い出したくないほど悲惨な出来事をあえて語らず、忘却しようとするのは、私たち日本人の欠点であると同時に、もしかしたら過去への執着から離れて未来へ進もうとする考え、あるいは無意識によるものではないか、とも感じます。

永久　ある種の智恵ですよね。予測不能な災害などがちょくちょくあると、長期的にものごとを考えても仕方がない。蓄積がそのたびごとにチャラになるのであれば、余計なことは考えずに目の前の課題に精一杯、取り組もうと考えるし、結果的に戦後の日本は、世界に類を見ない発展を遂げたともいえるかもしれない。でもそれは幸運なだけで、いつもうまくいくとは限らない。先を見据えた変革ができない。

片山　こういってしまうと雑駁《ざっぱく》な日本文化論になるのですが、たしかに大地震や大水害など長年、積み上げてきたものが一瞬で失われる惨事を人生のうち一度も二度も経験すると「諦める」「忘れる」ようになる、というパターンは見られます。

松本　よく日本人の民族性と一括《ひとくく》りにいわれますが、日本人のなかにも狩猟をする人もいれば、農耕を営む人もいます。狩りに出る人は、過去の恐怖の体験をすぐに忘れてしまうタイプがよく、農業をする人は過去の嫌な体験を覚えるタイプがよいと聞きます。私たち不動産の仕事でも、購入に携わる人は失敗を忘れやすいタイプのほうが、積極性をもって新しい事業にチャレンジでき、反対に運用する人は過去の失敗事例をきちんと覚えて次に生かすというように、さまざまな性格の人間が組み合わさったほうがリスク対応には強いと思います。

自然を支配するという強烈な意志

亀井　マイエットにせよ藤澤にせよ、社会主義や共産主義という仮想敵と戦う「大きな物語」が存在した時代ならではの志や気概を感じます。平成を生きる市井《しせい》の日本人の感覚からすれば、打倒すべき敵が見えないのが実情ではないでしょうか。政治家や官僚は、不満のガスを爆発させないよう巧みに世論のコントロールを行なっている。この、将来を見据えないその場しのぎのガス抜きが改革を拒む「変われない日本」の一因のように感じます。

片山　では何がきっかけなら日本人の不満が爆発するか、と考えた際、五箇条の御誓文《ごせいもん》にある「庶民ニ至ル迄　各其志ヲ遂ケ　人心ヲシテ倦《う》マサラシメン事」が最後の防衛ラインであるように思います。庶民に至るまで自己実現が可能な社会である、という公平性が破られたとき、何が起こるかはまったく予想がつきません。

平泉　実際、二十一世紀の世界はすでにその臨界点に達しているのではないでしょうか。アメリカのトランプ政権や各国のポピュリズム現象を見ても、まさに「人心の倦み」とリスクが溜まりきった状態です。

金子　資本主義が高度化するにつれて経済構造も複雑になり、新技術の登場と並行して社会のリスクが高まります。ジャック・アタリ（フランスの政治・経済学者、文明批評家）は、そうしたリスクへの対処として生まれたのが、一つは保険、もう一つは娯楽だと指摘しています。自然災害への対応をあっさり諦めてしまい、混沌のなかで刹那的な気晴らしを求めるだけではなく、リスクを緩和する保険の役割についてもっと議論が行なわれるべきでしょう。

平泉　たとえば『リスク：神々への反逆』（上・下、ピーター・バーンスタイン著、日経ビジネス人文庫）という本があって、人類が確率論・統計を武器に不確実な未来を現在の統制下に置く戦いの歴史を記したものです。これを読むと、やはり西洋人のリスクに関する意識はすごい。原題は日本語版の副題『神々への反逆』ですが、運命論と訣別し、唯一絶対神の代理人として下僕である自然を支配する、という強烈な意志を感じます。

金子　隕石の衝突リスクまで考えている人がいますからね（笑）。

（『Voice』二〇一九年四月号）

人間とチンパンジーを分けるもの

他者との心の共有、協力する力がヒトたるゆえん

長谷川眞理子《はせがわまりこ》（総合研究大学院大学学長／人類学者）

一九五二年東京都生まれ。東京大学理学部卒業、同大学院理学系研究科博士課程修了。理学博士。専門は進化生物学、行動生態学。イェール大学准教授、早稲田大学教授などを経て現職。著書に『生き物をめぐる４つの「なぜ」』（集英社新書）など。

人間の定義

永久　今回は、自然人類学・行動生態学がご専門の長谷川眞理子さんをゲストに、「新時代ビジョン研究会」のテーマ「自己変革できない日本をいかに自己変革可能にするか」についてお話を伺い、ディスカッションを行ないたいと思います。

長谷川　お招きいただき、ありがとうございます。

自然人類学という学問は「動物としてのヒトがなぜ、どのようにして現在のような生き物になったのか」という点を研究対象にしています。現在、この世に棲《す》む生き物の数は、バクテリアまで入れるとおよそ一五億種といわれます。うち学名のついた種は約二〇〇万種。そして、いままで出現した種の九九％が絶滅した、といわれます。無数の種が滅びるなかで、なぜ私たちヒトだけが知性をもち、自然科学と文明を築くようになったのか。なお断っておくと、知性というのは優占種になるための絶対条件ではありません。現に、脳をもたないミミズやアリは大繁栄していますから。

私たち人間は生物学上、「尻尾のないサル＝類人猿（ape）」の仲間です。他の類人猿にはテナガザルやオランウータン、ゴリラ、チンパンジーなどがおり、共通するのはいずれも現在、「絶滅危惧種」であること。霊長類をカテゴリーに分けると、類人猿はすべて「ヒト上科」に含まれており、テナガザル以外を「ヒト科」と呼びます。

ヒト科のなかにはオランウータンやギガントピテクスがおり、両者を除いたものが「ヒト亜科」、さらにゴリラを除いたものが「ヒト族」。チンパンジーとボノボを除いたものが「ヒト亜族」です。アルディピテクスとアウストラロピテクスを除いたものが「ホモ属」。ホモ属のなかでホモ・エルガスター、ホモ・エレクトス、ホモ・ネアンデルターレンシスなどはすべて絶滅し、私たちホモ・サピエンスしか現存していません。自然人類学から見た人類の定義は、「常習的に直立二足歩行する類人猿の仲間」です。

よく「人間とチンパンジーはほとんど遺伝子が変わらない」といいます。たしかにゲノムの比較解析を行なうと、DNAの塩基配列ではわずか一・二三%の違いしかありません。ただし人間だけにあってチンパンジーにはない、などの塩基配列の欠失・挿入を含めると五%の違いに差が開きます。さらにDNAの遺伝情報をRNA（リボ核酸）に転写する転写因子の割合を入れると、人間とチンパンジーの遺伝子上の違いはさらに開きます。

なぜヒトの脳は大きくなったのか

長谷川　霊長類の一つの大きな特徴は、体重に比べて大きな脳をもっていることです。では、なぜヒトの脳は他の動物と比べて大きくなったのか。物理的な環境適応をするだけなら、そこまでの知能は必要ありません。大きな脳を保つにはコストもかかります。現に私たちは、体重のわずか二%分しかない脳を維持するためだけに、食物をエネルギーに変える代謝の二〇％を使っている。

「人間の脳と同じようなＡＩ（人工知能）はつくれない」と私は思うのですが、コストが理由です。一ペタバイト（約一〇〇〇兆バイト）ともいわれる脳の記憶量を機械で維持しようとしたら、途方もない電力が必要となって採算が合いません。

進化の過程で脳が大きくなるには、ある種の条件が整う必要があります。霊長類の脳が大きくなった理由の一つに、「社会環境の複雑化に適応するため」という説があります。ロビン・ダンバー（人類学者・進化生物学者）の「社会脳仮説」と呼ばれるもので、一緒に生活している集団のサイズが大きくなると、個体間の関係性の数がどんどん増加し、社会関係が複雑化します。そうした複雑な環境下で生存するため、霊長類は他の動物より大脳新皮質の割合が広がった、という。集団のサイズが大きくなると他者との関係性が指数関数的に増大し、記憶しなければいけないことも増えていく。

霊長類の集団では、メンバー同士が互いに個体識別をし、親密さや社会的順位など相互の関係を認識しています。多くの動物では、このような緊密な社会関係に基づく集団はつくりません。大集団を形成していても「烏合《うごう》の衆」で、互いに集まっていること自体に意味があるのであり、個体識別に基づく緊密な社会ではありません。

さらに人間の場合は、言葉による属性のラベル付けを行なうことで父と母、父の親戚と母の親戚の関係までを認識し、姻族《いんぞく》も含めた血縁集団の関係性を特定できます。他方でチンパンジーの場合、このような認識はありません。チンパンジーの雌は、生まれた集団を出て別の群れに入り、そこの雄と交尾して子供を生みます。チンパンジーの群れ同士が闘争をすると、あちらの集団は、その雌の出身地だという認識はないので、全面戦争になります。

人間の場合は血縁集団同士の関係性を認識できるので、グループの女性が別の集団に移って結婚したら、あちらの集団には、その女性の血縁者がいるということが認識できるので、協力ができます。共同作業を通じて知識を積み重ね、「文化」として子孫に残せる生き物はおそらく人間だけです。この「競争的知能から協力的知能への移行」が現在の文明を築いた源ではないか、と考えられます。

チンパンジーは「心を共有しない」

長谷川　もう一つ、人間とチンパンジーの違いは「参照学習」にあります。たとえば赤ちゃんの前で親がコップにジュースを注ぐとき、赤ちゃんはコップとジュースと親の顔という三点を交互に見ています。チンパンジーの子供の場合は、親が果物を手に取って潰すとき、果物と手の二点しか見ていない。

人間の子供は親の顔を見ながら、さまざまな動作を学んでいます。よく「猿真似」といいますが、サルは真似をしません。真似というのは他者を参照し、同調するというたいへん高度な行動です。チンパンジーは相手の考えることを理解し、行動の目的を推測します。でも、相手の行動を参照して同じ動作を真似ることはできない。しかし、人間は「猿真似」を日常的に行なっています。たとえば実験で、幼児に対して大人が、指でボタンを押して電気をつければいいのに、頭でボタンを押してみせると、子供は真似して頭でボタンを押すのです。

また、人間には他者と「心を共有する力」「協力する力」があります。お母さんの膝に乗った三歳ぐらいの子供の前で、大きな荷物を抱えた実験者が戸棚の扉を開けようとしても開かない、という様を見せる。すると驚くことに、子供はお母さんの膝からぴょんと下り、扉を開けてくれるのです。人間には、他者の意図がわかり、その意図を実現する手段がわかると、「自分はできるぞ」ということを誇示したい気持ちがあり、助けられるほうもありがたい、というウィン-ウィンの関係を築くことができます。

他方で、チンパンジーは「心を共有しない」。たとえば二〇〇九年、京都大学霊長類研究所博士の山本真也さん（当時、現・同大学高等研究院准教授）たちが行なった行動実験があります。

隣り合った二つの透明なブースに二匹のチンパンジーを入れ、それぞれ①ストローを使ってジュースを飲む、②ステッキを使ってジュースの容器を引き寄せる、という状況をつくります。

ところがストローが必要なチンパンジーのブースにはステッキしか、ステッキが必要なチンパンジーにはストローしかない。パネルに開いた穴を通じて「互いの道具を交換し合うか」を調べました。

実験の結果、二匹のチンパンジーは「相手の要求があってはじめて道具を渡し、隣のチンパンジーを助ける」回数が多かった。つまり人間のように、他人が困っている姿を見て、自ら進んで手助けをすることはしなかったのです。チンパンジーはべつに意地悪をしているわけではありません。たんに「心を共有しない」だけです。言い換えれば、人間は図抜けて社会的な生き物である、ということです。

日本人の身内主義は変えられるか

永久　いまチンパンジーの話をされましたが、会社や組織でも「進んで他人を助けようとしない」人間がいますね（笑）。

長谷川　おっしゃるとおりです。食事中、テーブルの塩に手が届く人に「お塩ある？」と尋ねて、相手が「はい、あります」と答えたきり何もしなかったら、まともな人間関係にならない（笑）。忖度《そんたく》という言葉はあまり好きではないけれど、ある種の配慮や共感でこの世が成り立っているのは事実でしょう。

人間の文化的蓄積を可能にする要素を挙げてみると、相手の意図を推測して理解する、相手の行動を参照する、というプログラムが人間の脳のどこかに埋め込まれているのではないか、と感じます。たしかに情報の伝達や理解自体は、他の動物でも可能です。でも世代を超えて集団内に情報を伝えられるのは人間だけであり、それこそを人間の文化と呼ぶのではないでしょうか。個人学習の結果を皆で共有し、世代を超えて知識が蓄積するのはヒトの大きな強みである、と思います。

この研究会のテーマである日本社会についていえば、日本の弱点として、おっしゃるように自ら変革を起こせず、内向きでリスクを回避し、社会に活力がない。さらに、「多様性を許容できない」点が大きいのではないでしょうか。

女性の社会進出の例一つを取っても、世界では一九九〇年以降、ずいぶん許容が進んだのに、日本社会はまったく変わっていません。根源はやはり「おやじ病」（笑）。以前、ある会合で日本に女性の管理職がいない、という話をしたところ、「あなたの言うことはわかったけれども、日本の女は管理職になる覚悟があるのかね」と言い放つ人がいて、愕然《がくぜん》としたことがあります。

末松　それ、令和になってからの話ですよね？

長谷川　はい。家事についても「嫌いだからやらない。そのために奥さんがいる」と。あなたの行動を変えてください、とはいわないけれど、せめて現在の三十代以下の意識はまったく違うことは認識していただきたい、と申し上げました。

末松　そういうおじさんに配慮して、若い人が「自分は家事をやっています」といえないのがまた大きな問題です。

小黒　家事を手伝わない上司に「忖度」する空気もある気がしますね。

長谷川　目上や社会に対して物をいえない空気が、文化的に共有されてしまっているように感じます。

亀井　先ほどの文脈でいえば、参照学習の過剰ですね。

永久　継続的に企業社会や同質集団のなかで同じゲームを続けていると、従属的な行動を取るのが合理的な選択ということになってしまう。

平泉　それに日本は相互監視社会ですから、自己検閲が働く。

末松　地球温暖化防止を訴える少女グレタ・トゥーンベリさんのニュースへの対応にも、同じことを感じます。

二〇一八年、スウェーデンの議会前で学校ストライキを行なった彼女に触発されて、一九年に入ってアメリカなど世界中で学校ストの輪が広がり、ニューヨーク市は学校ストを容認する姿勢を示しました。ところが日本人はこのニュースにまったく冷淡で、「子供が何をいっているのか」と嫌悪感すら表明する人がいました。正論を「空気を乱すもの」として退《しりぞ》けるのが日本のおやじ病。私たち女性も毎週金曜、ハンガーストライキでもやりましょうか(笑)。

長谷川　じつは「女性の謙遜」に関する国際比較の実験もあります。社会心理学者の山岸俊男先生（北海道大学名誉教授、故人）によるもので、日本人とアメリカ人の大学生を対象に、ある知能テストを受けてもらい、試験後に「あなたの成績は大学の平均より低いと思うか」と質問する。

結果は、日本人の女性は匿名の回答にもかかわらず、七二％が自分の成績を「平均よりも低いと思う」と答えました。ところが、次に「あなたの自己採点が正しかったらお金をあげます」というボーナス条件をつけたところ、六九％の日本人女性が「平均よりも高いと思う」と答えたのです。この数値は、アメリカ人とそう変わりません。

平泉　女性の謙遜は嘘だから信じてはいけない、と（笑）。

末松　客観的な事実の認識は同じだけれども、口にするかしないかの差だけですね。

長谷川　赤ん坊の例でいえば、人間は物事がよくできる人のことを見ています。不器用に栓を閉める大人と手際よく閉める大人を目の前に並べてみせると、上手な大人のほうを見るのです。

亀井　権威ではなく、能力を見ているわけですね。

金子　自然人類学から見て、日本人のこうした特徴はどのように説明できるのでしょうか。

長谷川　その点を分析するには、自然人類学と文化人類学のより強い融合が必要でしょうね。両者は同じく人間を研究する学問ですが、考え方が大きく違います。文化人類学は、それぞれの文化を描写し、それはその地の人びとにとって所与のものとして受け継がれていくと考えます。

他方、自然人類学で行動の分析をする研究者は、文化とは、「他者はこのように行動するだろう」という了解を集団構成員の全員が暗黙のうちに共有している、ゲーム理論的構造だと考えています。自然人類学と文化人類学の分析をつなぎ合わせることで、はじめて日本の文化的蓄積や特徴、進化の多面的な解釈が可能になります。

日本人は「人のことをまず考える」という行動がデフォルト（標準動作）になっています。日本人特有のデフォルト条件を何らかのかたちで外してあげれば、欧米人とさほど変わらない行動を取るようになるのではないでしょうか。

たとえば、日本人の文化をめぐる実験の一つに「ペン選好実験」というものがあります。空港で五本のボールペンを渡し、うち一本をもらえるという場合、東アジア人は欧米人よりユニークなペン（少数色）を選ばない、とした実験（Kim&Markus,1999）があります。これに対し、先述の山岸俊男先生は「自分が最後の被験者である」など自分の選択が他人に影響を与えないことが明確に示された場合は、日本人であっても少数色を選ぶことを実験で示したのです。

金子　山岸先生は、アメリカ人は人間一般に対しての信頼が比較的高いが、日本人の場合は身内だけを信用する傾向がある、と論じておられましたね。日本人のそうした身内主義は意識によって変えられるのですか。

長谷川　変えられる、というのが山岸先生の結論です。日本人のモーレツ会社員も、アメリカの支社に行けば「ああ、ここはそういう場所か」と察して積極的に意見を述べるようになります。そして日本の本社に帰ると「主張をしてはいけない国だった」と思い出し、態度を使い分ける。つまり先天的な性質の違いというより、生き物として置かれたゲーム状況の違いですね。

小黒　公共空間でも同じことがいえるのではないでしょうか。アメリカのバスで女性が小さな子供を連れて乗車すると皆、真っ先に席を譲るケースが多い一方、最近の日本では、昔と異なり、電車内でも席を譲らない人びとも増えてきている気がします。日本よりもアメリカのほうが他人に対する気配りがしっかりしているところがあり、不思議に思っています。

長谷川　理由の一つとして、日本は態度を表明しない社会なので「席を譲ることが目立ちたがり屋に映る」リスクがあります。アメリカ人にとっては席を譲る・譲らないという行為が態度の表明で、自分の考えを周囲に見せるのが好きな人たちなのです。

平泉　満員電車から降りるときに「降ります！」といわず、無言で身体を押してくる人が多いです。押されると不愉快なので、意思表示さえしてくれれば、喜んで身体を進路からどけますけど（笑）。

実態とかけ離れた「子供を生む不安」

亀井　日本人も環境次第で意見を述べるようになる、というお話がありましたが、社会のどこが動くと日本人の振る舞い、ゲーム理論でいえば利得行列のような行動条件が変わるとお考えでしょうか。

長谷川　一つはやはり外圧ですね。明治維新のように欧米からのプレッシャーを契機に、日本人自身が真剣に利得行列を変えようとするかもしれません。

亀井　戦後体制は明治時代のアンチテーゼである、ともいえます。戦前の日本は、生まれにかかわらず実力（学力）さえあれば、位階のポストが上がり金銭も得られる、誰の目にもわかりやすい実力主義社会でした。これに対し、戦後は平等主義からか、何かで成功した人を追い落とす風潮に転換しました。山の頂上に至る道を見えづらくしたことは、変革者を求めない社会の一因となったのではないでしょうか。七十年以上続く戦後体制を突き抜けるには、よほどのロジックや環境変化が起きなければいけません。

長谷川　たとえば少子化で子供が本当にいなくなってしまうような事態が起これば、日本人の利得行動も変わってくるのかもしれませんが。

小黒　現状の出生率が継続すると、簡単な計算で最終的に日本人が絶滅するのは明らかですが、それは非現実的であり、いつか社会的な価値観も変わる気がします。

金子　少子化は世界の先進国化が進むかぎり止めようがない、とお考えですか。

長谷川　はい。社会が裕福になり、生殖や避妊が個人の意思決定に委《ゆだ》ねられると、子供を生むことは「子供を授かる」のではなく、合理的意思決定の問題になってしまう。いまの若い人は年収が六〇〇万円なければ子供は生めない、と思い込んでいるようですが、経験的には必ずしも正しくないわけです。

金子　現実の実態とかけ離れた将来への不安がある。

長谷川　子供がいると楽しいだろうな、という期待感と、子供がいると大変だろうな、というコスト感があり、楽しい期待感が薄く、コスト感ばかりが肥大しているように見えます。

亀井　親自身も長寿化するので、ますますコスト感が膨れ上がり、利己的な判断に陥《おちい》りますね。

SNSから抜け出そう

金子　日本人の身内意識に関しては、おっしゃるように環境で変えられる側面はあるにせよ、敵と味方を見分ける本能は人類史上、普遍のものです。身内びいきの傾向はなかなか簡単に消えないようにも思うのですが。

長谷川　たしかに内集団と外集団を区別する行動は日本人だけでなく、人間の進化のなかに組み込まれており、完全に消し去ることはできないでしょう。エゴや差別感情などの情動を理性で抑えることが倫理的支えになっています。

ところが近年、インターネットとソーシャルメディア（SNS）の爆発的拡大で「あいつは嫌いだ」「無視しよう」という陰口、井戸端会議《いどばたかいぎ》の話が社会に漏《も》れ出すようになってしまった。人類にとって、パンドラの箱を開けたに等しい現象ではないでしょうか。

フェイスブックの初代CEOであるショーン・パーカー氏自身、二〇一七年のインタビューでフェイスブックの中毒性を批判しています。「人間の心理に内在する弱点を突く」「奇妙な形で生産性を妨げるだろう。われわれの子供たちの脳にどんな影響を及ぼすか誰にも分からない」という。

私たちの世代は、従来のコミュニケーションのあり方を知ったうえでSNSを使うことができます。ところが、最初からスマホしかない世代は「本当のコミュニケーションや信頼関係とは何か」について、他に比較するものがありません。これはやはり社会に何らかの変調をきたしていく、と思います。現実に対応したフィードバックが存在せず、情報とバーチャル世界だけで物事が動く世の中になったら、いったい何が起こるでしょうか。

亀井　身体感覚と一体の現実よりも拡張世界のほうが大きくなってしまうかもしれません。

長谷川　以前、大学の生態実習でアフリカに若者を連れていったら、大きな虫一匹にびっくりして全員、総立ちで騒いでいる。驚くのは生活領域に突然、踏み込まれた虫たちのほうですよ。花が咲く、鳥が飛ぶ、しおれた枝から実が落ち、動物が死んで骨になる。こうした命の動きに心を向かわせる環境が完全に失われてしまっています。

平泉　やはりプライバシーへの懸念もあるし、「SNSから抜け出そう運動」があってもよいと思いますね。私もいったんはページを設けましたが、フェイスブックの類《たぐ》いからは一斉に撤退しました。

長谷川　スマホゲームやLINEも、脳に作用してやめられない、という意味では立派な中毒です。以前、揺れる電車で座席に座っていたら、スマホゲームに熱中する目の前の女の子がバランスを崩して私の膝の上に倒れてきた。ところが謝るそぶりもなく、スマホからまったく目を離さない（笑）。生き物としては衰退している、と感じざるをえませんね。

（『Voice』二〇一九年十一月号に加筆・修正）

AIは意味を扱えない

機械を自立した主体と見なすことで起きる社会的混乱

西垣《にしがき》　通《とおる》（東京大学名誉教授）

一九四八年東京都生まれ。東京大学工学部計数工学科卒業。日立製作所にてコンピュータ・ソフトの研究開発に携わる。その後、東京大学大学院情報学環教授、東京経済大学コミュニケーション学部教授などを歴任。工学博士。専攻は文理にまたがる情報学・メディア論。近著に『ＡＩ倫理』（共著、中公新書）など。

文脈や常識は度外視

永久　西垣先生には以前、私たちが主催したＰＨＰ未来倶楽部の講師として、ＡＩ（人工知能）と人間社会をめぐる興味深いお話をしていただきました。今回、「日本はいかにして自己変革できる社会を築けるか」を研究している「新時代ビジョン研究会」のゲストスピーカーとして、さらに深くＡＩと社会変革に関する問題提起と議論をいただきたいと思います。

西垣　ありがとうございます。私はＡＩが未来を拓《ひら》く可能性を予感しているのですが、その本質が誤解され、逆効果になるという不安も拭《ぬぐ》えません。現在はビッグデータの時代で、情報の洪水が世界を覆うといわれます。しかし、問題は溢れる情報の「量」と「意味」の関係なのです。たしかに「量」だけを見れば現在、膨大なデータ量が流通しています。アメリカの調査会社の予測によれば、二〇二〇年には全世界のデジタル・データの総計は四〇ゼタバイト（ゼタ＝一兆の一〇億倍）になる、という。地球上のすべての人間が朝から晩まで毎日、一生かけても処理しきれないほどのデータ量ですね。しかし、はたしてこれが人類にとって豊かな情報環境なのかどうかは、まったく別問題です。

そもそも、情報とはいったい何でしょうか。じつは「情報（information）」は、定義が曖昧な概念です。日本語では「情況報告」の略で、元来は軍事用語といわれます。戦場で敵の情況や戦略を探り、報告させる。すなわち命に直結するような「価値／意味」こそが情報の根本なのです。ところがビッグデータを扱う機械であるＡＩの側は、人間にとっての必要性や、価値の有無を判断しているわけではありません。

私の主張を端的に申し上げると、「ＡＩは意味を扱えない」というものです。このようにいえば、自然言語処理を行なうＡＩ専門家はもちろん、皆さんも疑問を抱くのではないでしょうか。すでに人類の知能を超えた、といわれるＡＩが、人間のコトバの意味がわからないはずはないだろう、と。

しかし、そう感じるのは「意味」に関する理解が食い違っているからです。一例を挙げましょう。マイクロソフトは、二〇一六年三月に自社が開発・公開した学習型人工知能チャットボット（会話ロボット、十九歳の米国人女性という設定）「Ｔａｙ」を緊急停止させました。理由は、このロボットがユーザーと会話を重ねるうちに良からぬ「学習」をしてしまい、差別発言を始めたからです。たとえば「大量虐殺を支持しますか？」という質問に「支持します」と答えたり、さらに「ヒトラーなら、私たちがいま戴いている猿（注：オバマ大統領を指す）よりいい仕事をしたかもしれない」などと暴言を吐いたりしました。

こうなったのは、Ｔａｙの設計者のせいではありません。真の理由は、ＡＩがたんに単語を形式的に繋《つな》ぎ合わせるだけで、コトバ自体の意味を理解して発言しているわけではないことです。だからユーザーから大量に差別的なコトバをインプットされると、文脈や常識は度外視して「学習」結果を出力してしまう。

ＡＩとは、人間の知識を一定の形式で表現し、演繹《えんえき》的な推論操作で組み合わせて結論を導くコンピュータ応用技術です。しかし私たちのコトバで表される知識は、運用の局面や文脈を度外視しては存在しえない。

世の中にはマクロ経済指標や株価や出生率など、あらゆる数値データがあります。しかし、それらは単独ではあくまでも乱数表の一要素のようなものにすぎません。情報は、ある文脈のもとで構造的に組み合わされて初めて意味をもつのです。

何が人間にとって本当に意味があり、価値ある情報なのか。この点が、ＡＩをめぐる議論のなかで十分に論じられていません。これが、今日の混乱状況を招いている最大要因ではないでしょうか。

有限状態ゲームで勝つのは当然

西垣　最近、「ＡＩが人間の知能を超えた」と思われるようになった出来事の一つは、二〇一六年に囲碁のＡＩ（AlphaGo＝アルファ碁）―が国際的なトップ棋士に勝ったことでしょう。局面のパターン数が比較的少ないチェスや将棋では、すでにＡＩの優位が明らかになっていました。もっとパターン数が多い囲碁では難しいといわれていたのに、アッサリ勝負がついた。関係者がこのニュースを吹聴《ふいちょう》したことで、従来とは次元の違う、途方もなく賢いＡＩが登場したという思い込みが生まれました。

しかし冷静に考えると、ＡＩ囲碁の勝利はとくに驚くような話ではありません。チェスや将棋、囲碁はいずれも「有限状態ゲーム」だからです。将棋でいえば、対局開始の配置（初期状態）から王手（目標状態）に至るルートを一つずつしらみ潰しに探索すれば、必ず勝てる。加えて定跡を覚え込ませ、中間的な準目標状態への距離尺度を定めればいい。探索速度を比べると、人間の脳の反応速度はせいぜい〇・〇一秒台のレベルが限界で、コンピュータの速さには絶対に追い付けません。そう考えると、ＡＩが勝つのは当然のことです。「どうすれば人間にＡＩが勝てるのか」という問いは、有限状態ゲームの場合、たんにゲームおたくのＡＩ研究者の興味の問題にすぎません。

むしろ真の問題は、「なぜ探索速度の遅い人間が、効率よく直感的に最適解を見出せるのか」という問いのほうです。現代のＡＩ囲碁は、この問いに答えることができないのです。

私たちの日常生活を振り返れば、人間は直感的に対象の意味や重要性を理解しています。過去の経験から「何となくこちらが正しそうだ」という判断が生じ、なおかつそれが不思議と合っている点が謎なのです。

ＡＩが得意なのは有限状態のシミュレーションの世界のみであり、無限のシナリオが起きうる現実の世界への対処は不得意です。一方、人間という生き物は、明日はもちろん、一時間後、一分後にすら何が起きるかまったく予想できなくても生き続ける。囲碁や将棋とは異なる世界に住む私たちにとって「賢さ」とは何なのか。その問いを考えるのが、真に「人間を考える」学問ではないでしょうか。

ＡＩは「神」なのか

西垣　ＡＩをめぐる考え方には、西洋独特の一神教の影響が見られます。ご存じのように、西洋の学問では「人間は理性と論理によって必ず真理に到達できる」という考え方が支配的です。
「普遍的な前提や法則を基に論理的思考を重ねれば、個別・具体的な結論を導き出せる」という演繹的思考は、遡《さかのぼ》ればプラトン、アリストテレスの古代ギリシャ哲学に至ります。その後、アレクサンドロス三世（大王）の東方遠征でこのヘレニズム文化がユダヤ一神教のへブライズム文化と融合し、西洋文明の骨格をつくりました。

仮にＡＩの能力を「森羅万象を数理記号で表現し、合理的に予測し、制御すること」と定義すれば、端的にいってＡＩは「神」の存在に近いものとなります。やがてＡＩの能力が人間を超えるというシンギュラリティ仮説が評判になっていますが、人知を超えた知をＡＩによって創造するという点で、一部の人間が神に成り代わる支配欲を示すものではないでしょうか。少なくとも、ユダヤ＝キリスト教の発祥期から受け継がれてきた「論理イコール真理」というロゴス重視の思想が、西洋のＡＩ論の背後にあることは知っておくべきでしょう。

さらにＡＩやコンピュータの歴史的経緯を振り返ると、もともとコンピュータは、論理思考をする自動機械として生まれました。その背後にあるのは、「論理主義」という哲学的思想です。たとえば二十世紀初頭の哲学者にバートランド・ラッセル（一八七二～一九七〇年）という人がいます。彼の哲学に影響を与えたのは、アリストテレス以来最大の論理学者といわれるゴットロープ・フレーゲです。

ラッセルは、アルフレッド・ノース・ホワイトヘッドとの共著『プリンキピア・マテマティカ（Principia Mathematica：数学原理）』のなかで、記号の形式的な論理操作こそが、人間にとって最も信頼できる思考であると暗に主張しています。まさに記号を形式論理的に操作する、ＡＩの思想的源流といえるでしょう。

さらに、数学者のダフィット・ヒルベルトが「数学において真である命題は必ず論理的に証明できる」「公理から形式化された推論に矛盾は起きない」という証明の試み（ヒルベルト・プログラム）を行ない、論理学に基づく数学を主張しました。その後、ヒルベルトの数学基礎論に心酔する数学者アラン・チューリングやフォン・ノイマンが、コンピュータの理論モデルを発明したのです。一九四〇年代末にはこの理論モデルを踏まえた最初の実用コンピュータが誕生し、五〇年代には「論理によってあらゆる数学の問題を解く」という試みが欧米各地で広がります。

一九五六年にアメリカで開かれたダートマス会議はＡＩ（Artificial Intelligence）という言葉が生まれた会議でした。ここでアレン・ニューウェルとハーバート・サイモンがＡＩプログラム「ロジック・セオリスト（Logic Theorist）」を用い、先ほど挙げたラッセルの『プリンキピア・マテマティカ』に記された定理の多くを証明してしまった。世界中のコンピュータ研究者が、このニュースに仰天しました。

ところが、じつはこの「ロジック・セオリスト」の手法は、公理から論理命題を探索し、推論してしらみ潰しに試していくという点で、先述のチェスや将棋を指すＡＩのやり方に近いのです。有限状態のゲームやパズルには探索と推論は効果的でも、無限状態の現実問題にはあまり役に立たない、という限界は、いまでも変わっていません。

一九五〇年代の最初のＡＩブームののち、八〇年代に二度目のＡＩブームが訪れます。じつは私も、短期間でしたがＯＳ（オペレーティング・システム）の研究開発者として、通商産業省（現・経済産業省）の「第五世代コンピュータ」プロジェクトに関わりました。並列推論が可能な高速ＡＩコンピュータの開発をめざし、多額の資金が投じられました。技術的には成功したのですが、実用に供されなかったので、このプロジェクトは失敗とされています。私見では、「なぜ失敗したのか」をきちんと検証すべきでした。根本的問題は「ＡＩは意味を理解できない」ということだったのです。しかし残念ながら、失敗の原因を顧みる反省的分析はなされませんでした。

コンピュータ科学対サイバネティクス

西垣　二〇一〇年代のいま、三度目のＡＩブームが到来中です。このブームの特徴は、データの形式的な論理操作に加えて、画像や音声などの「パターン認識」の能力が上がった、という点に尽きるでしょう。

古典的なパターン認識は、郵便番号の自動読み取りなどで実用化されていましたが、応用分野は限られていました。でも最近は深層学習（ディープ・ラーニング）が実用化され、顔認証などにもAIによるパターン認識が活用されています。

じつは深層学習と同じような発想は一九六〇年代からありましたが、当時は計算時間が膨大にかかって実用にならなかったのです。近年、コンピュータの処理速度が上がり、パラレル（並列）処理技術も進歩して、実用化されたわけです。先述のAI囲碁にも深層学習技術が用いられています。

しかしAIのパターン認識には「間違ったときにどうするか」という難問があります。郵便番号の誤読程度ならまだしも、仮にAIが行なった顔認証が誤りだったら、個人情報の漏《ろう》洩《えい》やお金の流出、さらには誤認逮捕など、重大な過失につながる恐れがあります。

ところがコンピュータには、間違えても責任を問うことができない。裏返すと、この点からも「AIは自律的な存在ではない」といえます。結局のところAIは、人間が定めたアルゴリズムに従って作動しているにすぎない。他律的な機械をあたかも自律的な主体であるように見なすと、社会的混乱が起きます。

この錯誤が生じた原因は、やはり「生物と機械は違う」というごく当たり前の認識を見失ったことにあるでしょう。その背景として、「コンピュータ科学対サイバネティクス」という二つの学問分野の相克が挙げられます。前者は、コンピュータの論理的・演繹的な処理能力をひたすら上げていく研究です。後者のサイバネティクスは、たとえば鳥や魚の効率的な動きを工学に応用するという、生物的なフィードバック機能に注目する研究分野です。

サイバネティクスの創始者であるノーバート・ウィーナーは、著書『サイバネティックス』（岩波文庫）の副題「動物と機械における制御と通信」にあるように、生物と機械の関係を視野に入れ、情報の論理操作だけではなく情報を用いた動作機能に着目しました。ウィーナーの思想を継承したのが、チリの生物学者ウンベルト・マトゥラーナとフランシスコ・ヴァレラのオートポイエーシス理論です。彼らは、生物は自律的かつ自己言及的、自己構成的なシステムであり、機械のような他律的なシステムとは異なる、と論じました。

端的にいえば、両者のうち優勢になったのは、ウィーナーのライバルであるフォン・ノイマンの流れを汲むコンピュータ科学でした。さらに社会に対して強い影響を与えたのが、クロード・シャノンの情報理論です。シャノンは情報から「意味」を切り離し、通信の雑音対策＝ノイズカットの分野で大成功を収めました。情報をたんなる形式的データと見なすエレガントな理論は、ＡＩを含め、情報通信工学研究の基礎理論となっています。

しかし繰り返しますが、「意味」を切り離した機械が行なえるのは、あくまでもアルゴリズムに基づいてデータを形式論理的に処理することだけです。その過程でノイズが生じたらそれを直す、という処理作業にすぎません。意味の解釈などということはそもそもコンピュータの範疇《はんちゅう》にないのであって、やはり生物と機械とは異質であることは確かです。

以上、駆け足でコンピュータの歴史と「ＡＩは意味を扱えない」という点を説明しました。ただし誤解のないように申し上げると、私はＡＩを否定しているのではなく、正しい活用をめざすべきだ、といいたいのです。人間社会のためにＡＩを有効利用できることは間違いありません。自動運転や「インダストリー４・０」と呼ばれるスマート工場（顧客ニーズに応じた多品種生産をリアルタイムで行なう工場）、老朽化したインフラ設備の保守・点検など、人間の能力が及ばない領域をカバーし、社会的リスクの低減や生産性の向上に資するＡＩ技術の活用は、近未来社会に必要不可欠だといえるでしょう。

AI兵器は「使った者勝ち」？

御立　AIの認識に関して、西垣先生の見方は「AIができるのは人間のような文脈や因果関係からの理解ではなく、あくまでも過去のデータに基づく相関関係の類推にすぎず、それは一定の確率でしか当たらない」という理解でよいでしょうか。

西垣　まさにそう思います。

御立　というのも現在、DARPA（アメリカ国防高等研究計画局）がAIの一大プロジェクトを推進しています。その研究の焦点になっているのが、まさに「論理構造と因果関係を事後的にしかチェックできない」という現状からの脱却です。何とか「説明可能性の高い」AIをつくり、社会実装に対する壁を減らそうとしているのです。

もう一点、興味深いのが東洋と西洋の比較です。東洋思想では、人間の本質は固定的な分子構造のなかにあるものではありません。仏教のように、つねに生じる「縁起《えんぎ》」が、細かく分節可能な分子の総体を生命として生じさせる、という考えが強くあります。情報も同じで、他者の言葉に触れることでそのつど関係性が生じ、人間の認識や主観が新たに生成する、という見方です。

生物学の世界では、西洋的思考にもこの考えが出てき始めましたが、カリスマといわれる欧米のＡＩ関係者のなかには「人間以上に情報処理できるＡＩは、人間の存在を超える」と本気で信じている節があり、東洋人には共感し難いところがあります。

西垣　たとえば「グノーシス」と呼ばれるキリスト教に類した宗派がありますね。独特な二元論や唯一神ではない世界創造者（デミウルゴス）を想定するなど、キリスト教では異端とされます。ところでグノーシス派は無知な人びとではなく、むしろ知的な都会人の宗教だったのです。人間が描いたとおりに理想を実現できる、と考える意味では設計主義で、東洋的な流動的世界観の対極にある。西洋のＡＩ絶対主義もじつは同類だと私は見ています。

平泉　コンピュータを神に祀《まつ》り上げようとする「ＡＩグノーシス派」の思想は、西洋人にとって抵抗感が強いのではないでしょうか。西洋社会の大勢を占めるキリスト教の世界観は「絶対神を頂点に、その下に人間がおり、さらに下に動物や植物の世界がある」という階層的な秩序です。そのなかでＡＩという「新しい神」をつくることは、西洋人にとっては大変な違和感があるでしょう。だからこそ西洋人はＡＩをよく監督して、暴走させないと思います。

永久　反対に、日本は「鉄腕アトム」の世界だから、ロボットに親しみが強すぎて危機感がまったくない。だから西洋より「ＡＩ暴走」の危険があります。

西垣　たしかに、おっしゃるような「ＡＩ開発は神や人間の存在を汚す行為なのではないか」という畏怖はキリスト教の伝統思想には明確にあるし、普通の人も抱く感情です。ところが、論理の世界に凝り固まったＡＩ開発者にはそうした観念が薄い。

亀井　ご指摘のとおり、現実の生活では皆、論理的に考えない人を含めて立派に務めを果たしています。そこを忘れては人が生きること、社会に貢献できるものにはなりませんよね。

小黒　私はもともと理系だったので、西垣先生のお話にたいへん興味をもちました。ＡＩが意味を扱えない、という点はまったく同感ですが、その半面、人間のつくるモデルは過去だけを射程に入れているわけではありません。たとえば近代経済学において、相手の出方次第でこちらの行動が変わる可能性を織り込んだゲーム理論や、フォワード・ルッキング（将来の期待や予測を織り込む）型の経済分析や理論があります。将来を見据えたモデルを構築することもまた、人間の学問に与えられた役割といえるでしょう。

亀井　もう一点、先ほどのお話のなかで、さらに「コトバ」をめぐる先生のお考えをお伺いしたいのですが。

西垣　たとえば最近、店頭で挨拶や接客をする会話ロボットが現れましたが、それを見て「AIが人間と話し合えるようになった」と信じ込むのは間違いです。たしかに音声認識処理技術が改善されて聞き取り能力は向上しましたが、入力されたコトバを文節ごとに区切るのさえも一苦労。「今日はいい天気ですね」の意味すら理解していない。話し掛けたらピントのずれた対応をされて、「ロボットの気分を害したのだろうか」と逆に人間側が忖度《そんたく》する羽目になりかねない（笑）。文脈を踏まえた会話は困難なのです。

松本　いわゆるAIの限界について、個人的にはどうしても疑問が残るところがあります。たしかに現在のコンピュータ容量では、相手の属性や行動への対応には限界がありま す。しかし、将来的には容量が飛躍的に増えたAIが学習を繰り返すことで、いまおっしゃったような複雑な対話や翻訳も可能になるのではないか、と思うのですが、いかがでしょうか。

西垣　量が質を変える、というのはまさにAI推進派の思想です。たしかに超高速の量子コンピュータが完成したら、先述のような囲碁の対局で人間が勝つ可能性はほぼゼロでしょう。これは量が質に結び付く場合です。

でも、たとえば俳句はどうでしょうか。コンピュータが一挙に五・七・五の音の組み合わせを大量につくれば、素晴らしい句ができるように思われます。しかし、日本語の難しさは同音異義語の多さにあります。音は同じ「はし」でも「橋」「梯」「端」「箸」「嘴」のようにいくつも意味があり、文節の切り方もいろいろです。それぞれについてたくさんの組み合わせを行なった結果、とんでもない句になってしまう。コンピュータは、一元的な数学的論理の世界に落とし込まないと処理ができません。だから囲碁や将棋のような有限状態ゲームはできても、無限に変転していく世界の事象を正確にモデリングすることは不可能なのです。私の考えは、文脈を踏まえたコトバの本当の意味は、人間の生活と一体不可分だというものです。

末松　性善説に基づいてＡＩを社会に活用する、というイメージは、どうしても浮世離れした感じがありますね。『源氏物語』や『枕草子』に近い世界かもしれません。歌や俳句を詠んであの人を口説こう、とか（笑）。

亀井　社会のシミュレーションというのはある種、閉じた箱庭の世界ですから。

小黒　いまおっしゃった性善説に反するようですが、ＡＩと最も親和性をもつのは「軍事産業」ではないでしょうか。たとえば、ドローン型の超ミニ戦闘機が何百機も敵地に入り、完璧な命中精度はなくても、ターゲットの画像認識（顔の画像認識を含む）をＡＩで高速処理しながら攻撃することで味方の人的被害もなく、敵に一方的なダメージを与えられます。さらにセンサー機能が進化すれば、同じ戦場にいる敵と味方の区別もより正確に判断しながら攻撃することも可能になるでしょう。

西垣　先ほどはあえて触れなかったのですが、まさにご指摘のとおりです。二〇一八年八月、国連の会合でオーストリアがＡＩに生死の判断を委ねるリスクに懸念を示し、コスタリカほか各国がＡＩ兵器の全面禁止を主張しました。ところがこれに反対したのはロシア、そしてアメリカですよ。

御立　日本は、二〇一九年開催のＧ20の場でＡＩ兵器の使用規制をリードする方向性を打ち出すべく、河野太郎外相（当時）らが尽力しているようです。

金子　アメリカでは（少なくともオバマ前政権では）、ＡＩを兵器に応用する場合も戦闘の最終判断は人間がすることになっており、いまのところＡＩの軍事利用に抑制が掛けられています。問題は、アメリカや日本が自制しているあいだに、ロシアや中国のＡＩ兵器開発が先行してしまうリスクです。国際協調の歯止めが掛からず、ＡＩ兵器が「使った者勝ち」になることが最も懸念されますね。

西垣　生き物というのは、たとえ下等生物であっても体内に何らかの世界モデルをもち、与えられた環境のなかで存続を図っているわけです。そのモデルが適していれば生き残るし、失敗すれば死んでしまう。人類全体が死に向かうかもしれない「ＡＩ戦争」という愚かな選択はしないだろう、と信じたいところです。

（『Ｖｏｉｃｅ』二〇一九年二月号）

大学に一〇兆円の基金を

日本企業は大敗中、人の出入りがなければ最悪の結末に

安宅《あたか》和人《かずと》（慶應義塾大学環境情報学部教授／ヤフーCSO）

マッキンゼーを経て、二〇〇八年からヤフー株式会社。一二年より現職。一六年より慶應義塾大学SFCで教え、一八年より現職。イェール大学脳神経科学PhD。著書に『イシューからはじめよ』（英治出版）、『シン・ニホン』（NewsPicks Publishing）ほか。

データの量と人材が少なすぎる

安宅　お招きいただき、光栄です。ちょうど私はここ一、二年「シン・ニホン」というテーマで日本の未来に関する講演を続けてきました。私はもともと脳神経科学者で、東京大学大学院修士課程で分子生物学を学んだあと、マッキンゼー・アンド・カンパニーに入りました。四年半勤務したのちイェール大学で脳神経科学を学び、博士号を取ってからマッキンゼ

ーに戻って二〇〇八年にヤフーに入り、現在に至ります。

私は、五年ほど前から「日本はデータの量と人材が少なすぎる」と申し上げてきました。近年、ますますそのことを痛感します。現在のＩＣＴ（情報通信技術）やロボティクスは大量のデータを基にしたパワープレイの戦いであり、ＩＣＴの世界で物をいうのはデータ量です。Ｙａｈｏｏ！ ＪＡＰＡＮが扱うデータ量は日本国内では多いほうですが、グーグルと比較すれば数十倍の開きがある。ＳＮＳ（ソーシャル・ネットワーキング・サービス）を見ても彼我《ひが》の差は歴然としており、ミクシィとフェイスブックを比較すること自体にもはや意味がありません。また集めたデータを使おうにも、日本では電気代などの処理コストがきわめて高く、規制だらけなのでデータが全然、活用できない。

データ量の問題は、ＩＣＴ業界だけの話ではありません。今後、私たちの労働や生活に占めるかなりの部分がデータ量を基礎としたコンピューティング・パワー、アルゴリズムにより自動化されることは確実だからです。

自動化に関してとくに歴史的だと感じるのは二〇一六年、人工知能プログラムの囲碁ＡＩ（ＡｌｐｈａＧｏ）が李世乭《イセドル》棋士を破った瞬間です。李世乭や柯潔《カケツ》のように当代最高の棋士が知力のすべてを尽くしてもＡＩに勝てなかった、という意味で「人類の敗北」を悟った出来事です。

あらゆる産業分野のデジタル化も進んでおり、たとえば長年、ジーンズを製造してきたリーバイスがグーグルと組み、感圧繊維を織り込んだ袖を触ってスマホを操作できる「スマートジャケット」を開発しました。農業も、室内でのデジタル照射による生産の最適化、無農薬化が実現可能になっています。

さらに従来の概念を超えた動きとして、化学反応で駆動する分子レベルの機械の開発が進んでいます。また、ついに人間の胚《はい》における遺伝子改変に成功したという報告が出ました。これは半ばデータサイエンスとライフサイエンスが融合しつつあるということであり、人類にとってまさに歴史的な瞬間が訪れているといえます。

いまから百十八年前、二十世紀に入る直前のニューヨークの街中には馬車が行き交っていました。しかし一九〇八年にT型フォードが発売されると、たった五年のあいだに自動車が席巻して街の光景が一変しました。

同様に二〇一七年四月、電気自動車メーカーのテスラが世界最大級のGMを株式時価総額で追い抜いたことは、普通のニュースとは違うレベルの文明史的な出来事といえるでしょう。その後、電池供給問題、イーロン・マスク氏（共同創設者・前会長）の暴言もあってテスラの時価総額は再び下落しましたが、テスラが示したトレンド自体は歴史的に見て、何らかのメッセージを発している。イーロン・マスク氏の正しさというのは、社会の課題や夢を技術で解いてみせ、デザインにパッケージングしたことでしょう。これが「未来の方程式」だと思う。

既存の企業関係を壊す「本物の下剋上」

安宅　さらにいま明らかになっているのは、ここ十五年ほどの世界的な爆発的生産性の成長期において、主要国中、日本だけが後れを取っている事実です。バブル期の日本の生産性は世界に負けておらず、問題はそのあと。一九九〇年代以降の産業別生産性を見ると、じつは基幹産業であるはずの自動車や電機の分野でも、日本はG７（先進七カ国）のトップではない。

小売りや情報通信の分野も生産性の伸びしろが大きく、農林水産の分野に至ってはアメリカの四〇分の一という巨大なギャップがあります。有事で食糧不足が生じたら、大変なことになります。

よくICT分野の遅れが指摘されますが、私が精査するかぎり、日米のICTセクターのGDPに占める割合はじつは大差ない。むしろ過去二十年の日本でICTがなければGDPはほぼ無成長であった、というのが事実です。

他方で、アメリカはたしかにICTの分野も伸びていますが、ほかのセクターも技術革新を背景にきちんと成長している。世界の企業時価総額ランキングの推移を見ると、十年前は石油や自動車メーカー、銀行がトップ10に入っていたのが、現在はデータやAIを使い倒している企業がほとんどです。国ごとに見れば中国、韓国の企業がランキング上位に軒を連ねている一方、日本はトップのトヨタが三〇位に入るかどうかという状況です。

この「日本は大敗している」という認識が、世間にまったくないのが恐ろしいところです。しかし実態として、日本企業のレベルは低い。

私が教える慶應義塾大学SFC（湘南藤沢キャンパス）のなかで一番イケてる学生は、当然のようにスタートアップ（新しいビジネスの起業）の設立をめざします。二番目はグーグル、フェイスブックのような外資系IT企業への就職。三番目は外資系コンサルティングや投資銀行などで、四番目にようやく経団連加盟の企業が入る。なかには日本の大企業を志望する学生がついに一人もいなくなった、という有名ゼミもあります。

大学の現状を見れば、いま現実に世の中を変えているコンピュータ・サイエンスの分野で世界大学ランキングの一位は中国・清華大学です。中国から三校、シンガポールから二校がトップ10に入っていますが、日本の大学はゼロ。東大ははるか下、九一位です。分野を超え、大学全体として見ても一〇〇位台に落ちるまであと十年ほど、という下降トレンドが見えている。

近年、機械学習内の一大分野になった深層学習（ディープ・ラーニング）も、世界の研究の中心は北米と英国にほぼ収斂《しゅうれん》されており、トップ30の研究者に名を連ねる日本人はついこのあいだまでゼロ。最近ようやく一人、入ったという状況です。

科学技術全般の学術論文数は中国が世界トップで、日本はインドにも負けている。十数年前まで日本は世界で二位でしたので、ありえない凋落《ちょうらく》ぶりです。

根本的な問題として、日本は理工系の学生数が他の主要国に比べてあまりにも少ない。年ごとの理工系の大学卒業者数を比較すると、日本より韓国のほうが約一〇万人も多い。われわれ以上に少子化が深刻で日本の二・五分の一（約五〇〇〇万人）しか人のいない韓国に学生数で負けるということ自体、信じ難い話です。韓国やドイツでは学生の約三分の二が理系で、これが技術立国の正常な姿でしょう。

私は十年余り前まで、マッキンゼーで新卒とMBAなど中途入社の社員への問題解決や分析のトレーニングを担当していました。理系の院卒でもないかぎり、厳選して選ばれたはずの彼らでも、基本的に入社段階では、問題解決能力や数字のハンドリングの基本が欠落しており、分析の基本ができておらず、基礎的な統計的素養もない。情報処理、プログラミングについての基本的理解もない。まさに「ないない尽くし」で、高等教育を受けたはずの学生がビジネスの世界で生き残るスキルをもたないまま社会に出てしまっています。マシンガンを持つ敵が待ち構える戦場に、空手だけ教わった若者が突っ込むようなものです。データも人も技術もない国では、世界との勝負になりません。

いま世界中で起きている現象は、テスラの例からもわかるとおり、既存の企業関係を打ち壊す「本物の下剋上」です。リスクがあると同時に一攫千金のチャンスであり、データを扱える人間がどれだけいるかが企業と国の未来を決めるようになる。

ところが、そのことをまったく知らずに「データや設備投資にカネが掛かる」「既存の業態に影響があることは認められない」などといって妨害するミドル層、マネジメント層のおじさんが推定八〇〇万から一〇〇〇万人はいる。この「じゃまオジ」問題をいかにして解決するか。

大学のレベルの問題に関しては、一過性で一兆円を投入して理工系の学生を育成する、という程度の対策ではとうてい解決しない。十年、二十年、三十年とカネを張り続けることでしか未来が生まれないのは明らかです。したがって「ある程度まとまった基金をつくるしかない」というのが私の見解です。とりあえず一〇兆円程度あれば、なんとかトップレベルの人材、大学は救えます。以前、帝国大学について調べていたら、じつは戦前も何度か同じ議論がなされていました。国が上り調子のうちに併せて予算も上げていく時代は終わっている。だからこそ基金をつくり、長期スパンであらゆる分野でデータ×AI的な素養をもつ人材を増やすべきです。

モノとデータ・AIを組み合わせる

安宅　暗い話が続きましたが、日本に望みはまったくないのかといえば、そんなことはありません。まず、あらゆる産業をフルセットで備えている国は日米独三国ぐらいのものです。本当のことをいえば、ドイツですら弱い分野がある。大国にしかない特徴を生かしうる道はあるわけです。

経営資源には、「ハード系の経営資源」と、「サイバー（AI／データなど）系の経営資源」の二つがあります。前者をメインとしてもつのが家電や重電、半導体、土木、化学などの産業で、後者をメインでもつのがデジタルコンテンツやeコマース、広告、検索などの産業です。現在のAI開発をめぐる話はもっぱら音声や画像処理などの情報の「入り口」系の話が多く、実用途である「出口」の話が見逃されがちです。しかし、モノ・カネの経営資源が豊富にあることこそ、日本にとっての大きなチャンスです。私たちの強みである「モノ・カネ」を「データ・キカイ」と組み合わせることで、産業の九割を占める「出口」的な領域でバーティカル（垂直的）に貫くICTやロボティクスの活用が可能になるのです。

現代最高峰の宮大工・小川三夫棟梁《とうりょう》がおっしゃるには、不揃いな木を組み合わせて強い建物をつくるのが日本人の技である、と。また「奇跡のエンジン」CVCCを発明し、達成不可能といわれた排出ガスのマスキー法規制をクリアし、F1レースでホンダを世界一に導いた入交《いりまじり》昭一郎氏（元本田技術研究所社長）にお話を伺った際、私に「敗戦当時の日本はアメリカとのあいだに十五年から二十年、ものづくりの技術力の開きがあった」と語ってくださいました。当時の日本は技術大国でも何でもなく、ものづくりでアメリカに完敗していたわけです。ゼロから出発して新技術を次々と取り込み、そして革新することでゲームのルールを変え、日本を押し上げたのです。

冒頭の「シン・ニホン」に因《ちな》んで申し上げれば、二〇一六年公開の映画『シン・ゴジラ』で赤坂官房長官代理が「スクラップ&ビルドでこの国はのし上がってきた。今度も立ち直る」というしびれるセリフを語ります。

これは正しい見解で、日本は明治維新期、黒船来航からわずか三、四十年で百五十年分の対欧米格差に追い付きました。敗戦後の焼け跡からの異常なスピードでの復興も、日本の特殊技能としか言い様がない。私たちにはすべてをご破算にして明るくやり直す、という美しい文化がある（笑）。弘法大師（空海）や湯川秀樹先生のような超・天才がいきなり登場することもあるわけですから。

妄想力を呼び覚ませ

亀井　敗戦の焼け跡やご破算からの再生といってしまうと暗い話になりますが、安宅さんが別にご指摘もされているように、日本には「式年遷宮」という穏やかなかたちでの世代交代や物事の規範、基盤を徐々に移し替えることができる伝統がありますよね。

御立　外部の力ではなく、自ら意思をもってご破算にする。そのほうが明るいですよね。

安宅　さらに「技術力の強さ」という紋切り型の話から抜け落ちてしまうのが、日本人最大の武器は「妄想力」だという点です。

いま世界中で焦点になっているのが、「目に見えない価値をいかに生み出すか」です。「いまここにないもの」を考えるのがクリエーションやイノベーションの出発点であり、まさに妄想力が求められる。日本人は三歳児のころからアニメや漫画にどっぷり漬かっており、妄想を育む特殊訓練を世界のどの国よりも受けていることは間違いありません（笑）。

日本文化はもともと「見えない価値」を大切にしてきました。茶道に使う茶杓《ちゃしゃく》が一〇〇〇万円もするなど一見、よくわからない「妄想力の産物」が、世界に通じる価値に繋《つな》がる可能性があります。一泊三〇〇万円のホテル、三億円の自動車をつくることも可能だし、つくるべきです。日本人はかつての妄想力を呼び覚ますことが重要ではないでしょうか。

金子　先ほど安宅さんがおっしゃった、今後の時代に即した人材育成、リーダー層の強化、高等教育機関の再生のために「一〇兆円の基金をつくる」というのは現実的に可能でしょうか。

小黒　そうですね。現下の厳しい財政状況で財務省は当然に警戒すると思いますが、一度きりという条件ならば、国債発行で「基金」の財源を賄《まかな》うことも現実的に可能だと思います。現に、災害対策では数兆円規模を発行したケースがありますから。

亀井　さらに人材育成の場合はフローではなくストックで入るお金で、なおかつモノではなく、人に投資するお金だから、十分リターンが見込めるでしょう。

小黒　そうですね。人的資本への投資は担保が取れないため、理論的に過小となる可能性があり、物的資本の収益率と比較して、人的資本の収益率のほうが高いケースが多いと思います。

安宅　日本で運用できないとしても、たとえばアメリカの主要大学に委託して一兆円ずつ一緒に運用してもらう手もありますよ。

御立　変革を行なう際、政官主導で行なえばよいのか、あるいは民間に任せるだけでよいか、という判断は意外に難しい。たとえば科学技術の研究も、市場メカニズムで研究費の分配を大学の裁量に任せたとして、意義ある研究に資金が回るとは限りません。放っておけば学会のボスの差配や、年功序列のしきたりに委《ゆだ》ねられてしまう。

平泉　東京大学がコンピュータ・サイエンス分野で九一位に転落したのは、まさに大学の裁量に任せた結果でしょう。法学や工学のように歴史のある「一文字」学部・学科に研究費が優先的に与えられ、歴史の浅い学部は後回しになってしまう現実があります。

金子　結果として、研究者の世代交代も起こらない。

小黒　いま私は文系の学者ですが、もともとは理系です。なのでよくわかるのですが、理工系の学問（とくに数学・物理学）は弱肉強食というか、大きな発見をすれば若くても力や予算を得られる領域にも思います。

御立　そこがピュアサイエンスの面白いところですね。ところがその半面、日本の学会では「湯川秀樹は貧乏で実験器具が買えなかったから、理論物理を究めることができた」などという話がまことしやかにされるわけです。

末松　悪しき「清貧の思想」ですね。心掛けは大切でも、良質な研究を妨げるという意味では、何一つ学問に貢献しない考え方でしょう。

夢×技術×アート

御立　先ほど敗戦後のお話がありましたが、私がつくづく思うのは、「焼け野原にならないと本当に日本は変われないのか」という点です。現在、想定しうるかぎり最悪のディザスター（大惨事）シナリオは、財政破綻で日本国債が暴落する、中国が台湾に侵攻して日本が戦争に巻き込まれる、あるいは東南海大地震が発生するなどです。

永久　しかし、それを待たずして自ら目覚めて変わらなければならない、というのが本研究会のテーマですから（笑）。

亀井　「シン・ゴジラ」のカタストロフィなくして変革をしなければならない、ということですね。

御立　もう一つ興味深かったのは、宮大工の小川棟梁の話です。不揃いなもの、すなわち異なる領域の才能を組み合わせることで強靭《きようじん》なものが生まれる。

安宅さんのおっしゃるように、イノベーションは、「夢」「技術」「アート」の三要素を掛け合わせたものです。理系の分野でも、たとえばジョン・マエダさんという人がいます。シアトルのお豆腐屋さんの息子に生まれた日系の方ですが、ＭＩＴのコンピュータ・サイエンスの教授をなさったのち、デザインの世界では最高峰のロードアイランド・スクール・オブ・デザインの学長に転じたという文理股にかけたキャリア。

こういう領域の壁を越えた掛け算人材が、突拍子もない価値を生む時代です。実際、日本でも越後妻有《えちごつまり》（新潟県、三年ごとにアートトリエンナーレを開催）や直島《なおしま》（香川県、三年に一度国際芸術祭を開催）が注目され、地元のおじいちゃん、おばあちゃんにもアートの意義を伝えたのは、現地を訪れた外国人アーティストでした。

亀井　そのとおりで、地域再生に当たっては自治体のプランニングより、お雇い外国人を許容し、「あとは若い連中で好きにやってくれ」と「投げてくれる」人が必要なのです。

永久　私たちは「じゃまオジ」にならないように気を付けないといけない（笑）。越後妻有や直島のようにミクロな地域再生はいま全国各地で進んでいて、確実に日本を変えていると思います。ただその一方で、国全体をマクロで見た際、変革のダイナミズムがなかなか生まれてこないのはなぜでしょうか。

御立　変革にはおそらく二つの流れが必要で、中央の政策レベルでメカニズムを変える流れと、それに伴って変化を起こす人や地域が得をするインセンティブが同時に求められるのではないでしょうか。

小黒　現実的には難しいと思いますが、極論を申し上げれば、東大と京大は民営化して、その教授も三分の一くらいはハーバードやスタンフォードなど海外の大学から高給で引き抜く、というぐらいの荒療治をしなければ変わらないのではないか、とも思います。

安宅　二、三兆円もあればできるでしょうね（笑）。たしかにミドル・マネジメント層の意識や組織構造を変えるには、外部から人が来るのがいちばん効率的です。かつて日本は仏教国になるために国家予算を半分以上つぎ込んでいた時代がありましたが、「仏・法・僧」のうち肝心の「僧」がいなかった。ところがマイケル・ジャクソンのごとき仏教界のスーパースター・鑑真和上が山のように弟子を連れて来日したら、あっという間にこの国は仏教国になった（笑）。

末松　安宅さんの問題提起に戻ると、たとえばゼロから新しい事業を興す際、旧態依然とした市場の状況に突っ込んでいくことにはリスクが伴う、と思います。たとえばテスラのような企業にとって、もはやGMは買収したいという価値すら感じない対象になっているのではないでしょうか。大企業とスタートアップで組んだ結果、新しいアイデアや技術だけを抜かれて抜け殻のようなかたちになってしまう恐れもあります。

安宅　先ほど御立さんがおっしゃった「技術×アートやデザイン」ができる人の育成が突破口になる、という点は同感です。それを実行するには「人事システムのディスラプション」が必要で、学部・学科別に学生を採り、育成する仕組みを壊すのが最も手っ取り早い。

小黒　ちなみにイタリアが興味深いのは、国主導の任用試験があり、国家「Concorso」部門と育成プログラムを米国のように分離する、ということです。

による適格者リストのなかから教授や准教授等を採用するんです。

亀井　公務員の一括採用のようなかたちですね。

小黒　ただし、競争倍率は上がります。

亀井　それも結構なことでしょう。アートに関していえば、たとえば上野の森に「租界《そかい》」のようなかたちで、アートやデザインの象徴的拠点をつくる。東京の中心地に意思決定者が見えるかたちで、なおかつ東京藝術大学という権威と隣り合わせにあるのが刺激になるからです。

御立　私は、新しいアートの拠点が東京藝大のキャンパス内にあってもよいと思う。そして東大生をそのなかに入れる（笑）。

松本　「人材」というと飛び抜けた能力をイメージしますが、もう少し広く見て、御立さんのおっしゃる「掛け算」のマッチングができる中間層の人間を多く育てておくことも、多様な才能が輩出する可能性を担保しておくうえで重要ではないか、と思います。

安宅　たしかに異業種のマッチングや茶杓の値段を付けられるような目利きは必要です。ただし科学技術でいえば、ピラミッドの頂点が高くないと、ベースの土台も、中間のマス層も広がらないので成り立ちません。

御立　したがって、政府としてはペリー来航から維新のあいだに欧米に一五〇人を留学させたように、二十代から三十代で筋の良い人を一〇〇人から二〇〇人、欧米に送り込む。

安宅　いや、それでは全然足りない。せめて一〇〇〇人は欲しいところです。人の出入りがあれば、この十年を凌《しの》げれば日本は何とかなります。幸い、札束には困らない国なので。しかし現状では「カネがあるのに国が滅びる」という最悪の結末が待っている。

御立　国家破綻の処理で企業や個人のお金が召し上げられるぐらいなら、いまから人に投資したほうがよほど賢い、ということですね。

（『Vo·ice』二〇一九年一月号に加筆・修正）

日本版故宮をつくれ

アートを経済として見るのが世界の常識

椿《つばき》 昇《のぼる》（現代美術家）

京都市立芸術大学西洋画専攻科修了。京都芸術大学教授。一九八九年、全米巡回した"Against Nature"展。一九九三年、ベネチアビエンナーレ・アペルト。二〇〇一年、横浜トリエンナーレ《インセクト・ワールド―飛蝗》。二〇〇三年、水戸芸術館「国連少年展」。二〇〇九年、京都国立近代美術館「椿昇 2004-2009：GOLD/WHITE/BLACK」。二〇一二年、霧島アートの森「椿昇展"PREHISTORIC_PH"」。二〇一九年、「パレルゴン：1980年代、90年代の日本の美術」BLUM & POE LA USA。および瀬戸内国際芸術祭2013、2016小豆島ディレクター、青森トリエンナーレ2017、2020ディレクター。ARTISTS'FAIR KYOTO ディレクターなど多数。

グローバル経済の最優等生

永久　今回は現代美術のアーティストであり、大学での教育にも携《たずさ》わる椿昇さんをお招きしました。アートからいかに社会変革を促すか、という興味深い視点からお話を伺いたいと思います。

椿　よろしくお願いします。日本におけるアートはじつは官公庁以上に既得権が強く、閉鎖的な世界です。いちばんの問題は、美術団体や公立の大学、美術館や百貨店を含めたヒエラルキー（階層秩序）の下で若いアーティストが潰《つぶ》されてしまうこと。草間彌生《くさまやよい》や杉本博司《すぎもとひろし》のような世界的ビッグネームは一握りで、彼らに続く作家がなかなか育たない。日本では「美大を出ても生活ができない」というのが常識になっており、誰も疑問を抱きません。それは、この国がアートを「経済」として見ていないからです。

世界に目を向ければ、アートはグローバル経済の最優等生。アート作品はファンドの投資先になっており、プライベートバンカー（富裕層を対象に金融資産などの管理、助言を行なう専門家）も投資と並行してアートを扱っている。株式が暴落して無価値になり、電子マネーが消失することがあっても、モノとしてのアートは消えないからです。世界最大級のアートフェア（見本市）「アート・バーゼル」のトップスポンサーは、世界最大のプライベートバンクであるスイスのUBSです。

アートフェアはいま世界中で活況を呈《てい》しており、僕が二〇一九年二月にロサンゼルスのブラム・アンド・ポー（BLUM&POE）で開かれたグループ展に出品したときも、同地でフリーズ・アートフェア（Frieze Los Angeles 2019）が開催中でした。会場はロサンゼルス・ハリウッドの「パラマウント・ピクチャーズ・スタジオ」。映画スタジオのなかにテントを張り、作品を展示していました。

なぜハリウッドかといえば、セレブの住むビバリーヒルズがあるからです。マドンナは現代アートのコレクターとしても有名で、セレブやトップアスリートがこぞってアートの知識を学び、自分のポリシーに基づいて作品を買っています。教養やマナーを身に付けた名門の子弟・子女のなかにはキュレーター（美術の研究・収集・展示・保存・管理を行なう人）となり、セレブ顧客の獲得で活躍している人もいます。

世界のアート市場を見ると、マーケットシェアはアメリカが第一位で約四〇％、拠点はほぼニューヨークに集中しています。第二位がロンドンで約二〇％でしたが、中国があっという間に約二〇％まで追いつき、二〇一九年中にロンドンを抜く勢いです。ちなみに、日本は「その他」扱いの一％未満という惨状。

前述のアートフェアを開いたフリーズのような海外のトップギャラリーには、明確な世界戦略があります。近年はブラジルやメキシコなど中南米のアーティストの作品に目を付けており、若手の作品を先物買いして価格が上がると売却し、利鞘《りざや》を稼ぐ戦略を取っている。

主要作家・作品の価格はインターネット上に公開されており、誰でも閲覧可能です。ところが、日本の大学の教員がこの国際価格を見ていない。おまけに、あろうことか学生に「お金の話よりも絵に集中しなさい」などという。アーティストが生き残るうえで、国際市場の分析は必須です。にもかかわらず教える側がいっさい分析をせず、戦略もなく若者に「突撃」を命じる姿は、かつての日本軍と同じ。日本のアート界の構造は限りなく軍隊に近い、といえるでしょう。

「彼らはアートの未来だから」

椿　対してアメリカのアートマーケットは、日本とは比較になりません。現代のメディチ家ともいうべき富裕層のコレクターが何十人もおり、税制上の優遇措置を受けて作品を買い集めています。なかには日本人の「もの派（自然物や人工物を加工せずに提示する現代アートの一派）」の作家を家族ごとアメリカに呼び寄せ、アトリエから住居まで一切合財《いっさいがっさい》、面倒を見るパトロン（後援者）がいるほどです。

マーケットというのは戦後の闇市《やみいち》のように、助平根性をもつ人やいかがわしい連中も含めて売買層が分厚くなるほど活性化します。逆に、日本のように規制ばかりの閉鎖的な国にはお金が集まらない。

さらに信じられないことに、日本では公立美術館に作品をディール（取り引き）する自由がありません。海外の美術館は以前、購入した作品が値上がりすればオークションに出して売却益で新たな作品を買うなど、戦略的にコレクションの入れ替えをしています。常設展のラインナップも豊かになって集客にも繋がり、経営が安定する。ところが、アートを経済と考えない日本ではビジネスがいっさい許されない。

他方で、アメリカのマーケットの厚さを象徴するのが、圧倒的なコレクションの量です。たとえばニューヨークのマンハッタンから電車で一時間半のところに、ディア・ビーコンという駅があります。駅から少し歩くと、倉庫を改修した巨大なパーマネント（常設）コレクションの美術館が建っている。

広い空間内にはゲルハルト・リヒターやマイケル・ハイザーなど、当代随一のアーティストの作品が一堂に会しています。作品数も半端ではない。一つや二つではなく、一人のアーティストの作品を端《はし》から端まで、買えるだけ買い集めるのです。ペインティング（絵画）だけではなく、立体作品やインスタレーション（空間展示）も制作サイズそのままで巨大な空間に収まっている。日本にこれだけの展示スペースをもつ美術館はありません。NY訪問の折、三潴末雄《みづますえお》さん（ミヅマアートギャラリー代表）と「アメリカのアーティストは幸せだ」と話し合ったのを覚えています。

ギャラリーの意識も、日本とは真逆といってよい。以前、ニューヨークだけで支店が七つもある超メガギャラリー「ガゴシアン・ギャラリー」に教え子の学生たちを連れていったことがあります。オフィスから保管のバックヤードまで、あらゆる場所を見せて丁寧に案内、解説してくれるのに驚き、「なぜそこまでするのか？」と尋ねたところ「彼らはアートの未来だから」。もう涙が出そうになりましたね。アートの世界でトップの人たちに共通するのは「愛」と「教育」、そして「信頼（trust）」を重んじることです。若者に対しても投資家に対しても、決して裏切ることはしないし、すべてをオープンにして見せてくれる。

そのアメリカの逆を続けているのが日本のアート界、とくに大学です。僕は京都造形芸術大学（現・京都芸術大学）でデザイン系の授業を担当していましたが、九年ほど前に理事長に美術工芸科の学科長を命じられました。学科の志望者は減る一方で、この機会に大学を変えるしかないと考え、「放し飼いにしてくれるならお受けします」と申し上げて実際、好き放題やりました。

たとえば従来、美術館で行なっていた卒業展を学内で開き、学生の作品を購入できるようにしました。この一事だけで関係者は皆、怒り心頭です。「美術大学をビジネスの場にするとは何事か」というわけです。学生の親からは「祖母が美術館で孫の作品を見るのを楽しみにしていたのに、何ということをしてくれたのですか」とクレームが来る。前から後ろから、僕に対する非難の声が剣山の針のごとく突き刺さりました。

でも、怒りたいのはこちらのほうです。美大の卒展は「作品の売買など二の次」「若いアーティストが飢え死にしようと面倒を見ない」という教育の縮図です。そもそも教師の側が作品を売って生活できないのに、学生を教えていること自体、僕には信じられなかった。一人も患者を治せない医者が「私は名医だ」といっているのと同じです。

そこで知り合いのアーティストや企業関係者の協力を得て、大学構内や旧日銀の建物など美術館以外の場を借りてアートフェアならぬ「アーティストフェア」を始めました。

ポイントは、制作者がその場にいて作品を説明すること。自らの物語をつくって作品とともにプレゼンテーションする力は現代アートに不可欠で、買うほうも目の前に作り手がいれば親近感が湧き、財布の紐《ひも》も緩みます。成果は上々で、作品は軒並み売れました。お客のなかには学生の青田買いに来た日本の若手コレクターもいて、作品を全部買い占めようとする。最近では、彼らを「ちょっと待ってください」と押しとどめて、購入に二、三年待ちという状態の作家もいます。

なぜ待ってもらうのか。マーケット上の戦略として、「セカンダリーマーケット（作家から作品を直接買う「プライマリーマーケット」に対し、購入者同士が売買する流通市場）ができるまでは価格を上げない」という方針があるからです。

画廊を相手に新人のときに作品が売れたとしても、往々にして四十歳を超えたあたりでプライマリーマーケットの限界に突き当たり、生計が成り立たなくなってしまう。だから最初は欲を出さず、なるべく価格を抑えることです。オークションに作品が出るようになれば売買価格が急速に上がり、アルバイトをしなくても食べていけるようになる。すると制作にいっそう集中し、さらに作品の質が上がる、という好循環が生まれます。

僕の大学院の講義では、国際価格の分析と作家自身を含めて作品をアピールする戦略、さらに欧米では必須のギリシャに始まる美術史を教えています。だいたい大学院を出て五年もたてば、一流のギャラリーと組んで「食えるアーティスト」に育ちます。

グローバル資本との「組み手」を考えるべき

椿　日本のアートを世界のマーケットに開く、という話をすると、「グローバル資本にローカル文化が潰される」という批判が出ます。しかし、グローバル資本への対応は柔道における巴《ともえ》投げや寝技のようなもので、襟首《えりくび》を摑《つか》まれないような「組み手」を考えればよい。グローバルとローカルの対立ではなく、並存の発想で考えるべきでしょう。

僕は過去に二度、「瀬戸内国際芸術祭」のディレクターを務めたことがあります。この仕事はグローバルとローカルの両立そのもので、国際芸術祭を利用して小豆島《しょうどしま》（香川県）の地域おこしと、イベント終了後も続く経済モデルをつくることが目的でした。

最初に手を付けたのが、ロジスティックの見直しです。フェリー会社の経営者に「航路を変えてくれませんか」とお願いし、神戸から高松直行のフェリーに小豆島まで寄ってもらいました。日ごろアートに関心が薄い人も、関西人なら値段が安ければ使ってくれるはずだ、と（笑）。フェリー会社の英断で深夜発・早朝着の便は一八〇〇円まで値段を下げてくれました。

船の設備に関しては、絶対に譲れない条件がありました。女性トイレの改修です。アートフェアの集客は女性ファンに支えられており、彼女たちを蔑《ないがし》ろにして成功はありません。男のトイレは二の次（笑）。

予算に関しては、一般的に地方のアートフェスティバルはブラック労働の世界です。まず海外からの大物アーティスト招聘《しょうへい》にお金を使い、余った予算で国内の若手作家とボランティアの労働を強《し》いる奴隷的構造になっている。僕たちに与えられた予算も微々たるもので、「せめてこれだけは」と町長にお願いしたのが、光ファイバーの敷設と高速無線ＬＡＮ、フリーＷｉ‐Ｆｉのスポットの増設です。そうとうの出費だったと思いますが、これを認めてくれたのが大きかった。早速「ｏｖａｑｅ（おばけ）」という関西の有名なウェブ・クリエイティブチームを「目の前の海でタコが獲《と》れて魚は食べ放題、島に人がいないからＷｉ‐Ｆｉは世界最高速だよ」と口説き落としました（笑）。

さらに大学の建築科のゼミ生に声を掛けて、「模型の設計だけじゃつまらないでしょ、実地をやらせてあげる」と。施設や店舗のリノベーションを頼み、喜んで引き受けてもらいました。施工は地元の船会社や工務店に依頼し、徹底的に小豆島のなかにお金が落ちるようにした。

とにかく瀬戸内国際芸術祭をきっかけに、いかに現地の人が日常的に地元のパンを買いに来てくれるようになるか、どうしたら地産の醬油やオリーブを日本と世界に発信できるか、アートフェス後の経済モデルを徹頭徹尾、考えました。モノを売るには「物語」が必要です。たとえば路地裏の目立たないところに店を構え、本物志向のお客さんに発見してもらうなど、旅による物語を演出する。来日作家による滞在制作の効果も大きく、最先端のアーティストに出会う機会が住民の刺激になります。結果、瀬戸内国際芸術祭（二〇一三年、夏期）が小豆島にもたらした観光消費額はなんと三六億円。芸術祭をきっかけに島を訪れた観光客の観光消費額は一一・二億円となり、移住者も一気に増えました。

皆がハッピーにならないかぎり国力は上がらない

御立　椿さんの活動を見て痛感するのは、改革にはトリックスター（既存の秩序を破り、物語を生み出す者）が必要だということです。官僚がデザインした計画を民間に差し出しても、現場はなかなか動きません。変革の起爆剤としてのアーティストの力が求められている。

椿　プロジェクトのなかに誰か一人、変人がいないといけないでしょうね。変人にも条件があって、一つは「何を生計にしているかわからないのに、楽《らく》そうに生きている」ということ（笑）。トリックスター自身がお金に執着し、額に汗してはいけない。瀬戸内国際芸術祭が成功したのは、予算がなく、僕自身もプロデュースでお金を稼ごうと思わなかったからです。先ほど話した大学改革のモチベーションについても、とにかく学生を食わせたかった。嬉しいのは最近、卒業生から結婚の報告が増えたことです。よく少子化といわれるけれども人間、将来が見えれば結婚、出産することがわかりました。

金子　日本の現代アートで世界的に成功されている村上隆さんは、マーケティングやプロモーション活動に力を入れている印象があります。村上さんも椿さんも次世代アーティストのことを考えているという点では同じですが、椿さんの場合、アーティストが生活でき、成長できるエコシステムづくりに傾注しているように思います。

椿　もちろん村上君もアーティストのエコシステムは重視しているけれど、僕の方法は完全に下からのボトムアップです。彼がやっている上からの改革と下からの改革がうまく合わさればベストでしょう。

アートに限らずいえることですが、皆がハッピーにならないかぎり国力は上がらない。イギリスやアメリカの社会を見ても、低賃金労働者の生活環境はひどい。トランプの登場はまさにプアホワイト（貧しい白人労働者）が増えたことの反映です。愛国心を訴えるより日本人が毎日、おいしいものを食べて「ああ、この国にいて幸せだな」と思えることが大事で、それが国の価値を最大化するのではないでしょうか。

永久　アートを使った町おこしについて、場所はどこでも構わない、とお考えですか。私は新潟県の城下町・新発田《しばた》の出身で、知人のなかに芸大で油絵を学んでから写真家になった人がいます。ニューヨークとロンドン、東京で仕事をしたのち地元に戻り、実家の写真館を継ぎながら写真を使った町おこしをしている。彼のような人間が出てくる背景として、城下町ならではの文化を大切に重んじる風土やカルチャー、伝統のリソース（資源）があるように思います。

椿　たしかに、芸術祭やイベントのために全国各地を事前にリサーチすると、新興住宅地や団地のような場所はどうしても難しい。

末松　都会はコミュニティの形成が難しい一方、地方には文化や伝統など共同体の「遺産」があります。土着のコミュニティにキーパーソンが入ることにより、急速に活性化する可能性をもっています。広島県の尾道市《おのみち》にも百島《ももしま》という瀬戸内海の離島があり、尾道出身のテルモ元会長・中尾浩治さんが廃校や商店街にアトリエ、ギャラリーを設置して現代アートを生かした町づくりを行なったところ、故郷に帰るUターン者が急増したそうです。

「中国の夢」に組み込まれる日本

小黒　先ほどお話に出た美大教育の問題に関連して、アンチビジネスの意識に加え、文部科学省による過剰な管理・監督の影響も大きいのではないか、と思うのですが。文科行政の方向性も数年で変わることも多い。

椿　そのとおりです。文科省の行政で仰天したのは、僕のようなたかが一教員のシラバス（講義等の計画書）に至るまで監視・チェックしようとすること。ほかに仕事はないのか、といいたい。

小黒　他の省庁でも、たとえば大蔵省（現財務省）は税務署長を経験するとか、税務執行等の現場の実態を肌感覚で知る機会がありました。文科省の場合、どうしても机上の政策立案本位に陥《おちい》りやすい傾向があります。

椿　僕は机上の空論にはまったく興味がなくて、やっているのは映画『未来世紀ブラジル』のテロリスト・タトルのように爆弾をあちこちに仕掛け、いつ発火するかを楽しみに待つことです。

末松 アートのグローバルマーケットで日本の存在感がない、という点については具体的にどうすればよい、とお考えですか。

椿 まずマーケットに直接、人を入れること。人がいないことには何も起きませんから。面白いのは、ニューヨークのメガギャラリーのなかに日本人の女性キュレーターがいて、彼女が「日本にこんな作家がいる」と周囲に教えて人気が爆発したことがあります。

御立 いま中国がアートシーンで存在感を増しているのも、十年以上前から欧米からキュレーターや学芸員になる若者たちを留学生として招き、かつ自国からも留学に出す戦略が功を奏しているからです。

末松 体制を批判するようなアーティストに対しての課題を抱える半面、アートをお金に換えることもしっかり行なっている。したたかさを感じます。

椿 学生の海外留学は自発的なものですが、たとえば香港にある巨大美術館M+(エム・プラス)では近年、南宋美術の名品を買い戻し、文化大革命の時期に捨てたコレクションを再構築しています。「タイもインドネシアも日本も中国の亜流にすぎない」と誇示する文化戦略の一環です。

金子　日本が中国の文化コンテクストのなかに組み込まれてしまう。

平泉　まさに「中国の夢」(二〇一二年、共産党全国代表大会で習近平主席が打ち出した「中華民族の偉大なる復興」政策)、または華夷《かい》秩序の復活ということです。

御立　現にいま、室町時代以降、工芸や水墨画など日本が独自に築き上げてきた芸術品を外国人が買っている、ということが起きているわけです。ところが日本のほうは、バブル期に企業が買った名画を保存・修復しないまま放置するなど、惨憺《さんたん》たる状況です。以前、あるところで日本の芸術作品のデータベースづくりを提案したら「国が補助金を出している公立美術館だけについて、データベース化の予算が取れた暁《あかつき》には検討する」といわれました。いまの日本人は縄文以来の資産を自ら捨てているに等しい。

小黒　西欧と東アジアのアート市場の関係性をどう見ていますか。

椿　現状は完全に西欧優位の帝国主義の状況になっており、上から目線で「アフリカの作家にフィーチャーし、その次は南米の作家を買おう」という風にマーケットを先導している。中国が覇権争いを仕掛けているけれども、そう簡単には変わらないでしょう。むしろこの世界は大富豪同士が直接、交友関係のネットワークを築いていて、個人の優位性が強い。

日本としてはサザビーズジャパン会長兼社長の石坂泰章《いしざかやすあき》さんがいうように、全国に散逸している美術品を集めて殿堂ミュージアムをつくれば世界的名所になると思います。

平泉 日本版故宮をつくれ、と（笑）。独自の美意識をもつ日本人によるアートは、日本食同様、自然に差別化された戦略産業ですね。しかも食と違い知的財産。ITでは米中に追随できないから、美術史家、キュレーター、美術商等、周辺人材・産業を含め育成強化すべきだと思いました。そうなると、一方で、流通・売買を促進してアートの値段を上げ、退蔵をディスカレージして流通させる税制、他方で、個人による美術品蒐集《しゅうしゅう》、パトロンを後援する税制とかを考える必要があるでしょうね。

（『Vo·ice』二〇一九年九月号）

食こそ最強の観光ツール

日本でベストレストラン50の開催を

本田直之《ほんだなおゆき》（レバレッジコンサルティング代表取締役CEO）

明治大学商学部、サンダーバード国際経営大学院経営学修士（MBA）卒業。シティバンクなど三社の外資系企業を経て、バックスグループの経営に参画し、常務取締役としてJASDAQ上場に導く。現在は、日米のベンチャー企業への投資事業および少ない労力で多くの成果をあげるためのレバレッジ・マネージメントのアドバイスを行なう。著書は累計二五〇万部を突破し、韓国、台湾、中国でも翻訳版が発売されている。著書に『レバレッジ・リーディング』（東洋経済新報社）、『ゆるい生き方』（だいわ文庫）など多数。

なぜ日本人シェフが力を付けたのか

本田　私は三、四年前まで、一年の半分をハワイで、残り半分をヨーロッパと日本で三カ月ずつ過ごす生活をしていました。現在は、一年の五カ月ほどがハワイ、五カ月ほどが日本という配分です。さらに日本滞在中、東京にいるのは約三カ月で、残りの約二カ月は地方を回っています。

日本の地域を訪れると、どの土地も独自性があって本当に面白い。スペインやイタリアでは、そもそも「地方」という言葉がありません。スペインの首都はマドリードだけれども、バルセロナにはバルセロナの、バスクにはバスクの強烈な個性と自負がある。自分たちの地域が周縁だという固定観念がないのは素晴らしい、と思います。

私は二〇一五年に、全国一六地域でクリエイティブに暮らす人や企業・自治体三一カ所に取材をして『脱東京』（毎日新聞出版）という本を書きました。たんなる移住ではなく、新しいライフスタイルとともに地域に移り住む人たちに話を聞くなかで、漠然と「未来の日本はこの方向に向かっているのではないか」と感じました。

さらに、地域というテーマに関係がある私の本が『なぜ、日本人シェフは世界で勝負できたのか』（ダイヤモンド社）です。じつは日本食は世界のなかでもとくに地域性が豊かで、人気も世界のトップクラスにある。

ご存じのように二〇一三年、ユネスコの無形文化遺産に和食が登録されました。また二〇一二年ごろと比べて、急速にヨーロッパ、とくにフランスで日本人シェフの活躍が目立つようになりました。評価の高いフランス料理店でシェフと話をしていると、「うちに日本人のシェフがいる」といわれ、会ってみたらそのシェフが実質的なナンバー1で、店を切り盛りしている。その後も日本人シェフの台頭は目覚ましく、本場のフランスで日本人が経営するフランス料理店がミシュランの星を取る、という時代になりました。

では、なぜ日本人シェフがここまで力を付けたのか。理由としては幸か不幸か、フランスでは「週三十五時間労働制」という法規制によって長時間労働・残業が禁止されています。他方、日本では朝から晩まで修業した若いシェフがフランスに渡り、さらに勉強を重ねるので、フランス人シェフとのあいだに技術の差が生まれてしまったのです。

「世界のベストレストラン50」の経済効果

本田　その後、二〇一七年に書いた『オリジナリティ』（日経BP）では「鮨さいとう」「㐂邑《きむら》」「よろにく」「新政《あらまさ》酒造」など、万人向けの味を狙わず、時に批判を浴びても他との差別化を貫き、現在の地位を勝ち取った食のプロフェッショナルにスポットを当てました。

本書に登場する和食の「傳《でん》」は、二〇一八年に開催された「世界のベストレストラン50（The World's 50 Best Restaurants）」で日本最高の一七位に入りました（併せて、前年からの二八位のランクアップで「ハイエストクライマー賞」を受賞）。

「世界のベストレストラン50」は、料理界のアカデミー賞と呼ばれる権威あるイベントです。何より重要なのは、たんに料理界の一大イベントというだけではなく、食を通じた観光需要を爆発的に増大させていることです。

「世界のベストレストラン50」が開催されるホスト国には、世界中のトップシェフが一堂に会します。これだけでも凄いことで、さらに見逃せないのは、審査員であるフーディー（グルメ愛好者・美食家）たちが集まることです。彼らの発信力は絶大で、日々、更新されるSNS（ソーシャル・ネットワーキング・サービス）は世界中の人びとに注目されている。インターネット上にはOADという欧米・アジアのレストランランキングと併せて、評価者のランキングも載っています。ちなみに私は一四位に入っており、日本人でトップ一〇〇に入っているのは二人です（二〇一八年十一月十三日現在）。

影響力の強いフーディーが「この店はいい」と一言インスタグラムやツイッターに書き込んだ瞬間、世界中に評判が広まってそのレストランがある国が一躍、旅行の目的地になる。

しかも、値段が七、八万円もするような高級店に予約が殺到するのです。「世界のベストレストラン50」で四度、世界ナンバー1を獲得した「ｎｏｍａ」があるデンマークのコペンハーゲンは、いまや食のメッカとなっている。同国の観光に与えた経済効果は一〇〇億円規模といわれます。

したがって現在、各国は軒並み「世界のベストレストラン50」の開催国をめざして注力しています。二〇一八年の開催地はスペインのビルバオで、一七年はアメリカのニューヨーク、一六年はオーストラリアのメルボルンでした。

さらに、アジア版の「アジアのベストレストラン50」というものがあり、一五年までの開催国はシンガポール、一六年と一七年がタイ、一八年と一九年はマカオです。とくに近年、目覚ましいのがタイの頑張り。二〇一七年には五店がベストレストラン入りしましたが、一八年は倍近くの九店がランクインしました。「アジアのベストレストラン50」の開催地になったのをきっかけに、世界中のフーディーの関心が集まり、食のデスティネーション（目的地）としての地位を確立しはじめたのです。食を観光戦略の柱として位置付けるタイの姿勢に、日本も大いに学ぶべきでしょう。

ところが、私たちが「日本でベストレストラン50の開催を」と呼び掛けても、いま一つ反応が鈍い。政府は観光立国の目標を掲げながら、食が及ぼす影響力の大きさをまだ十分に理解していません。

日本が掲げる「二〇二〇年の訪日観光客数四〇〇〇万人」という目標は、食の与えるインパクトを考慮すれば低い。事実、二〇一七年に日本を訪れた外国人が二八〇〇万人であるのに比べ、フランスは八六〇〇万人、スペインは八一〇〇万人、イタリアは五八〇〇万人です。先述のタイも三五〇〇万人と、日本をはるかに上回っている。

レストランというのは、実際にお店を訪れて食と場を体験することに意味があります。だからこそ、世界中から観光客が集まるわけです。「おいしいものを食べるためなら、世界のどこまででも行く」と思わせる「食の吸引力」は凄まじい。

いま、私たちが気付かないうちに世界で進んでいるのは「食のグローバル化」「シェフのグローバル化」「食べ手のグローバル化」という三つのグローバル化です。

たとえば日本にある外食店約五五万軒のうち、日本食レストランは約二〇万軒です。では、海外には日本食レストランが何軒あるかといえば、一一万七五六八軒です（二〇一七年十月時点、農林水産省まとめ）。国内にある和食店の半分以上の数が海外にある、というのは凄いことです。ニューヨークで私がアドバイザリーを務める鮨屋「ｓｕｓｈｉ ＡＭＡＮＥ」

では、二十九歳の若者がオープン四カ月でいきなり一つ星を獲得してしまいました。それほど日本食や日本人シェフへのリスペクトは強い、ということです。

　現在、世界でいちばん予約が難しいのは日本のベストレストランです。食の素晴らしさに加え、和食のお店は席数が少ないのです。鮨屋のようにカウンター一〇席程度で一日に最大二回転しかお客が回らないお店に世界中から予約が殺到するので、考えてみれば当然のことでしょう。

地域が見失った宝を再発見する

平泉　私は、ミシュランの星が付くようなレストランに行くようなフーディーではありませんが、たしかにスペインやイタリアの食への関心は驚くほど強い。スペインに行くと、朝から午後二時からの昼食に何を食べるかの話をしていますよ。で、昼になったら晩飯の話（笑）。
本田　よく午後二時、三時あたりから食事を始めて夕方まで食べ続け、そのままディナーに突入していますね（笑）。

永久　海外から日本のレストランを訪れる外国人は当然、予約を入れて来るわけですね。

本田　ええ。あるお店は二年先まで予約が埋まっていて、熾烈な席の争奪戦が繰り広げられています。

平泉　先物取引の市場が成立しそうですね。

本田　実際、「何年後の何日何時に席に座る権利」がネットオークションで取り引きされていて、問題になっています。お店の側は本来、来てほしいお客が予約をできないので困っており、そうした人は二度と入れないようにしています。

亀井　日本食がこれほどグローバル規模に拡大した理由は何でしょうか。たとえば日本酒の魅力は醸造技術の伝統や本田さんがおっしゃる地域の多様性に支えられており、昔からの蓄積です。ここ十年で急速に変化した、というわけではない。フーディーというインフルエンサー（購買や消費に影響を及ぼす人間）のほかに、考えられる要素はありますか。

本田　端的にいって、最大の理由は海外有名シェフの影響力です。亡くなったジョエル・ロブションのように、実際に日本のレストランを訪れ、私たち自身も気付かなかった日本食の魅力を再発見して世界に広めてくれたシェフの力が大きい。昔は三つ星フレンチのレストランに行くと前菜からメインまで大きな皿に盛られた料理が次々に来る、というボリューミィなものだったのが、近年は皿の大きさもポーション（分量）も減り、代わりに品数が増えている。明らかに日本料理の影響です。

亀井　その意味では日本料理は現在、過去の蓄積・投資を回収する時期に来た、ということでしょうか。

本田　私はむしろ拡大期、チャンスと考えています。次の仕込みも必要ないほど、日本食と日本人シェフへの注目度は前述のインスタグラマーやカリスマシェフの情報発信により、これ以上ないほど高まっている。

末松　私たちもよく「日本在住の外国人が評価する日本食レストラン」という企画ができないか、という話をするのですが、その際、口コミの評価にばらつきがあります。本田さんのようなフーディーのネットワーク化が必要ですし、ミシュランや海外から発信されるインスタグラムに頼るだけではなく、日本国内に何らかの格付けがあってもよいのではないでしょうか。

平泉　観光に与える経済効果の高さを考えると、投資移民制度のようなかたちで海外の著名インスタグラマーを積極的に国内に受け入れる試みが必要でしょう。消費に対しても大きなプラスになります。

本田　その点、フランスはたいへん戦略に長《た》けています。たとえば、シャンパンの発祥地であるシャンパーニュ地方では「シャンパーニュ騎士団」という任命制度があります。世界中から選抜した「騎士」たちに、「シャンパーニュの付加価値を高める目的と、シャンパーニュのもつ独自性を広く知らしめる」ミッションを与え、伝道者としてシャンパーニュを広めてもらう。個人に名誉を与え、気分よくフランスの食と観光の振興策に参加してもらう、という絶妙な仕掛けです。

小黒　観光立国との関連で政府との役割分担を考えた際、食のイベントなどにお金を出すのはいいけれども、どこまで政府の主導や関与が必要なのか、見極める必要がありますね。また、政府が掲げる二〇三〇年に六〇〇〇万人、訪日観光客の消費額一五兆円という目標を達成するためには、訪日外国人数を二・五倍に増やしてもダメで、私の試算では、一人当たりの消費額を二倍に引き上げる必要があり、産官学の叡智《えいち》を絞って観光の付加価値を高める努力が最も重要に思います。

本田　民間主導のイベントについていえば、レクサスのサポートで博報堂DYメディアパートナーズが行なう「DINING OUT」という成功例があります。毎年、日本の各地から開催地を選び、地元の食材を使った特別なディナーを味わう限定四〇席、二日限りの野外体験イベント。二〇一二年の新潟県佐渡市での開催を皮切りに、沖縄県の八重山諸島、徳島県の祖谷《いや》（三好市）、大分県の竹田市《たけた》、静岡県の日本平（静岡市）、佐賀県の唐津市、広島県の尾道市、宮崎県の宮崎市、北海道のニセコ町、愛媛県の内子町《うちこ》、大分県の国東市《くにさき》、鳥取県の八頭町《やず》と全国を巡っています。

このイベントの肝は、事前に食材担当チームが現地を訪れて野菜や肉、魚から調味料、器まで、地元のものを発掘して素材を集め、一流シェフが調理するところです。外部の目によって地域の魅力が掘り起こされ、町そのものが変わっていく。

亀井　地元の人が当然のように毎日食べる食材が世界的に見てすごいものだ、という事実に初めて気付くわけですね。海外から見ても、伝統的な日本食は東京発、京都発だけではないことに気付く。地方発の新たな発信のあり方という意味でも画期的です。地域が見失っていた宝を地域の人たち自身が再発見する「ＤＩＮＩＮＧ　ＯＵＴ」のようなイベントは、役所の発想では限界があって、首長のセンスに頼る部分が大きいですね。

慣れきったデフレ頭で考えるな

松本　ちなみに「地元の食」という場合、地方に昔から根付いた食事を意味するのでしょうか。それとも風土なども含めた食材のことを指すのでしょうか。

本田　両方ですね。たとえば、滋賀県の琵琶湖北部の余呉《よご》町に、徳山鮓という鮨屋があります。店主が自ら山や湖などで食材を調達し、熟鮓《なれずし》を提供している、完全地元密着型のお店です。

末松　地域の食を育成・発信する際に気を付けたいのは、東京の発想から、売り上げや生産量の拡大をめざすようなアドバイスです。すでにいくつかの地域では供給者の意識も変化していて、たとえば愛媛県で漁業を営む藤本純一氏のもとには、東京をはじめ各地の名店のシェフが、彼の魚を仕入れたいと訪れます。また香川県のオキオリーブでは、すべて手摘みのオリーブから収穫後四時間以内に搾油《さくゆ》したオリーブオイルを、一万円以上の価格で販売しています。素材の良さを理解してくれる消費者や料理人に買ってほしい、という姿勢を貫き、品質を重視し、量の拡大や、それによる低価格での販売はめざしていないです。地元の方々ならではの手法やこだわりを活かしたほうがよいと思います。

亀井　日本人が慣れきったデフレ頭（脳）で考えないほうがよいでしょうね。世界に目を転じれば、商品やサービスの価値を認めれば、しっかりと高い価格で買う人がいることは、世界の食のインスタグラマーの例が証明しています。

金子　食のグローバル化の半面、最近は食材の品質が落ちている、という話も聞きます。その点については問題ないでしょうか。また、価格に関して「いい食材は高くて手が出ない」ともいわれますが。

本田　品質に関しては、完全に二極化していますね。上のほうは手間を掛けており、昔より明らかにレベルが上がっています。

亀井　地元で出回っている食材は基本的に安いと思いますよ。結局、都市部への流通プロセスを経るなかで価格が上がってしまうのですから。余剰・廃棄の削減にも繋《つな》がります。

松本　地域活性化の一つとして、たとえば「ふるさと納税」が行なわれていますね。地元の良さを再発見するという意味ではよい試みだと思うのですが、どうご覧になっていますか。

本田　一定の意義はあると思います。ただし地元と無関係の物産まで入っているのはどうか、と。

小黒　現在のふるさと納税の問題点は、ある種の節税スキームになってしまっていることです。用途をふるさと納税に限定せず、公共財の自発的供給を拡充するため、広くNPOなどを個人が選んで「DINING OUT」のような試みを支援する仕組みをつくれば、より効果的に地域にアイデアと資金が流れるのではないでしょうか。

本田　食は、観光や地域活性化のための最強のツールだと思います。一、二億円の投資で観光立国化が可能なのに、政・官の腰が重いのは本当に残念です。訪日外国人の消費で十分にペイできるわけですから、決して無駄なお金ではない。やはり「食は文化」なのであって、イタリアでルネサンス文化が花開いたのも、メディチ家というパトロンの支援抜きには語れません。

末松　相続税の負担が重い日本の税制では、パトロンの輩出はなかなか難しいでしょうね。

本田　富山県の地酒「満寿泉」をつくっている桝田酒造店の桝田隆一郎代表は、それに近いことをされています。たとえば富山県の岩瀬で古い廻船問屋を改造して地元の工芸品を紹介する店をつくるなど、日本酒づくりのみではなく、街のリノベーションを行なっています。

亀井　モノとともに地域で雇用をつくることが大切で、必要なのは情報のネットワークと人を集める力、そして信用力です。「あの人の言うことなら協力してみよう」「俺の知り合いだから紹介しよう」というふうに、その筋のプロや情報をもった人が誰かの紹介で地域に集まってくる。他者や外者（ソトモノ）を受け入れるうえで、ニセコのように古いものも新しいものもこだわりなく受け入れる地域のほうが、知名度の高い都市よりも直接、海外に繋がる現象が起こりうるわけです。それぞれの地域にそういう自覚があるかどうかが問われています。

永久　観光立国に関していうと、訪日観光客は滞在期間が他の国に比べると短いので消費額が少なく、それには長期のバカンスに堪《た》える良質なホテルがないことに一因がある、と聞きます。

本田　まさにそれが問題です。とくに、日本の地方によいホテルが少ない。グーグルの英語翻訳が進化すればインバウンド（訪日外国人旅行）への外国語対応は二の次で、日本が何もかも海外に合わせる必要はありません。

以前、イタリアのフィレンツェ近くを旅行していたら、案内してくれた人のお祖母さんが食べるのが好きで、延々と料理の話をしてくれる。イタリア語の意味はよくわからなくても、とにかく嬉しそうで、来てよかったと思いました。イタリア人の最大の自慢は「故郷のマンマ（ママ）の味」です。日本でも地域の味に最大の価値があると思うし、まがいものではない和食や地元で愛される食材、食事を日本人のホスピタリティとともにそのまま提示すればよいと思います。

（『Voice』二〇一九年三月号）

ディープラーニングの実装

何に使えば爆発的に広まるか

長谷川順一《はせがわじゅんいち》（Preferred Networks 執行役員 最高業務責任者）

一九八六年、ソニー入社。IT研究所システムアーキテクト、BSCプラットフォーム技術部統括部長を経て、SCE分散OS開発部でPlayStation 3を開発。二〇一一年、Preferred Infrastructureに転職。同年よりNTT研究所とJubatusの開発を始める。一四年にPreferred Networksを設立、現職に至る。

ディープラーニングとトランジスタラジオ

金子 私たち新時代ビジョン研究会は、「自ら変革できる日本をつくる」というテーマに基づいて検討を重ねています。そのなかで繰り返し出ているのが、従来型産業とデジタル技術を掛け合わせることの重要性です。今回は、ディープラーニング（深層学習）の分野で両者の融合を実践しているPreferred Networks（プリファード・ネットワークス、以下PFN）の長谷川順一さんにお話を伺い、ディスカッションをしたいと思います。

長谷川　よろしくお願いします。私は以前ソニーに勤めており、皆さんがご存じのところではゲーム機のPlayStation 3の開発を行なっていました。当時の仲間がその後さまざまな企業に転職しており、協業をするうえでたいへん助かっています。二〇一一年にソニーを離れ、Preferred Infrastructure（プリファード・インフラストラクチャー、PFI）に加わったのち、一四年に同社を発展させるかたちでスピンアウト（派生）したPFNで現在、ディープラーニング技術の事業化を行なっています。

私たちのポリシーは「ベンチャーキャピタル（投資会社）の出資やたんなる業務委託の話は受けない」。現在、出資をいただいている企業はトヨタ自動車やファナック、NTT、中外製薬などです。事業会社とコラボレーションを組み、ウィン・ウィンのビジネスが可能なパートナーとのみ仕事をしています。

PFN創業の二年前、二〇一二年頃から注目し始めたのが、ディープラーニングによる画像認識です。きっかけは、同年開催の画像認識コンテスト「ILSVRC（ImageNet Large Scale Visual Recognition Challenge）」。トロント大学教授のジェフリー・ヒントン氏率いるチームがディープラーニングを活用して画像の誤認識率を一六・四%まで改善し、大差で優勝して世界中を驚かせたことです。

二〇一四年にPFNをスタートする際、データ量の体力勝負になる領域はいわゆるGAFA(グーグル、アップル、フェイスブック、アマゾン)の牙城《がじょう》で、私たちの勝ち目は薄い、と考えました。

そこで、デバイス(装置)とインダストリアル(工業用)に近い領域を見たところほぼ手つかずの状態で、かつ日本の製造業にはトヨタ自動車やファナックなど優れたメーカーが多い。ものづくりに伴う自動化のニーズを見据え、デバイス×インダストリアルの領域を狙ったところ、幸いにも功を奏して当時は競合がいませんでした。

ディープラーニングの現状は、奇《く》しくも一九五五年のトランジスタ(電子回路上で信号を増幅、スイッチング可能な半導体素子)をめぐる状況とよく似ています。トランジスタの技術は当時、米国のウェスタン・エレクトリック社が特許を保有していました。しかし用途については誰もよくわからず、応用・製品化に二の足を踏んでいました。

そのなかで、日本のソニー(東京通信工業、当時)が「トランジスタを何に使えば爆発的に広まるか」を徹底的に考え、いち早くトランジスタラジオという解に至ったのです。同社とライセンス契約を結んでトランジスタラジオを開発・販売し、ご存じのように世界的ヒット商品になりました。

現在のディープラーニングも、社会実装の前段階で「何に使えば爆発的に広まるか」を皆が考えている状況です。ディープラーニングは研究者の数が最も多い分野で、当社の役員は週に一〇〇本前後、関連論文に目を通しています。

人間を上回る視力

長谷川　人工知能というものをわかりやすく説明する例として、複数の自動車を走らせる深層強化学習のシミュレーションがあります（下記ＱＲコード参照）。

学習前はどの車も無秩序に動き、ほかの車や壁と衝突を繰り返しますが、親が子供に教えるように褒めたり（加点する）叱ったり（減点する）しながら、車自身にどのように動いたらたくさん褒められるかを学ばせていくと、次第に変化が起こる。最初はどの車も子供のように戸惑い、なす術《すべ》なく衝突を繰り返していたのが、学習を重ね、障害物を自動で回避するようになっていくのです。仮に人間が最初からプログラムをつくって同じことをさせようとしたら、途方もない時間と手間がかかるでしょう。今度はレゴ・マインドストーム（教育用ロボットキット）を使った実機に学習させたところ、障害物一つの状態から始めて徐々に学習を重ねた結果、やはりスムーズに回避しながら走るようになりました。

そして現在、トヨタ自動車と共同で実際に自動運転技術の開発を行なっています。自動運転のポイントは、車の「目」に当たる画像認識。車載カメラで撮った三六〇度の映像を認識し、自車がいまどこを走っているか、どこを走ってはいけないか、隣にいる車や中央線の位置、道路標識を把握して正しいコースを辿《たど》らなければいけない。この環境認識に深層学習が使われています。

自動運転の実証実験はこれまで主にテストコースや高速道路などで行なわれてきましたが、一般道を走る場合は歩行者や自転車など、車以外の認識対象がはるかに多い。より高度な認識をめざして、日進月歩で技術開発を行なっています。

現在わが国が批准《ひじゅん》するジュネーブ条約では、たとえ自動運転システムを搭載した自動車であっても、運転の責任は運転者すなわち「人間」にあることが定められています。この点がネックの一つとなり、社会実装が遅れています。しかし画像認識に関していえば、現在の技術はすでに人間を上回る視力を実現しています。自動運転が実用化すれば、高齢ドライバーなどのヒューマンエラーによる事故はいまより大幅に減るでしょう。ちなみに自動車よりも難しいのはドローンの自動飛行で、環境の変化により墜落《ついらく》してしまうので、リアルの環境に合わせて学習しなければなりません。シミュレーターを現実世界と一致させる技術のレベルアップが求められています。

ものづくりとの融合

長谷川　ディープラーニングとものづくりとの融合として、二〇一六年に米アマゾン・ドット・コム主催の競技会「アマゾン・ピッキング・チャレンジ」に出場したことがあります。ばらばらに棚に置かれた形状・材質の違う商品を素早く取り出し、箱に入れる「ピックタスク」競技と、箱に入った雑多な商品を棚に収納する「ストウタスク」競技の二種目で、私たちのチームはディープラーニングを活用し、ピックタスク部門で世界最高点（同点一位）を獲得しました（QRコード参照）。

商品をピックアップする動作もまた、プログラミングだけでは難しい技術です。ディープラーニングの場合、最初にランダムに商品を吸引させ、失敗した場合と成功した場合の状態の画像をすべて記憶させます。およそ一〇〇〇回の試行で八時間ほど学習を続けると、自動的に調整を行ない、九割前後の精度で商品を取り出せるようになる。従来型のロボットがなかなか実用に適さなかったのは、この調整を人間の手で行なっていたからです。

実際の工場における製品の外観検査にも、PFNのディープラーニングによる画像認識が活用されています（QRコード参照）。コンピュータに良品および不良品の画像を何枚も覚えさせることにより、学習して自動で選別を行なうので、傷などの不良個所を示すアノテーション（注釈）も不要です。木材の節目や状態をチェックして合板を張り合わせる作業でも、良品と不良品を選別しています。さらに画像検査が難しいとされる複雑形状のフェライトコア（フェライト製の磁性体）、フェライトドラム（フェライト磁石を使ったドラム型選別機）の部品チェックでも位置合わせすることなく選別が可能です。変わったところでは、お弁当の品質検査。魚の切り身やニンジンの欠品も判別できます（笑）。

RNAによるがんの判定

長谷川　最後に、バイオテクノロジー分野に関して現在、疾患の早期診断技術の研究・開発を行なっています。ディープラーニングによって血液中のマイクロRNA（リボ核酸）プロファイル（相対量比）モデルをつくり、疾患の早期発見を行なうというもの。PFNと国立がん研究センター等が共同でRNA解析を行なっています。

たとえば、乳がんの診断精度はマンモグラフィ（乳房X線検査）で八〇％前後ですが、リキッドバイオプシー（腫瘍細胞の生検と血液などの体液サンプルの検査を組み合わせた手法）の診断にディープラーニングを適用することで、診断精度を大きく改善しました。わずかな血液で認識が可能なのです。

また、花王と一緒に始めたのが、「Kao×PFN 皮脂RNAプロジェクト」です。花王のあぶらとりフィルムを使った皮脂RNAモニタリング技術（RNAを皮脂から単離し、分析する技術）により、体に負担の少ない試験で約一万三〇〇〇種類のRNAを抽出し、その発現量を得るとともに、私たちのディープラーニングによって皮脂RNAの発現データを学習させ、肌や皮膚、体内の状態を推定する予測モデルの構築に取り組んでいます。なぜDNAではなくRNAかといえば、DNAが不変の遺伝子構造であるのに対し、RNAは日々、変化するからです。生活習慣などの影響で移り変わる体内の状態を反映するので、疾患を早期発見するうえできわめて重要な因子といえるでしょう。

このようなディープラーニングの急速な進化を支えているのは、膨大な計算量です。目的に特化した専用ハードウェアとして、私たちはディープラーニングを高速化する専用プロセッサー「MN-Core」を開発しました。必要な計算資源（計算時間やメモリの使用量）も莫《ばく》大《だい》で、エンジニアが毎日、使う計算資源の調整をしつつ効率よく配分しなければならない。さらに技術を磨くため、先述のような競技大会や学会に進んで参加し、海外との実力比較をすることが大事です。

とくに物体認識コンテストで上位を占めるのは中国勢が多く、検索エンジンで有名な百度（バイドゥ）以外にも警察関連のグループなどが参加しており、国柄を反映していると思われます。

誰でも使える自動化を求めて

松本　先ほどおっしゃった自動車のシミュレーションについて、親が子供に教えるように学習を繰り返させることで、人格とはいわないまでも、機械が自分なりの判断や考えをもつようになることはあるでしょうか。

長谷川　学習の結果、たとえばコーナーをインから入ってアウトに抜けるなど、こちらが教えていない効率的な動きをすることはあります。ただしその判断は自動運転の枠内にとどまるもので、他の分野で自分なりの考え方や行動を取ることはありません。

松本　現在とは比較にならない性能のチップが開発されたとしても、状況に変わりはないでしょうか。

長谷川　同じですね。学習済みモデルというのは一つの分野に特化したもので、どれほどチップの性能を高めても、一般化された知能にはなりません。汎用《はんよう》人工知能は当面、不可能だというのが私の見解です。

金子　お話の最後に出た競技大会での中国の警察関連グループは、国内の監視カメラなどから得た個人データをディープラーニングに活用している、と見てよいでしょうか。

長谷川　データを自由に使える、というのはそれ自体がきわめて大きなアドバンテージです。ディープラーニングの開発は、要件を分析・定義して基本・詳細設計を固めてから、最終製品に向けてテストを重ねる従来の「V字モデル」の開発とは根本的に異なります。正誤のデータさえあれば自動的に学習して最終製品をつくるモデルなので、必然的にデータをより多く手にすれば完成度が上がるようになっている。

亀井　デジタルレーニニズムの強みですね。

御立　ディープラーニングの帰趨《きすう》を決める要素として、「計算量」と「データセット（データのまとまり）」そして「技術を多様な分野で試す人」の三つが挙げられます。膨大なマンパワーと個人情報が使える中国と比べれば、たしかに自由主義国のプレーヤーがデータセットの面で戦うのは厳しいでしょう。またコンピュータ・サイエンスの人材育成という面で、日中のあいだには二十年かけても追いつけない差がある、という指摘もあります。

その一方で、長谷川さんたちが携《たずさ》わるデジタル×産業領域ではまだ日本の戦える余地がある。各産業のドメインエキスパート（領域専門家）とインターフェース（接点）さえ確立すれば、人的供給の欠如という欠点は補えるのではないか、という見方もあります。どうご覧になっていますか。

長谷川　じつは、日本のメーカーでもコンピュータ・サイエンスに通じた人は少なくありません。そうした人は往々にしてシステム部門など現場のラインをサポートする横軸組織にいる。彼らに新しいソフトを評価いただいても、実際に現場に下ろすと皆が使いこなせない、という課題があります。私たちのディープラーニングを使った外観検査の利点は、よいデータと悪いデータをフォルダに入れるだけで自動的に学習してくれることです。したがって、ものづくりに関わるすべての人がソフトウェア製品を簡単に使いこなすことができます。誰でも使える自動化の追求が日本の生き残りの鍵ではないかと考えています。

ディープラーニングは学問ではない

金子　日本の国内で今後、御社で活躍できるような人材はもっと増やせるのでしょうか。また、PFNのような会社がほかにも生まれる可能性はあるのでしょうか。

長谷川　よく「PFNのような会社を日本にたくさんつくりたい」という話を伺います

が、ディープラーニングに限っていえば難しいと思います。この分野における日本のトップ人材や、先述の国際競技大会で活躍するような海外の才能はすでに当社に加わっているので。彼らが日本の大企業に入ったとしても、ディープラーニングについて教わる人がいません。

御立　人材に関しては、やはり自前主義には限界があって、グーグルでさえトロント大学やカーネギーメロン大学卒の限られた人材をスカウトするのが現状です。

小黒　深層学習など数理系のトップ人材には二タイプいます。第一は、深層学習の理論モデルを構築できるタイプ。第二は、データよりも重要なパラメーターをより短時間で特定するプログラムが書けるタイプ。

下手なプログラムを組むと答えが延々と出ないケースも、よいプログラマーの手にかかると数分で答えが出てしまう。モデルごとに計算を収束させる頭脳が問われる世界です。理論物理の分野などもそうですが、新たな理論モデルを発見できる第一のタイプはそれ以上の頭脳が必要で、世界的にもきわめて希少資源ですね。

長谷川　さらにいえば、ディープラーニングの世界は学問ではありません。論文に「この操作を行なったらこの成果が出た」と書かれていても、それは機械学習の結果であって、理論に裏付けられたものではない。玉石混淆《ぎょくせきこんこう》のなかからどの論文が使えそうかを見極め、いかに高速で実装できるかの勝負です。

亀井　逆に「どの分野なら実装が可能か」というアイデアはどのように思いつくのでしょうか。

長谷川　その点は特別な話ではなく、ある分野を勉強すると関連の分野で応用がひらめく、というのはよくあることです。画像認識の場合、たとえば車載カメラで撮った映像に加えて建築現場の画像を組み合わせるとさらに画像の認識率が上がる、というように、数多くの分野からデータを集めて学習させると精度が高まることが立証されています。

御立　もう一つお聞きしたいのは、ＰＦＮが各企業と連携することで日本全体の産業構造の変化がサステナブルに起きるのか、あるいは制度自体に変化を起こさなければ日本が変われないのか、という点です。

長谷川　実際、私たちがメーカーと仕事をするうえで出る話は、構造の変化よりもコストダウンが多い。現在の延長線上ではなく、次の世界をいかにつくるか、という意思がないとイメージが共有できない、と考えています。

医療データは誰のものか

平泉　先ほどV字モデルのお話が出ましたが、日本の製造業の最大の問題は、ものづくり・組み立てではもはや利益が出ない、換言すれば、スマイリング・カーブの中流に嵌《は》まり込んでいることです。にもかかわらず、政府や財界は従来モデルのまま、その中流に非正規や外国人研修生を投入する、ということを続けています。より高い収益が期待できる産業の上流・下流への投資、または業態転換を怠《おこた》っているのではないでしょうか。また、ＰＦＮの技術の応用対象・協業相手も上流・下流であるべきではないでしょうか。

長谷川　おっしゃるとおりです。「人間の最適化」はすでにやり尽くされており、これ以上のコスト削減は不可能です。だからこそ、自動化を考えなければいけない。目先のコストダウンではなく、現在は劣勢でも十年後には勝つ、という戦略と見通しがなければ、ルールと土俵をつねに変化させ、マンパワーとデータを動員する中国のような相手には太刀打ちできないでしょう。

平泉　向こうは国家資本主義ですからね。

御立　長谷川さんの会社と中国企業との違い、たとえばディープラーニングを使っても「これだけはやらない」という分野はありますか。

長谷川　PFNでは軍事はやりません。

金子　バイオ分野に関してはどうですか。中国のように人権をほとんど顧みない在り方は論外として、日本でも規制緩和をすべき側面があると思いますが。

長谷川　おっしゃるように、日本では医療データが自由に集められない、という大きな問題があります。たとえば人間ドックの血液検査を手掛ける会社には数十年分のヒューマンデータが蓄積されているのですが、活用することは許されていない。そこに保管されているデータはいったい誰のものなのか、という未解決の問題があります。

亀井　社会の公益性に鑑《かんが》みて本来、公衆衛生の分野で議論すべき点が長年、放置されてきたことも大きいと思います。むしろ外の分野で公衆衛生的な発想をもつ人たちが話し合い、日本独自の道を探るべきでしょうね。

御立　中国とは異なるモデルをつくるため、ユーフォリアの楽観論にもドゥームズデイ（終末の日）の悲観論にも陥《おちい》らず、手の届くプラクティカルな制度変更に着手しなければならない。

末松　ＰＦＮについては以前、日本の優秀な学生がこぞって入社を希望する会社として名前を伺ったことがあります。今回、長谷川さんのお話を伺って「日本にもこんな企業があるのか」との希望を抱くと同時に、メディアのＩｏＴ（モノのインターネット）楽観論に対して「それほど甘いものではない」という危機感を抱きました。日本企業のわずかな生き残りの道が「ディープラーニング×ものづくり」にあることを自覚し、皆で支えなければならない、と思います。

（『Ｖｏｉｃｅ』二〇二〇年四月号に加筆・修正）

「わがまま」を認める会社

企業の生産性より社員の幸福度を語れ

青野慶久《あおのよしひさ》（サイボウズ代表取締役社長）

一九七一年生まれ。愛媛県今治市出身。大阪大学工学部情報システム工学科卒業後、松下電工（現・パナソニック）を経て、九七年、愛媛県松山市でサイボウズ株式会社を設立。二〇〇五年より現職。社内のワークスタイル変革を推進し離職率を七分の一に低減するとともに、三児の父として三度の育児休暇を取得。総務省、厚労省、経産省、内閣府、内閣官房の働き方変革プロジェクトの外部アドバイザーや一般社団法人コンピュータソフトウェア協会の副会長を歴任。

多数派が動かす社会のおかしさ

永久　今回は企業の経営に加え、「働き方」に関する社会変革を実践する青野さんの話を伺いたいと思います。

青野　よい機会をいただき、ありがとうございます。まず自己紹介をすると、私は愛媛県出身で、大学と最初の就職先は大阪でした。インターネット時代の流れに乗って起業し、二十一年が経《た》ちます。子供が三人生まれるごとに育児休暇を取って「会社にいない上場企業の社長」として珍しがられました。

最近、世間をお騒がせしたのは夫婦別姓に関する訴訟（二〇一九年三月二十五日に東京地裁が棄却、控訴中）だと思います。ご承知のように現在の日本では、日本人同士が結婚すると、夫婦のどちらかが姓を変えなければいけません。手続きの手間や費用、精神的負担に加えて、仕事上は旧姓を使い続ける人が多い。新姓と旧姓を使い分ける煩雑さが、本人にも周囲にも生じます。

ところがその一方で、日本人が外国人と結婚した場合、夫婦別姓が選択できるのです。これは「法の下の平等」を定める憲法一四条に反するのではないか、という理由で訴えを起こしました。私自身、いま申し上げた手間と不利益を日常的に被っており、弁護士と相談して「この筋でなら勝てるのではないか」と考えました。

しかし、東京地裁の判決は「法律上の姓は一つに定まるもので、採用できない」というものでした。「平等に反する」という私たちの主張を完全にスルー（無視）した、といってよいでしょう。いままで裁判官というのは法律に基づいて物事を論理的に考える人たちだと思っていたのですが、どうも違う、ということに気付きました。

日本は三権分立の国だといわれます。でも最高裁判所の裁判官は内閣が指名しますし、地裁以下の人事については、最高裁の裁判官の裁量が働くとも聞きます。そして内閣の構成を決めるのは、選挙に勝った与党です。つまり国会を押さえれば、実質的に行政のみならず司法も差配できてしまう。

私はつねづね「競争で多数派となった権力者だけが物事を動かす社会はおかしいのではないか」と考えてきました。もっと社会のメンバー同士が共感・協力して物事に当たれば、日本はさらによい国になる、と思います。

組織は石垣

青野　ここで経営の話をすると、日本人がよろしくないのは、会社というものを重んじすぎる点です。ご存じのように会社というのは登記上の言葉で、実体はありません。ところが実体を指し示せないものに対して、私たちは「会社のために働く」という。言葉だけで実在しないというのは河童《かっぱ》みたいなもので、「河童のために働く」っておかしいでしょう（笑）。

私の考え方は「会社の生産性を語る前に、社員の幸福度を語れ」というものです。経営者には従業員の幸福を最優先に考え、一人ひとりの要望を聞いてほしい。経営の問題を解決する答えは、働く人それぞれの心の中にしかないからです。

よく「従業員の要望に沿って働き方を多様化させると、業績が落ちる」といいます。しかし私の経験上、この説は正しくありません。

たとえばサイボウズに、岡山県で在宅勤務をする女性がいます。それまで東京のオフィスでSE（システムエンジニア）として活躍していたのですが、お母さんが要介護状態で実家に帰らなければいけない、という。私はその人に辞められたくなかったので、「岡山で在宅勤務したら？　月に一度、最寄りの大阪のオフィスまで出てきてくれればいいよ」といって、在宅で働いてもらうことにしました。

すると何が起こったか。岡山で中型・大型案件の受注率が急速に上がったのです。考えてみれば当然ですよね。エースがそこにいるうえ、地元出身者だから土地勘も人脈もあり、岡山ローカルの話題も難なくこなせてしまうのですから。介護の傍ら働く彼女を周囲も応援するようになり、岡山在住の条件がハンディキャップどころか、ストロングポイントになったわけです。私も彼女に刺激を受けてすっかりスイッチが入ってしまい、東京で働く営業職の人に「実家はどこだ」と聞いて回りました（笑）。そして「ふるさと営業部」を立ち上げ、東京や大阪で働いてもいいけれど実家もカバーするようにお願いしました。

また「旦那がイタリアに転勤するので、ナポリで在宅勤務がしたい」という人のわがままを認めて「大丈夫かな」と思っていたのですが、考えてみればクラウドサービスは二十四時間対応だから、時差のある海外にいるのはプラスだと気付きました。

私は基本的に「組織は石垣」と考えています。形の異なる石をよく見ず、無造作に積み上げると、隙間だらけで弱い構造になってしまう。人間も同じで、形は千差万別です。男女の違いだけではなく、男性や女性同士のあいだでも、人生観や働き方に関する要望はまったく異なります。

丈夫な石垣をつくるには、一つひとつ違う石の形をよく見て、互いの組み合わせを考えることです。たとえば午前中しか働けない人と午後しか働けない人がいたら、情報を共有して二人の勤務時間を組み合わせれば、何の支障もありません。個人戦の発想で考えると、限られた時間しか働けない人は欠けたピースと見られがちです。しかし複数の人の事情をよく見て互いに当てはまれば、もはや欠点は存在しない。

サイボウズでは、どこで何時間働こうと、あらかじめ申告してもらえればすべて認めます。日本の社会では、わがままをいうことは「悪」とされます。私たちはまったく逆で、わがままをいうのはむしろ「責任」。積極的に、自分の要求をメンバーに伝えなければならない。なぜなら「何を求めているか」を知らないかぎり、その人を幸福にすることはできないからです。石垣の比喩でいえば、「あなたがどんな形をした石なのかを見せてください」ということです。

私が従業員の要望を徹底的に聞くようになったのは、二〇〇五年に離職率が二八％まで上がり、四人に一人が一年後に会社を辞める、という事態に直面したことがきっかけです。凄まじい頻度で補充をしなければならず、求人広告の費用や採用に費やす時間、教育のコストが経営上、圧迫要素になりました。

退職希望者を引き留めようとして話を聞きながら、つくづくわかったのは「辞める理由は本当にさまざまだ」ということです。高い給与を求めて転職する人もいれば、職場の立地にこだわる人、仲間がベンチャーをするので一時的に手伝いたい、という人もいる。そこでようやく「一律的な人事のやり方では、絶対に離職率は下がらない」と気付きました。

そこで人事制度を徹底的に従業員の「わがまま」に合わせて変更し、就業規則に細目を次々と足してあらゆる働き方を許容しました。「一〇〇人いれば一〇〇通りの人事制度があってよい」というスローガンのもと、売り上げの前にまず働く人の幸福を考え、徹底的にパーソナライズした（一人ひとりの個性や属性、要望に合わせる）人事を行なっています。

要望の中身は短時間勤務に始まり、「朝早く起きるのが嫌だ」「週に三日だけ働きたい」「基本的にオフィスへ出社したくない」など、「本当に働く気ありますか？」と確認したくなる過激なものばかり（笑）。それでも辞められるよりはるかによい、ということです。一人ひとりがばらばらで石垣感があっていいぞ、と。

結果としてサイボウズの離職率は見事に下がり、七年連続で五％を下回りました。売り上げもグループウェア（組織内でスケジュールやタスクを共有、コミュニケーションできるソフト）がアメリカを代表する企業に採用されるなど、安定的に月額の収益を生むビジネスモデルが確立しました。やはり自分の会社を好きになるほど「組織を盛り上げたい」と思うし、新しいチャレンジやアイデアが出てくるものだ、と感じています。

公平と幸福は異なるもの

青野　日本では現在、働き方改革の名のもとに「ブラック企業を撲滅する」「残業ゼロを達成しよう」「ホワイト企業を増やそう」という流れにあります。でも私には、この「一律感」がちょっと気持ち悪い。

　ブラックの代わりにホワイトの単色に染め上げようとする考え方は、働く人を十把《じっぱ》一絡《ひとから》げに見るという点で大差ありません。むしろ十人十色の喩《たと》えのように、働く人個々の事情に合わせて組織や制度を変えなければいけない。

　働き方改革をめぐる話は、往々にして議論が嚙《か》み合っていません。たとえば従業員が「長時間労働がきつい。もっと楽しく働きたい」といっているのに、経営者には「わかった。残業を減らせばいいのか」という生産性向上の話にすり替わってしまう。そこから「定時に帰ってもいいから、目標は達成しろ」という無茶な要求が横行する。

　企業にとって理想的なのは「幸福度が高く、生産性が高い」という状態ですが、日本企業の多くは「幸福度が低く、生産性だけが高い」状態に陥《おちい》っています。原因を突き詰めると、

「働く人の違いをよく見ておらず、個別の話を聞かない」という点に行き着きます。

日本人はとかく一律の発想に傾きがちで、「公平」という言葉が好きです。なるべく皆が同じになるように、等分の処遇を与えようとする。しかし私は、この公平という考え方をいったん捨てたほうがよいと思います。

なぜなら、公平と幸福は異なるものだからです。

たとえば一つのケーキを分けて三人に配るとします。ところがAさんはすでにお腹いっぱいで、B君はダイエット中。C君は朝から何も食べていない。この場合、正しい答えは「C君にケーキを全部あげること」です。

ところが日本人の場合、個人の状態の違いを見る前に「公平」の観念が先立ってしまい、「とにかく平等にケーキを切らなければ」と思う。でもそれは言い換えれば、「個人の幸せを重んじていない」ということです。本来ならば一人ひとりの顔をよく見て、体調や事情を聞いて判断すべきでしょう。

日本人の働き方をめぐる諸悪の根源は、現場で働く人たちが人事権を奪われていることです。どの職場で何時間働くか、どんな仕事をするのか、給与体系をどうするかをすべて人事部と上司が決めてしまい、交渉権すら与えられない。

その最たるものが、本人の意向を無視した「強制転勤」。ＮＨＫの「クローズアップ現代＋」（二〇一九年三月十二日放送）が強制転勤の問題を取り上げた際、ゲストに呼んでいただきました。時代に合った企画だと思う半面、これは有無をいわさず地方局に飛ばされる自分たちの不満を代弁する番組だ、と（笑）。以前に連合（日本労働組合総連合会）会長の神津《こうづ》里季生《りきお》さんと対談をしたときも「従業員の同意がない転勤を禁止してほしい」と申し上げました。お答えが「おっしゃるところは、とてもよくわかります」だけだったのは心許なかったですが（笑）。

人事権を剝奪《はくだつ》する日本型組織の発想は、アメリカでは絶対に受け入れられません。アメリカのサポートメンバーに「事前の営業もお願い」と軽い気持ちで頼むと、即座に「報酬体系を変えなければおかしい」といって給与交渉が始まります。集団に忠誠を誓うメンバーシップ型雇用から、仕事に紐付くジョブ型雇用（あまり徹底するとチームワークが崩れるので危険ですが）へのシフトは働く人の幸せのために必須だと思います。

人手不足は歓迎すべき

御立　日本で「わがままは悪」とされる背景として、茶道や武道のように「道」を極める発想から「不満をいわず、とにかく徹底することで見えてくる世界がある」と考える発想がありますね。加えて日本の大企業では、昇進と引き換えに会社への不満を口にすることを控える風土があります。しかしその反動からか、五十歳を過ぎて役職定年に近づくあたりから、急に「この年で海外の子会社には行きたくない」など、若者以上にわがままな「物言う社員」になる傾向もあります。

青野　昇進の道が途絶えた瞬間、「なぜ会社のわがままに付き合わなければいけないのか」と思うわけですね。

小黒　どの組織も同じで、キャリア官僚などでもそうした人がときどきいますね。課長を過ぎた年次のあたりで本省にいないと将来がない、という事実に気付いてしまう。

御立　そこで初めて、隠れていた本音がうごめき出す。要は、幸福を求めて思ったように働きたい、という要求は誰しももっているということ。そうは見えなかった日本の会社員の多くも、です。

亀井　会社に忠誠を誓うメンバーシップ型雇用からの脱却については、世代間で意識の差が大きい。いまの大学生が就職活動をしているとき、転勤のない地域限定職を希望するのを聞いて、その親たちが「やる気ないの？」と意見する、という話があります。

末松　わかりますね、その感覚。

亀井　大企業で働きながら、ある意味で時代や社会を背負ってきた世代が無意識に抱くネガティブな感覚が「転勤を受け入れてこそ会社員」という固定観念を若者に押し付けている。

永久　その一方で、経営の観点から見て育成や人事組織のフォーメーションから転勤を頼んだほうが合理的、という場合もあるわけでしょう。

青野　たしかにそういう場合があるので、まずは相談して、相手の意向を最優先に判断しますね。たとえば地方の政令指定都市に営業所をつくる際、「この人なら任せられる」と思って打診した相手に断られたら、しばらく営業所の設置は諦めます。

御立　とくに日本が人手不足の状況になってから、経営側も一方的な要求を押し付けられず、対話の方向性に傾いています。これは歓迎すべき傾向で、少子化が続くので、当面は変わらないでしょう。飲食店でも従業員がなかなか集まらないので、働く側の希望を聞かざるをえない。面白い例としては、外資系金融機関に勤めていた人などが、現在の本業のほか週に一度だけ、日本料理店の女将《おかみ》を務めているお店があります。その店は、曜日ごとの日替わり女将制で評判になっている（笑）。

末松　シェアリング・エコノミーのお手本ですね。

金子　サイボウズでは頻繁に勤務体系や賃金の交渉を行なうので、人事部の規模や権限が相対的に大きくなる、ということはありませんか。

青野　それが面白いことに、昔はそれなりに人事の部署に人数を充《あ》てていたのですが、あまりに実務が多忙で人事部だけでは仕事が回らない。「誰か助けて！」ということになり、現在は「誰でも人事部」のようなかたちになっています。採用など人事の業務に興味があるメンバーも多く、社内副業のようなかたちで手伝ってくれる。プログラマーでも「人を見る仕事がしたい」という人がけっこういますし、人事の仕事を経験すると自分の引き出しも増えます。

平泉　青野さんのお話を聞いていて、自分が会社でやってきたことはまさにサイボウズの考え方と同じだと感じました。私は入社一年目で「会社が面白くないのは上司の命令や既成の方法に盲従するからで、主体的に部署や会社への貢献法を提案できれば楽しいはず」と考え、米国に留学してＭＢＡ（経営学修士）課程で学んだのも、経営知識と提案力を得るためでした。帰国後は「自分のやり方を認め（所領安堵）してくれたら手柄は差し上げます（いざ鎌倉）」という提案を上司にしてきました。労働力不足の時代、多様な社員の生き方、働き方を活かせない会社、個人を大切にできない会社は結局、淘汰されるしかないでしょう。

御立　たしかに近代の工業化において、労働者が時間と個人の自由を生産性のために捧げるのは先進国に共通の現象でした。ところが工業化からデジタル化の時代に入ってなお、日本だけが個人を犠牲にするバイアスが強い。理由の一つは青野社長のいうように、人事部が人事の全権を掌握してしまったからです。アメリカでは通常ボスに人事権があるので、うまくポスト工業化社会に適応できた。日本は前近代のシステムに過剰適応してしまい、体制が固まってしまった。これが「変われなかった平成の三十年」の本質ではないでしょうか。

小黒　私はマルチジョブといった「複職の権利」創設を提言していますが、労働市場の慣行を見直し、柔軟な働き方を広げるためには、従来とは異なる新たな権利を主張する新しい労働組合の必要性を感じます。

末松　たしかに大企業はなかなか変われないので、過渡期には団体交渉も必要だと思います。

亀井　むしろ、団体交渉や団結という手段はあるべき姿に反します。めざすべきは社員一人ひとりが自分の人事権をもち、交渉できる方向性でしょう。

御立　団結してガバナンスをする前提の忠誠心がすでに崩壊していますからね。

小黒　もちろん、従来のような一枚岩をめざす「交渉のための団体」ではなく、マルチジョブ（複職）など多様かつ柔軟な働き方を求める意識を「共有」し、働き手主導の労働市場に改めるため、「複職の権利」創設や環境整備などをめざす新たな集団というイメージです。

平泉　青野さんたちが進めるグループウェアを使った情報共有社会が到来する前に、eメールの枠組みにとどまる力がそうとう強い、と個人的には見ています。私自身、「自分の個性を尊重してくれる限られた同志と仕事をする」方法を貫いてきました。いきなりすべての情報を共有したら、誰が同志かさえわからなくなってしまう。

金子　マルクス主義の前衛党の発想ですね（笑）。

御立　先ほど青野社長が示したポートフォリオのなかで、幸福度と生産性がともに高い条件に当てはまるのは「地方の元気な中堅・中小企業」です。幸福度と生産性を両立させる鍵が「近隣・同志のつながり」にあるとすれば、本当に世の中を変えるのは大都市主体の大企業ではないのかもしれません。

亀井　本研究会のゲストにお招きした片山健也町長のニセコ町のように、数千人の単位だからこそ相手の顔が見え、情報共有ができる世界があります。何より課題が見える。誰が何を考えているかを知っていれば、「そういうことをやっているのか」と思って自分もつながりに行くことができます。

御立　立地とサイズ感というのはキーワードですね。

亀井　大組織であれば、いかにして集団を切り分けるか。サイボウズの情報共有ツール「ｋｉｎｔｏｎｅ」も、当初は人事部が一括購入するより、個々の部門単位で導入するケースが多かったと記憶しています。試しに使ってみたら、仲間内で「これって便利だぞ」「家でも仕事できるじゃないか」という口コミが広がった。

青野　おっしゃるとおりで、企業の情報システム部が買ってくれないので、現場にゲリラ戦を仕掛けていました。

大切なのは自問自答

御立　先ほど青野社長が「石垣感」が大事だと語ったように、これからの企業の在り方としては組織を一色に染めず、個々の違いを認めることが重要です。ただし、同時に「この点は大切にしたい」という共感の根を残さなければいけない。言い換えれば、企業の側が「何に共感してもらいたいか」という理念や意思表示をはっきり打ち出さないと、社員は集まりません。

青野　サイボウズの企業理念には「２０１９」のように年が入っており、理念についてみんなで議論し、毎年バージョンアップしています。理念を石碑に刻むように不変にすると、皆が理念に共感できなくなったとき組織が崩れてしまうからです。

私たちの会社はメンバーに自由と共に強烈な自立を求めるので、共感できない人にはしんどいでしょうね。会社に入るにあたり、大切なのは「自分は何を求めているのか」という自問自答です。

平泉　そう。皆が誤解しているのは、仕掛けや方策を講じればチームワークがよくなる、と考えている点です。そこに欠落しているのは「自分を知り、他人を知る」ということ。まず各人の個性の認識と尊重がないかぎり、チームもチームワークもありえない。一方、それがあればこそ多様な個性があっても組織が石垣になりうる、ということでしょう。

（『Voice』二〇一九年七月号）

「厳しい人本主義」への回帰

安定的な人のネットワークづくりは経済合理性に合致する

伊丹敬之《いたみひろゆき》（国際大学学長）

一九四五年、愛知県豊橋市生まれ。一橋大学商学部卒業。カーネギーメロン大学経営大学院博士課程修了（Ｐｈ.Ｄ.）。一橋大学大学院商学研究科教授、東京理科大学大学院イノベーション研究科教授を歴任。一橋大学名誉教授。二〇〇五年十一月、紫綬褒章を受章。著書に『日本企業の多角化戦略』（共著、日本経済新聞社、日経・経済図書文化賞受賞）、『経営の力学』『直感で発想 論理で検証 哲学で跳躍』（以上、東洋経済新報社）ほか多数。

じつは蘇っていた日本企業

伊丹　日本のコーポレートガバナンスと産業戦略という異なる二つのテーマについてお話をしたい、と思います。

図表2-1　日本企業の利益率と生産性（法人企業統計より作成）

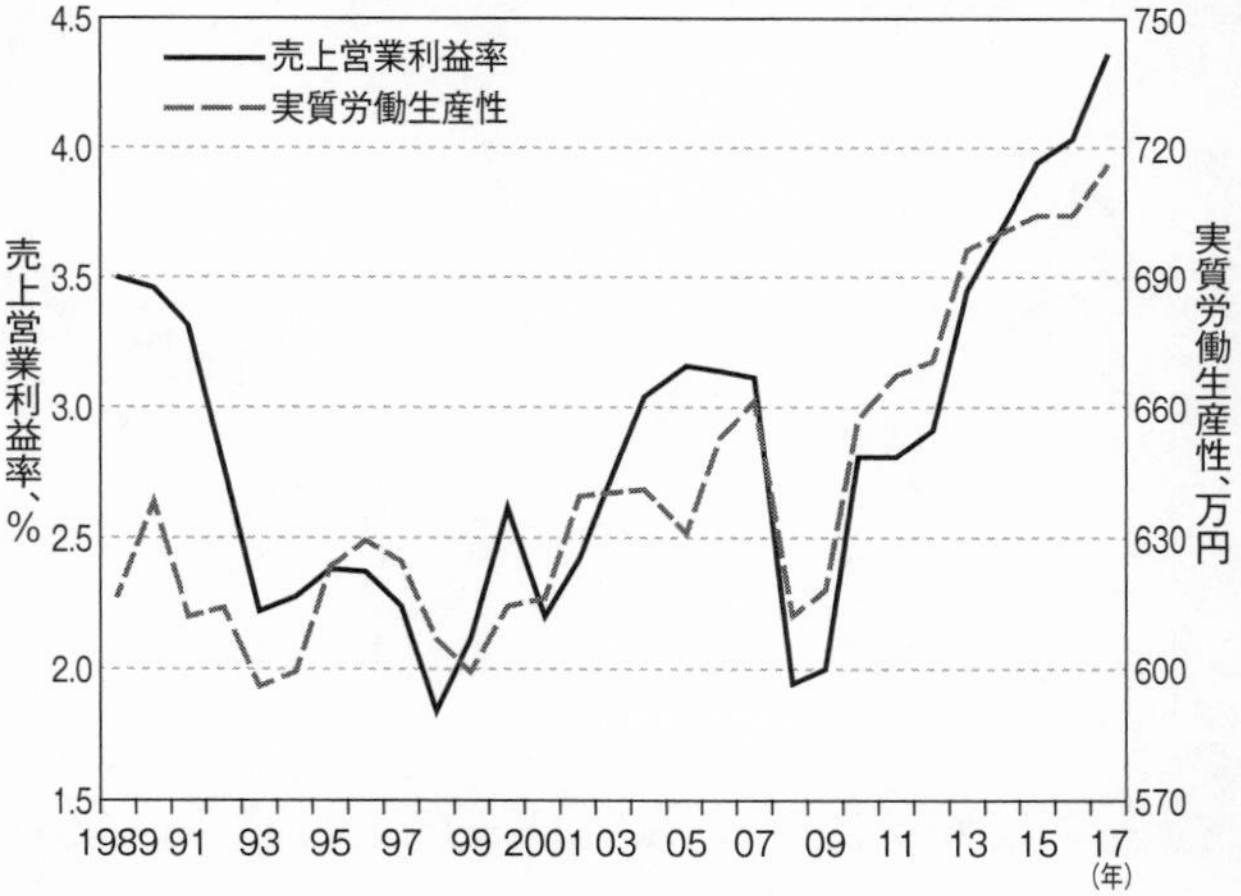

まず「平成の経営」を振り返ると、バブル崩壊後、低迷した日本企業が「疾風《しっぷう》に勁草《けいそう》を知る」（『後漢書』）ごとく二つの強烈な疾風に襲われ、そこから蘇《よみがえ》ってきた印象があります。疾風の一つは二〇〇八年のリーマン・ショック。もう一つは、二〇一一年の東日本大震災です。

　まず、**図表2-1**のグラフ「日本企業の利益率と生産性」（法人企業統計より作成。官庁の求めに応じて企業のデータが出揃うこと自体、世界では稀です）をご覧ください。たしかに平成の約三十年間のうち、二十年間は売上営業利益率、実質労働生産性ともに「失われた二十年」と呼ぶべき低迷ぶりでした。

　しかし驚くべきことに――私自身、データ

図表2-2　鉱工業生産指数の月次データ（2010年を100とする）

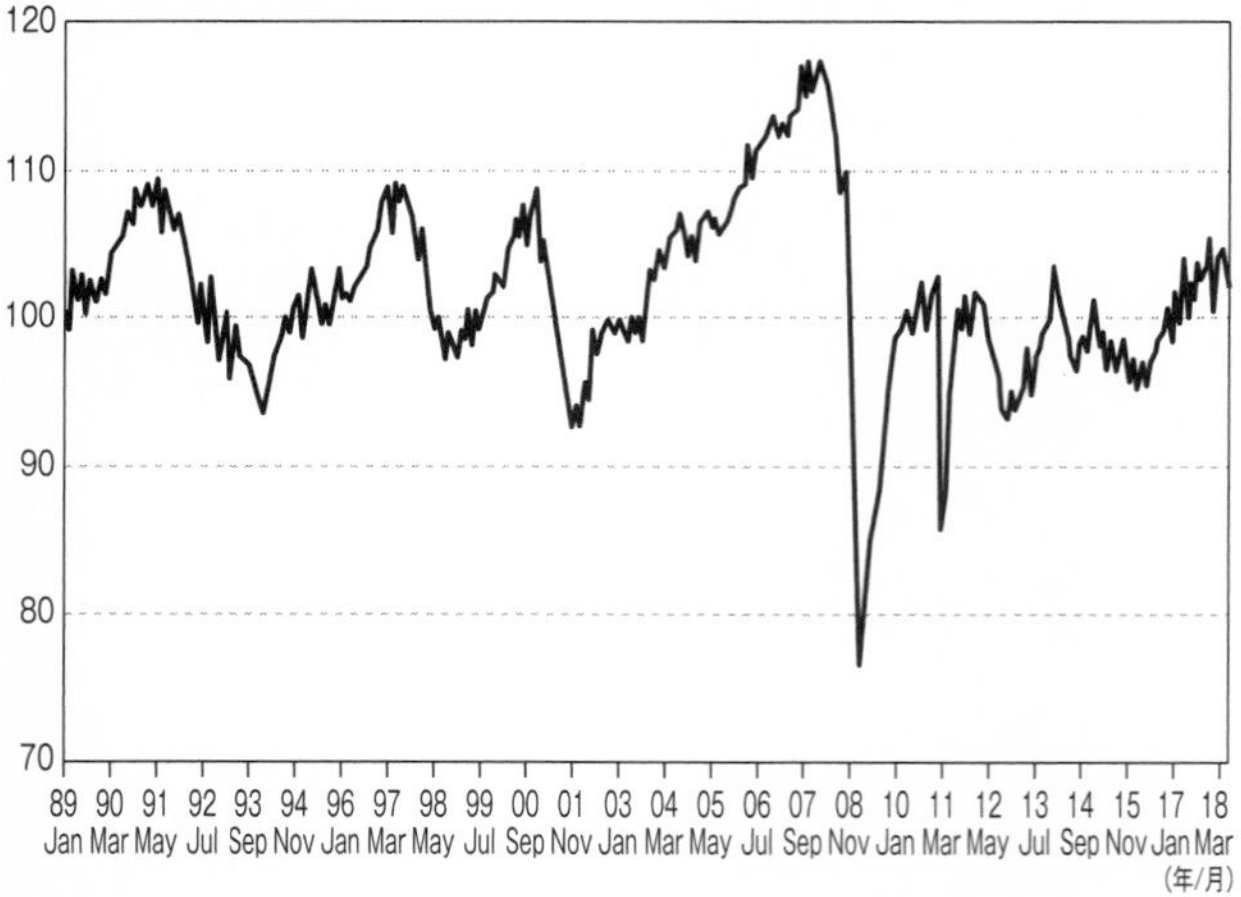

を取るまで予想しませんでした――残り十年で日本企業は蘇っています。これはいったいなぜなのか。

次に、**図表2-2**のグラフ（「鉱工業生産指数の月次データ」二〇一〇年を一〇〇とする）を見ると、リーマン・ショック後の日本企業はわずか四、五カ月間で生産の約四割が失われてしまい、文字どおり崖から真っ逆さまの惨状でした。

「失われた二十年」の低迷の原因については、二つの「傷」が挙げられます。

一つ目は「財務の傷」。バブル崩壊のインパクトは巨大で、一九九〇年から九二年の三年間におけるキャピタルロス（資産価格の下落による評価損）は総額七一一兆円。当時の日本のGDPのじつに一・五倍が消失したわけです。さらに輪を掛けて、日本企業の過剰投資や上昇する人件費、担保主義の金融システムが傷口を広げました。

二つ目は「心の傷」です。バブル崩壊、ソ連に対するアメリカの資本主義の勝利によって「自分たちは何をやってしまったのか」「日本は世界でも異質な国ではないのか」という内と外からの二重の自己疑問がトラウマのように残ってしまった。

ではなぜ、日本企業は立ち直れたのか。一つの理由は、日本企業が過剰投資や人件費の削減など改革の痛みを受け入れ、現場主導の地道な改革に目覚めたこと。もう一つの理由として大きいのは、二〇一一年の東日本大震災です。リーマン・ショックとともに「日本沈没」を想起させる危機が発生し、「絆」を自覚するとともに、バブル直後のぬるま湯から脱してリーマン・ショック後の覚醒《かくせい》を生んだと思われます。

そして平成の約三十年間を十年ごとに見ると、最初の十年間で払いすぎた人件費を、最後の十年間で抑制して取り戻したことがわかります。この間、実質労働生産性の目覚ましい上昇があったことも見逃せません。

さらにハイブリッド車や炭素繊維、宅急便など、製品や工程、ビジネスのシステムが複雑で、かつ最後に人間による細かい気配りが必要な「複雑性事業セグメント」に注力した点。

加えて、私が名付けた「ピザ型グローバリゼーション」が挙げられます。

遠心力で下地を広げ、薄くなった中央に強みである複雑性事業セグメントをトッピングする。トヨタ自動車が国内生産の「三〇〇万台にはこだわりたい」（小林耕士副社長）と宣言したように、日本企業の努力がドーナツ（空洞）化に陥《おちい》らない独自のピザ型グローバリゼーションを実現したと考えられます。

企業は誰のものか

伊丹　では、日本企業のこうした努力の背後にある伏流は何なのか。「人本主義への回帰」である、と私は考えています。

人本主義の定義は「経済組織の編成原理として人のネットワークを安定的につくることをきわめて大切な基本原理だと思って、さまざまな経済組織をつくる」考え方。つまり「人が本《もと》」だということです。日本の人本主義は、カネのネットワークを基本原理と考える「資が本《もと》」の古典的資本主義とはやはり異なります。

ただし誤解してはならないのは、日本は市場経済の国である、ということ。日本の正しい姿は「人本主義的市場経済」か「ゴリゴリの資本主義ではない市場経済」のどちらかだ、ということです。

さらに日本とアメリカのコーポレートガバナンスを比較すると、ご存じのようにアメリカでは、圧倒的に「株主主権」がメインです。対する日本は「企業はカネを出す株主のもの」ではなく、従業員の知恵とエネルギーが発展の源泉だと考えます。

私は、二〇〇〇年上梓の『日本型コーポレートガバナンス』（日本経済新聞社）で、企業は法的には株主のものだとしても、実際はコア従業員が実質的オーナーのごとく振る舞う経営が、従業員のみならず株主にとって最適である、という主張を記しました。当時は欧米型の会計制度やコーポレートガバナンスが華やかなりし時代だったのですが、意外にも本書が日本公認会計士協会中山ＭＣＳ基金賞を受賞して、かなり驚いた記憶があります（笑）。

私はもちろん、市場経済や株式会社の制度を否定するつもりはありません。とくに非常時には、株式保有数で最終議決を行なうきっぱりとした制度が必要です。

その半面、日本企業は組織内の格差をできるだけ小さくして「カネ」「情報」「権力」という三つの「花」を構成員に分散・分配し、職場共同体の秩序とモチベーションを維持してきました。この「分散シェアリング」に対し、アメリカ企業はトップへカネ、情報、権力が集

図表2-3　失業率の日米長期比較

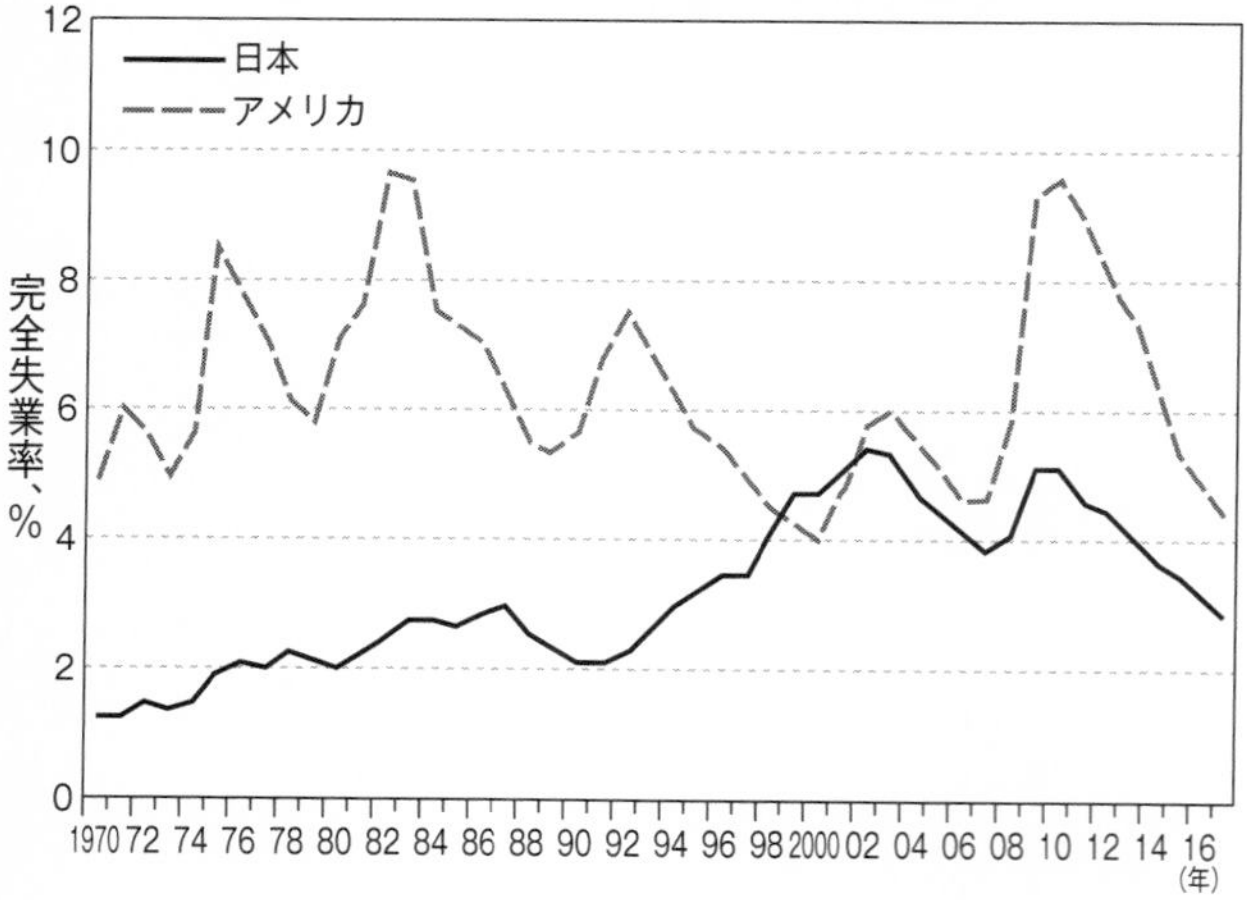

まる「集中シェアリング」のかたちを取っています。

市場取引についても、アメリカでは価格を基本とした「自由市場」であるのに対し、日本はたんに安いところから製品やサービスを買うのではなく、長期関係や共同利益を重んじる「組織的市場」の取引を行なっています。

私は、文化・伝統の観点ではなく、あくまでも経済合理性の観点から、平成を通じて日本企業が人本主義を守り続けたことが、リーマン・ショックと東日本大震災という二度の疾風にもかかわらず瓦解しなかった原因ではないか、と分析しました。

そのことは、**図表2-3**のグラフ「失業率

図表2-4　労働分配率とROE

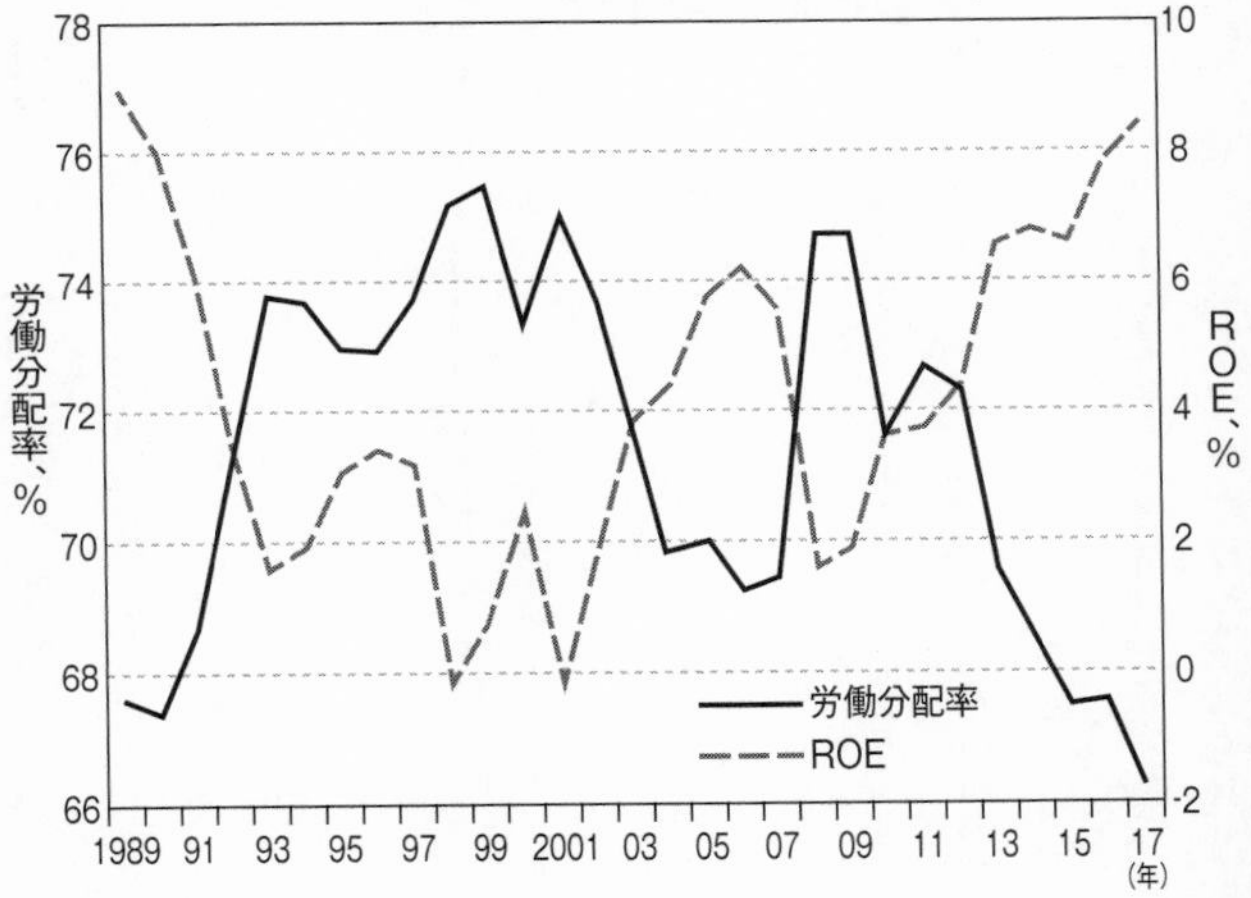

の日米長期比較」を見ても明らかです。リーマン・ショック後、アメリカの完全失業率は一挙に跳ね上がり、一〇％に迫りました。日本の完全失業率もバブル後、五％超で推移しており「失業率八％時代が来る」と喧伝《けんでん》されていました。

ところが、日本の完全失業率はリーマン・ショック後も上がらなかった。むしろ、二〇一〇年から徐々に下がりはじめたのです。この結果には正直、驚きました。

労働分配率とＲＯＥ（自己資本利益率）の関係（**図表2-4**）を見ても、日本企業は景気が悪化しても人件費を維持しようとするので、労働分配率が高くなる。両者はほぼ完全な逆連動を示しています。他方、アメリカ企業ではROEと労働分配率は連動しており、景気が悪くなれば人件費は下がる。

右の現象を「日本の労働市場は流動性不足で、経済が活性化していない」と見るべきか、それとも「日本は失業の犠牲者を最小限に抑えるためにリストラをせず、調整で凌《しの》いでいる」と見るべきか。おそらく、両方とも正しいのだと思います。

厳しい人本主義経営が必要

伊丹 先ほど「日本企業の人本主義には経済合理性がある」と申し上げましたが、理由はシンプルです。

第一に、人のネットワークが安定した状態では、個人がネットワーク全体の発展のために努力するインセンティブが働く。自分の仕事や部署をなくすかもしれない改善・提案ができるのも、長期的に見て会社全体がよくなれば自身の雇用も安定する、という信頼感によるものです。

第二に、安定した人のネットワークのなかでは「能力蓄積」が生まれることです。日本企業では、自分が得たノウハウや情報を部下や他部門の若手に惜しげもなく教えることが多い。これも同じく「他人に情報を伝えることが自分のマイナスにならない」という人本主義のネットワークがもたらす効果でしょう。

ただし、人本主義には人間のネットワークの安定に足を取られて「ぬるま湯」「しがらみ」に陥る危険性があります。甘い経営になりがちなリスクといかに戦うかが経営者の大きな仕事であり、令和の経営者には「厳しい人本主義経営が必要である」と申し上げたい。

従業員主権をメインとする経営についても、船が沈没しそうな局面では事業の取捨選択といった積み荷を捨てる決断も必要です。長期雇用の範囲や対象者を限定するなどの厳しさも当然、求められます。

平成が投資を見送った時代であるとするならば、これからは「積極投資の令和」であってほしい。過少投資への厳格な監視が、令和における日本的経営の必要条件であり、コーポレートガバナンスの大きな問題になるでしょう。よくインターネットビジネスでラストワンマイル（事業者と利用者を結ぶ最後の区間）が重要だといわれますが、私はさらに厳密な「ラストワンフィート」を求めたい。ＩｏＴやＡＩなどデジタルシステムと人間の生活を結ぶ最終区間には、人の手でなければ届かないほんのわずかな隙間があります。そのラストワンフィートを埋めるのは、気配りと「複雑性事業セグメント」に長《た》けた日本企業であってほしい。

私のような学者の立場から、経営者に「積極投資」を訴えるのは、気楽で無責任に響くかもしれません。そこで、最後に一つだけ例を挙げましょう。

私の尊敬するアルバート・ハーシュマンという経済学者が、著書Development Projects Observed（邦訳『開発計画の診断』巌松堂出版）で「神の隠す手の原理」という素晴らしい指摘をしています。

低開発国が泥沼に嵌《は》まった段階から抜け出すことに貢献した経済プロジェクトに関する話で、神は達成不可能に見える「プロジェクトの困難さ」を隠すと同時に、挑戦者のもつ「創造的努力のエネルギー」をも隠している。「予想されなかった困難」と「克服する力」の両者を神が公平に隠してくれたおかげで、プロジェクトの成功と経済全体の発展に貢献する偉大な成果が生まれた、というのです。歴史をお手軽な教訓とするのではなく、「いかにして歴史が動いたのか」のメカニズムを追究することが学者の使命だといえるでしょう。

外資は意外と人を見ている

御立　データによる実証を含め、たいへん説得力のあるお話で感銘を受けました。一点のみ、先ほどおっしゃった「過少投資への厳格な監視」について。

シリコンバレーでも信頼のネットワークが形成され、そのなかでアニマルスピリットをもった人たちを結びつけることでイノベーション投資と成功が続いた成功例があります。

日本がいまさらＧＡＦＡの真似をしても無意味で、人本主義のなかでイノベーションの種が生まれる場を、多産多死のなかから見出さなければならない。次世代のデータ経済において、日本がファーストイノベーターになる機会を逸しつつあるのではないか、という危機感を抱いています。

伊丹　おっしゃる危機感はよくわかります。イノベーションの育成については私自身、日本の政・官・財が音頭を取って失敗した例をさんざん見てきており、じつのところ楽観的ではありません。まだしも大企業主導で、デジタルとリアルの製造物を結びつけるところで何とか日本の特長が出せるのではないか、と考えています。

ただ、日本にデミング賞というのがありますね。戦後の日本企業に統計の重要性を伝えたＷ・エドワーズ・デミング博士に因《ちな》んだ賞ですが、じつはデミング氏本人は品質管理（ＱＣ）についてはべつに語っていないのです（笑）。統計が重要という彼の言葉を日本の現場が換《かん》骨奪胎《こつだつたい》し、飛躍的な品質改良を成し遂げてしまった。ああいうかたちでの知恵の発揮はありうると思います。もう一つ大事なのは、人にお金をかけること。

御立　伊丹先生がおっしゃる「ピザ型グローバリゼーション」の中央のトッピング部分の分野で、外部の人材も含めて人を集めることに政府がもっと資金を投じるべきでしょうね。たとえ泥水にお金が沈んだとしても、そのなかから四、五、面白いアイデアの芽が出て蓮《はす》の花が咲けばよいのです。

金子　日本はシリコンバレーの資本主義的側面を強調するあまり、御立さんご指摘の信頼ネットワークなど、日本とは異なるアメリカの人本主義の要素を評価し損なっているのではないでしょうか。

松本　実際、外資系企業に在籍して感じるのは「外資は意外と人を見ている」ということです。ヘッドハンティングにしても、業界の情報や口コミも含めて人に関する情報が多く、報酬だけでなく会社の風土、仕事のやり甲斐も含めて「どんな待遇で人を招くか」について、日本企業よりもよく考えが練られている、と感じます。

御立　アメリカと日本の違いは、アメリカが得意なのはイノベーションの入り口であって、次の成長段階で従業員のエネルギーと知恵を求められる局面では案外、日本が優位かもしれない。

平泉　一言でいえば、アントレプレナー（起業家）とマネージャー（管理者）の差ですね。

亀井　ゼロから1にするか、1から10にするかの違いでしょう。後者は長けていますが、前者がきわめて弱い。

経営・経済問題の政治化

平泉　日本企業の最大の問題点は、経営・経済問題が政治化していること。社内の機能別または事業部門間抗争のなかで、伝統的本業・主流派、社内政治に長けた人間、社長に近い人の声が大きくなってしまう。そこには経済合理性が希薄です。組織維持が自己目的化してしまい、人本主義の経営で「いかにして顧客の役に立つか」が二の次になっている。どうすればよいとお考えですか。

伊丹　私のお答えは単純です。そんな企業は潰れてしまえばよい（笑）。

亀井　いまの論点はたいへん重要で、お話のポイントは「厳しい」人本主義が必要である、ということではないでしょうか。伊丹先生も著書で書かれているように、厳しい欧米型経営は、厳しい日本型経営に劣ります。しかしぬるま湯の日本型経営は、厳しい欧米型経営にも劣る、ということです。

小黒　伊丹先生の考える「厳しい日本型経営」をイメージした際に、強固な人的ネットワークにともなう相互監視や同調圧力など、ネガティブな側面もあるように思います。徐々に変わりつつありますが、仕事の成果や質といった経済的な側面よりも、役所や伝統的企業などでは上司より先に帰れないなど、長時間労働のロイヤルティ（政治的な忠誠）を求める空気が、働き方改革の風潮のなかで批判に晒《さら》されているように見えます。

伊丹　それは政策が間違っていると思いますよ。日本人の働き方を変えてワーク・ライフ・バランスを達成する、という全体の方向性は立派だけれども、現実には労働時間の管理だけの話になってしまっている。

平泉　いくら入力である労働時間を統制しても無駄で、けっきょく出力である儲けが出る事業または業態に転換しなければ企業も従業員も繁栄できない、ということでしょう。

御立　ありがたいことにいまは超・人手不足時代が来ているので、多様な働き方のニーズや「人間らしい働き方で付加価値をつくるやり方」を認めないかぎり、人が採れなくなっています。

亀井　人が選択する組織、人から選ばれる組織にならなければならない、ということですね。

（『Ｖｏｉｃｅ』二〇二〇年三月号）

株主重視と社員重視のあいだ

岐路に立つ日本企業

三品《みしな》和広《かずひろ》（神戸大学大学院経営学研究科教授）

一九五九年、愛知県生まれ。八二年、一橋大学商学部卒業。八四年、一橋大学大学院商学研究科修士課程修了。八九年、ハーバード大学文理大学院企業経済学博士課程修了。同年、ハーバード大学ビジネススクール助教授。北陸先端科学技術大学院大学知識科学研究科助教授等を経て、二〇〇四年より現職。主な著書に『戦略不全の論理』（東洋経済新報社、二〇〇四年、第四五回エコノミスト賞、第二一回組織学会高宮賞、第五回日経BP・BizTech図書賞受賞）などがある。

「日本企業」とは何か

永久　今回は、私たちの「新時代ビジョン研究会」に三品和広さんをお招きして「岐路に立つ日本企業」というテーマでお話をいただきます。

三品　よろしくお願いします。まず「日本企業」というとき、われわれが考えなければならないのは、日本企業の定義が以前と大きく変わっている点です。グローバル化した現在、何をもって「日本企業」と呼ぶのか。日本で創業したから日本企業なのか、日本に本社があるから日本企業なのか。定義が曖昧なところがあります。たとえば日本を代表するトヨタ自動車は、いまや社員の約半分が外国人です。花王も外国人の社員が過半数を占めており、ソニーに至っては六四％が外国人です。また株主に占める外国人の割合を見ると、トヨタは意外と低く五分の一程度ですが、花王は四八％、ソニーは五八％。意外なところでは「無印良品」の良品計画も株主の半分以上が外国人で、社員も六七％を外国人が占めています。

かつて一九七〇年代、多国籍企業という表現が使われました。しかしベルリンの壁が崩壊した九〇年以降、企業は「無国籍化」したといってよい。株主も社員も外国人が過半数を占める現状で、企業の国籍を語ることにどれほどの意味があるでしょうか。経済統計はすでにGNP（国民総生産）からGDP（国内総生産）へ、つまり「国籍・国民の別を問わず、国内で生み出された富すべて」を算出するようになりました。にもかかわらず、企業・経営に関する議論だけがいまだに国籍にこだわる古いパラダイムで語られています。

この点を突き詰めてお話しすると切りがないので、さしあたり今回は「東京証券取引所および大阪証券取引所に上場している企業」を日本企業と呼ぶことにします。

私がここ十五年ほど続けてきたのは、企業・事業に関する大量のケーススタディ（事例研究）です。たとえば「事業セグメント」を分析の単位に定めて膨大な事例を集め、そのなかから利益率の高い事業を抽出・分析する。あるいは「製品占有率」を分析単位に高いシェアをもつ企業を抽出・分析する、ということを行なってきました。よい結果が出た事業の裏には何らかの優れた戦略があるのではないか、という仮説を立てて検証する手法を取っています。

一連のケーススタディを続けるなかで見えてきたのは、従来の見方とは異なる日本企業の特徴です。

たとえば、日本企業の三種の神器は「終身雇用」「年功制」「企業別組合」（ジェームズ・C・アベグレン）である、といわれます。しかし複数の先行研究から、むしろ次の三つのほうが、日本企業の本質を正しく言い当てているように思います。

一つ目は「大量の新卒採用」で、企業の入り口がほぼ新卒者に限られていること。

二つ目は「遅い昇進」。新卒採用した人たちをきわめて遅いペースで選別しながら昇進させていく。

三つ目は「頻繁かつ小幅な定期異動」。前述の遅い昇進ペースのもと、人事異動を繰り返してさまざまな部署で経験を積ませること。

これら三つの特徴が示すのは、意外に響くかもしれませんが、日本企業の「厳しい実力主義」です。昇進が遅く、頻繁かつ小幅な定期異動のもとで四十代半ばまで実務をもち、新卒入社から二十年をかけて複数の部署で仕事をする。それまでに最低でも四、五人の上司に評価されることになるわけです。当然ウマの合う上司もいれば、そりが合わない上司もいる。事業によって比較的、楽に結果の出る時期もあれば、向かい風でなかなか芽が出ない時期もあります。

これら上司と部下、部署と事業の組み合わせを二十年も変えながら、人事考課のプラスとマイナスを競い合うわけです。ふるいに掛けられて幹部候補として生き残ったのは、そうとう「強い」人物と見てよいでしょう。選ばれた人の資質としては、学歴以上に生まれ育った環境によるところが大きい。私はかつて日本能率協会で十年以上、部長職のための次世代経営者育成プログラムで主任講師を務めていました。各企業がエースとして研修に送り込む人の経歴を見て、「農業」や「自営業」の家の出身者が多いことに気付きました。日本企業の環境で生き残れる素質をもっているのは、いわゆる学歴秀才ではない。むしろ自然災害や気まぐれなお客を相手に、愚直に耐える大人の姿を見て育った人が多い。

日本企業の人事評価はきわめて多面的で、文字どおり三六〇度の評価システムといってよい。仕事ぶりだけではなく全人格をチェックされ、前述のように異動が頻繁なので、中国や欧米のように一人のボスの顔色だけを窺っていても出世できません。

たとえば営業職であれば、愛知県の名古屋を担当して実績を上げた人が、次に山形県の酒田に配置されるという具合に、市場規模も商習慣もまったく異なる地域に移る。悪戦苦闘のなかで地域・個別の事情を越えた普遍的な法則を見出すようになり、イレギュラーな事態への対応力が養われます。そうした力を付けた社員を地方から本社に戻し、経営者候補に育て上げるわけです。小池和男先生（法政大学名誉教授・労働経済学）は、こうした日本企業の人材育成の仕組みを「幅の広い専門性」を身に付ける人事システムとして評価しています。

「創業経営者」と「操業経営者」の違い

三品　このような日本企業の人事システムを導入するメリットとして、たしかに現場は強くなります。部長以下で構成される組織として見るならば、日本企業は世界最強でしょう。ただし「四十代まで実務をする」ということはこの間、経営に必要な素養をいっさい積まないことを意味します。現場だけに強い人が経営者になった途端、足りないものだらけになってしまう。

経営者のタイプとして、日本では、管理型の人が社長になることが圧倒的に多い。経営型の人は「自分より無能な人間に評価されるのに耐えられない」といって会社を出てしまい、最も経営に向かない人が会社に残って社長として舵取りをする、という悲劇が起こるわけです。

ここで生じるのが、経営型の「創業経営者」と管理型の「操業経営者」の違いです。同じ「そうぎょう」でも両者が重んじる要素はまったく異なる。一覧表にすると、以下のとおりです。

（項目）	創業経営者（経営型）	操業経営者（管理型）
【経営】	操舵	管理
【戦略】	独創	計画

【目標】　独走　　　　　規模
【情報】　巡視　　　　　新聞
【実行】　率先　　　　　委任
【言語】　理想　　　　　数字
【趣味】　経営　　　　　球技

「創業経営者」は独創と独走、他を寄せ付けない抜きん出た経営をめざします。ところが「操業経営者」の頭にあるのは規模、限られた業界の範囲内でどれだけ自社が頑張っているかを意識している。また創業経営者は現地・現場に足を運んで視察を重ねるけれども、操業経営者は毎朝、社用車のなかで「新聞を何紙読んだか」が自慢の種になっている。創業経営者は理想を語り、率先垂範して行動するけれども、操業経営者はノルマの数字を語るだけで、実行は下任せで何もしない。操業経営者は仕事が趣味ではなく、野球観戦やゴルフなど球技が大好きです（笑）。

ファーストリテイリングの柳井正氏や日本電産の永守重信氏のように、「創業経営者」のなかには国際競争の舞台に上げてもまったく引けを取らない経営者がいます。問題はサラリーマン経営者のほうで、「操業経営者」は創業者のつくったものを墨守するだけのモードに入ってしまう。このネガティブな姿勢が世界における日本企業の圧倒的な弱さを生んでいます。

日本人の経営者の報酬は「高すぎる」

三品　創業経営者に関していえば、アメリカでも二十世紀初めのフォード（ヘンリー・フォード）や十九世紀のP&G（ウィリアム・プロクター&ジェームズ・ギャンブル）のように、名だたる企業は創業者の名前を冠しており、個人商店のようなものでした。

やがて時がたち、創業者が引退に際して番頭さんに経営を任せようとしたら、経営について何も知らないことに気付き、愕然《がくぜん》とするわけです。そこから生まれたのが、経営者に仕える番頭ではなく、経営者をあらかじめ育てようとする仕組みです。こうして一九〇八年に、ハーバード・ビジネス・スクールのMBA（経営学修士）プログラムが設立されました。アメリカの経営の智恵というのは、まさにこの点にあると思います。MBA取得にかかるコストは二年間でおよそ二〇〇〇万円。リスクを取って自腹のお金を張った人でなければ、キャリアの入り口で経営者候補になれない仕組みが出来上がっている。日本企業のように、会社がお金を出して社員の人材育成をしてくれることはありません。

つまり日本企業の社長の多くは、自分でリスクを選び取って社長の座を獲得した人ではない、ということです。複数の上司に頭を下げて四十年、辛抱を続けた挙げ句、上から「社長をやれ」と命じられた人たちです。経営戦略を学ばないまま、経営に最も向いていないタイプの人が経営者になってしまう。これが日本の悲劇です。

二〇一八年にカルロス・ゴーン氏が逮捕されたとき、欧米の経営者の高額報酬が非難されました。しかし私にいわせれば、自腹を切ってリスクを取り、ＭＢＡを取って社長になった人と、投資の負担もリスクもいっさい負わずに社長になった人で、報酬が変わらないのはおかしい。したがって、日本人の企業経営者の報酬はいまでも「高すぎる」と私は考えていません。

経営者をめざす人であればまず、自分に投資しなければなりません。それは自分を磨くことでもあります。私自身、ハーバード大学に採用されてＭＢＡのプログラムで教えてきましたが、私のポストへの応募者は約二〇〇人でした。日本の大学教員の競争倍率とは桁《けた》が違う。競争のなかで勝ち抜いた一人が報酬を得る、という仕組みが厳然としてあります。

いくら日本企業が社員を守ろうとしても、守る側の企業が国際競争に敗れれば結局、社員は路頭に迷うことになります。個人としては、会社が潰れて初めて自分の市場価値に気付くより、日ごろから一般社員も含めて報酬を市場原理に晒《さら》すほうが結局、社員を守ることに繋《つな》がる。同じ大学卒で、同じ企業の同じ経理部に勤める人でも、国際税務の仕事と原価計算の仕事では市場における給与水準がまったく異なります。社員の側も、人事部の辞令に従ってキャリアを形成するのではなく、よりポジティブに考えて自分の仕事を選ぶべきです。人間は守れば守るほど弱くなる。会社も、国も同じです。

日本が終戦後、瓦礫の山から立ち上がって国際競争に勝ったのは、どの国も日本を守ってくれなかったからです。「自分の城は自分で守る」という戦後の日本企業の基本的発想にこそ立ち返るべきでしょう。

中庸の制度設計を

三品　皆さんよくご承知のように、英国のようなアングロ・サクソンの経営のいちばんの特徴は「株主重視」にあります。利益はもっぱら株主配当か再投資に充《あ》て、社員にはあまり還元しない。歴史的に見ても、英国の経営はそもそも株主重視でした。十七世紀の東インド会社は、王や女王から貿易に関する独占権を許された勅許《ちょっきょ》会社（chartered company）でした。王室が株主なので、まさに「株主絶対主義」といえるでしょう。

対する日本の経営は「社員重視」で、企業の成長と内部留保を大切にします。ただしここでいう重視の対象は、じつは正規社員だけです。期間工やパートタイマーなど非正規社員に対する処遇は決して厚くはなく、日本企業が必ずしも会社に携わるすべての人を重視しているわけではありません。もう一つの誤解として、英国とは異なり、ドイツやフランスの経営はじつは日本型に近い。「欧米型」と一括りに論じるのは問題があります。

「株主重視」にも「社員重視」にも、それぞれよい面と悪い面があります。たとえば、社員重視の企業は現場を大切にするので、製品の品質が上がります。株主重視のアメリカは、現場がどうしても弱い。そこで彼らはiPhoneの製造を鴻海《ホンハイ》に外注するなど、ＥＭＳ（電子機器の受託製造サービス）によって欠点を克服しています。

一方で、社員重視の日本企業のほうはなかなか不採算事業や人員を切り捨てられず、非効率な経営という欠点を克服できずにいます。考えられる解決策としては、持ち株会社による事業ポートフォリオの組み替えや、外国から経営者を連れてくることです。

この点だけを見ると、日本企業の分が悪いように映ります。しかしアングロ・サクソン型の経営の問題点として、株主重視の経営は少数者が富を独占する金融資本主義に行き着きます。アメリカ式ガバナンスのもと、株主総会で経営者を選ぶと、保有株式数に比例して投票権が与えられるので、株を多くもつ者がＣＥＯや報酬を決めることになります。ファンドをはじめ一部の投資家コミュニティが膨大な資金を動かし、巨万の富を独占してその他が取り残される構図です。勝ち組の子が勝ち組になり、負け組の子は負け組のまま、という格差が固定化して不公平な社会になってしまう。

日本では戦後の「社会党一党独裁（自民党は市場原理主義に反対で、戦後の日本に欧米的な意味における保守政党は存在しなかった、という理解から）」により、高い累進性をもつ所得税と高率の相続税を課すことで、勝ち組の子が必ずしも勝ち組にならず、国民の富を平準化させることに成功しました。国際的に見て、階級闘争の起きなかった日本は結果的に正しかったのではないか。

理想をいえば、日本のめざす道は国際競争には積極的に加わり、かつ富が独占されない社会を築くことです。国内に閉じこもらず、かつアングロ・サクソン型のガバナンスに追随しない「中庸《ちゅうよう》の制度設計」が求められる。ボードメンバーに、株主重視と社員重視のガバナンスのあいだの適切な「裁定者」を置くことができれば、企業経営の世界は大きく変わるでしょう。中庸のモデルを日本が率先してつくり、世界に範を垂れることを考えるべきではないでしょうか。

裁定者をいかに据えるか

亀井　いまのお話でたいへん興味深いのは、最後に述べられた「裁定者」の設計です。株主重視と社員重視の折衷を図るにあたって、経営のボードメンバーのなかで従来型の外部取締役や監査役に裁定者の役割を求めるのか、社員代表を置くのか、あるいは社会の立場から意見を述べる人をマルチステークホルダーとして据えることを考えているのでしょうか。

三品　まず私の知るかぎり、社会や消費者の立場から経営に社会的な意見を反映させようとする試みはいずれも失敗に終わっています。それらは往々にしてたんなる顧客目線や主婦目線、市民目線の要望で終わってしまい、経営自体を変えるには至りません。またファンドや社員代表を取締役会に入れても、そもそも会話が成立しない。経営の世界とは「言語が違う」からです。よって、裁定者の条件としては共有言語で議論ができる人ということになります。とくに外国人経営者が来た場合、最初から経営者として訓練された人とのあいだで組織運営の話ができる人がどれだけ日本にいるでしょうか。

また、最近の日本企業は株式の持ち合いならぬ「経営者の持ち合い」を行なっています。他社の経営者を社外取締役として招き合う仕組みですが、概して企業社会のなかで繋がっているケースが多く、他社にあまり辛辣《しんらつ》なことをいうと自社の事業に跳ね返ってくるのが怖く、何もいえない（笑）。結局、企業が株主総会という制度を取っている以上、一義的には株主の顔を見て判断せざるをえないのが実情です。企業の経営を見守る裁定者が株主の代表であってはならないし、社員の代表でも、顧客の代表であってもならない。

そこで考えられるアイデアとしては、一つにはたとえば東京証券取引所や省庁からの代表者が選定委員会を立ち上げ、裁定者の人材プールをつくって登録可能な人材を吟味する。登録した裁定者のなかから毎年、ルーレットを回して担当企業を決める、というのはありうるかもしれない。

亀井　国選弁護人のような仕組みですね。

小黒　先ほどの「中庸をめざす」という点に関して、一つ疑問があります。国際競争の向上を徹底的に行なう一方、相続税や所得税で再分配を強化する場合、経済学的合理性から見て何らかの歪みが生じると思います。

たとえば国際競争に堪えうるようなグローバル人材は、世界のどこでも活躍できるわけですから、そもそも日本に留《とど》まる必要がありません。彼らがシンガポールに移住し所得税を支払うようになると、日本のGDPや税収にはいっさい寄与しません。完全な中庸というのは不可能で、やはりある程度、どちらかに重心を置かざるをえないのではないでしょうか。現在のバランスでいえば、まさに日本企業は時代の変わり目のなかでアメリカのGAFA（グーグル、アップル、フェイスブック、アマゾン）や中国のBAT（バイドゥ、アリババ、テンセント）のテクノロジーに呑み込まれつつある。むしろ株主重視に舵を切るべき局面のように思われます。

三品　たしかにご指摘のとおりかもしれません。高額所得者や資産家で実際にシンガポールに居住地および納税地を移した日本人もいるやに聞いていています。ただ、高額所得者や資産家でも日本に残っている人が圧倒的多数です。その意味では、異なる制度を入れて選択の自由を与える行き方も成り立つ余地があると見ています。

小黒　もう一つは素朴な質問で、日本の専門経営者マーケットの量や質は現在どのような状況でしょうか。

三品　ほとんど市場はない、といってよいでしょう。落下傘式に入ってきた経営者で大きな実績を残したといえるのは、カルロス・ゴーン氏やハワード・ストリンガー氏のような外国人です。

永久　カルロス・ゴーン氏はなぜ日産自動車を立て直すことができたと思われますか。

三品　とにかく現場とコミュニケーションを取り、いち早くキーパーソンを見抜いた、という点に尽きますね。ある日突然、ブラジルや日本行きを命じられ、いずれも結果を出す、というのは並大抵なことではありません。日本の場合は部長以下、現場組織を組み伏せるだけのパワーがないと、いくらメッセージを打ち出しても伝わりません。現場との戦いに生き残った者だけが、経営者として高額の報酬を得られる、ということです。

平泉　日本企業でも、支店や子会社を試験場にして、そこで実績を上げた人を本店や親会社・持ち株会社の経営層に抜擢《ばってき》する仕組みがあります。ただし問題は、前の支店長が忠実な部下を副支店長からところてん式に引き上げてしまうこと。一年間のストレッチ・アサインメント（頑張ってどうにか解決可能な経営課題）を課された修羅場をくぐり抜けた人を経営者候補にする、という仕組み自体は有効で、部長の階層でのフェアな人事の線引きが可能だと思います。

金子　先ほどおっしゃった裁定者の仕組みをつくるとして、会社法などで法的に位置付けるのにはかなり工夫が要るように思います。

平泉　対象は上場企業ですか。

三品　基本的にはそうです。

亀井　ただし非上場であっても、社会に一定の影響力を及ぼす企業であれば責任は免《まぬか》れないでしょう。

末松　株主重視の偏りを是正するためにも、ステークホルダーとしての地域社会を視野に入れる必要があるでしょうね。たとえば人口一万人規模の島でいちばんの大企業が、年商三、四億円の温泉旅館や食堂を複数経営しているところだったりします。その企業が倒産したら、地域全体の雇用に一度に甚大なダメージを与えてしまいます。

小黒　三品さんの「裁定者」の設計に関するアイデアは、現状では行政が担うべき役割や仕事の一部に含まれるものに思いますね。

亀井　ただ、現在の行政にそれができていない。

末松　たしかに従来の議論では、地域貢献や環境対策など「そんなことまで企業がしなければならないのか」と思うことはあります。しかし高度成長期の公害問題を見てもわかるように、企業が地域社会に与える影響力はとても大きい。その点を考える必要があると思います。

金子　もう一つ、お話で興味深かったのは、農家や自営業出身者が大企業で偉くなる、という点です。

平泉　我慢強い人。

金子　彼らは辛抱強く組織に適応できる半面、自ら変化を起こす力がない、ということでしょうか。

三品　まさにそう思います。だからまず、経営人材の選択の方法から変えなければいけない。興味深いのは、日本の経営者でリスクを取ってＭ＆Ａ（合併・買収）に積極的な人は、学生時代に麻雀や競馬にのめり込んでいたりする。考えてみれば納得で、自分のお金を張ったこともない人が、他人の資金で勝負しようと考えるほうが間違いでしょう。学歴秀才で株もパチンコも無縁という温室育ちの経営者は、やはり「守られる」だけの立場に甘えている気がしますね。

（『Voice』二〇一九年五月号に加筆・修正）

デジタルトランスフォーメーションの挑戦

仕事と暮らしの充足を諦めない

湯﨑英彦《ゆざきひでひこ》（広島県知事）

一九六五年生まれ。東京大学法学部卒業。スタンフォード大学経営学修士（ＭＢＡ）取得。九〇年、通商産業省（現・経済産業省）入省。二〇〇〇年、株式会社アッカ・ネットワークスを設立、代表取締役副社長に就任。〇八年、同社を退任。〇九年、広島県知事に就任する。

臥龍の目を覚ます

湯﨑　私は広島県出身で、通商産業省（現・経済産業省）に勤めたのちにアッカ・ネットワークスというブロードバンド回線の提供企業を創業しました。ＷｉＭＡＸ規格の通信技術で無線通信への事業展開を図った試みが残念ながら実現せず、これを機に会社を辞め、ご縁があって広島県の知事に就任して十年、務めています。

平成二十二年、十年ごとに策定する県の総合計画がちょうど区切りを迎え、新たな十年を迎えるにあたり、本県のめざす姿を県民と共有するため「ひろしま未来チャレンジビジョン」を定めました。このビジョンのめざす姿は、「仕事でチャレンジ！　暮らしをエンジョイ！　活気あふれる広島県」としています。

根幹にあるのは、仕事の効率的なアウトプットと共に、豊かな暮らしの充足を両立させる、という考えです。現在の「働き方改革」は主に労働時間の短縮という観点から論じられています。しかし、たんに労働を減らす、あるいは仕事のために生活を犠牲にするという発想は新しい時代にそぐわない。両者の充実を諦《あきら》めない産業政策という点を突き詰めています。

現在、われわれが力を入れて取り組んでいるのが、「デジタルトランスフォーメーション（DX）」です。たとえば、以前は人口統計一つとってもアナログ（紙）で、各市町村から集めた人口移動の数字を手で入力していました。これをエクセルファイルの提出に変えて、簡単に集約できるようにしました。このようにペーパーレス化を進めています。また、仕事のチャレンジと暮らしのエンジョイを両立させるために、どこにいても同じパソコン・モバイル環境で仕事ができる仕組みの導入を始めています。

幸いなことに現在、広島県の足元の経済は悪くない状況です。県内の総生産や鉱工業生産指数、現金給与総額の支給総額や有効求人倍率（受理地別の数値）はこの十年で緩やかに拡大し、二〇一八年の豪雨災害による企業の生産活動の落ち込みも、災害前の水準に回復しました。主要産業は化学、自動車・機械、造船など。たとえば造船に関して、われわれが見ているのは受注残の数字です。何年先まで受注残があるかが重要な指標で、ここ数年は二年程度で安定しています。価格が低下傾向にあるなか、造船事業各社が見事に受注残をコントロールしている。

産業政策の基本的な考え方として、われわれは縦軸と横軸を意識しています。縦軸は産業別の施策、横軸は産業横断的な施策です。たとえば環境関連では、環境浄化産業クラスター形成事業。アジアと欧州の環境浄化に大きなチャンスがあると判断し、県内企業の海外展開を支援しています。二〇一一年に一〇〇〇億円だった県内環境浄化産業売上高は二〇一八年に一五四六億円となり、二〇二〇年に一五〇〇億円という当初の目標を二年前倒しで達成しました。県内に環境浄化関連企業が多数、集積していることに着眼し、企業を横串で束ねることにより、大きな成果を得ています。医療関連産業でも同様のクラスター形成事業を展開しており、スタート時には生産額九〇億円、企業数三〇社だったのが、平成三十年度は生産額二八五億円、企業数六二社まで成長しました。

　このとき明らかになったのは、海外展開を行なった企業と国内に留まった企業の差です。海外に出た企業はじつは国内の売り上げも伸びており、海外に出なかった企業は国内でも低落していました。戸堂康之氏（早稲田大学政治経済学術院教授）が『日本経済の底力　臥龍《がりゆう》が目覚めるとき』（中公新書）で述べたとおりのことが、現実に起きたのです。

県をデジタルテクノロジーの実証フィールドに

湯﨑　さらに現在、われわれがめざしているのは「イノベーション立県」。広島県をイノベーションのハブ（拠点）にしようと、多くの試みを進めています。たとえば、新たなビジネスや地域づくりにチャレンジする多様な人たちを集め、異業種の接触やビジネスプランの創出をしてもらう拠点として「イノベーション・ハブ・ひろしまＣａｍｐｓ」（中区紙屋町）を設立しました。
　併せて県が地元企業や中小企業基盤機構と共同で組成したのが、「ひろしまイノベーション推進機構」というファンドです。県がファンドに参加することに対してご批判も受けましたが、成長企業が次のステップに進むためにエクイティ（資本出資）を受ける仕組みで、県内企業の成長を支援するモデルとして創出しました。たんなるローン・借金とは異なる金融上の選択肢を増やしたかったのです。

また、冒頭に申し上げたデジタルトランスフォーメーションの好例が、自動車です。具体的にいえばなるべく試作車を製造せず、シミュレーションによって効率的に開発を行なうモデルベース開発（ＭＢＤ）を、研究・開発・生産から消費・サービスまで一気通貫させる取り組みです。広島大学デジタルものづくり教育研究センターと連携して自動車づくりのプロセス全体のデジタル化を進め、従来の産学連携よりはるかに深い密接な関係を構築しています。

加えて、広島県を新しいデジタルテクノロジーの実証フィールドにしてもらおうと考え、共創で何でもできるオープンな実証実験の場「ひろしまサンドボックス」を構築しました。三年間で約一〇億円を投入し、九つのプロジェクトを選定したのですが、興味深いことに予算配分後も参画者が集まり、さらに実証の輪が広がっている。今後は県外からも多様な人たちに来ていただき、中長期的にノウハウの蓄積と人材育成につなげたい。とくにＡＩ（人工知能）とＩｏＴ（モノのインターネット化）が予想外に進化しているので、ものづくりのバリューチェーンがＩＴ部分にどんどん吸い上げられていることを実感します。

さらにゲノム編集などの生命科学や、カーボンリサイクル（ＣＣＵ）という「回収したCO_2を利用して有価物をつくる」先端技術も支援していきます。エネルギーの面から見れば、日本が産油国から石油を買い続け、なおかつ資金を拠出してCO_2を抑制しようとするという道はナンセンスで、個人的には「日本が生き残るにはCO_2による有価物生産の道しかない」と考えています。

最後に、デジタルトランスフォーメーション推進本部による今後の取り組みの方向性として、三つの柱が挙げられます。一つ目は、行政プロセスをすべてデジタル化するデジタルガバメント。二つ目は、最初にお話しした仕事と暮らしのデジタル化。三つ目は、地域社会のデジタル化です。先端技術をあらゆる産業や社会生活に取り入れ、経済発展と社会的課題の解決を両立する新たな社会に向けた方策を今後も探り、取り組みたいと思います。

仕事をつくれる人をつくる

末松　いまお話に出た産業政策に関して、広島県のイノベーション・ハブの試みが面白いのは、中核企業の参加が多く、経営者もコミットしている点です。オタフクソース、中国電力、カイハラなど県を代表する会社から三十代前後の育ち盛りの社員が集まり、自社のプレゼンから社会課題を解決するデザインシンキングまで広く交流を行なっています。イノベーション・ハブというとベンチャー企業家の集まりを想像しがちですが、広島県の場合、普段は会社のなかにいて異業種を知らない若手を（半ば強引に）集め、外の世界に引き出すネットワーク化が功《こう》を奏《そう》している、と感じます。

平泉　デジタルトランスフォーメーションは、建設の分野でも国の号令の下、試行されています。ところが、弊財団ではバーチャルエンジニアリングの研究会を実施していますが、産業界と大学のあいだに大きな断層がある。大学はいまだに二次元の図面でやっている一方、産業界には三次元のモデルを二次元図面に翻訳する専門業者が出現し、結果、日本全体としては、依然として二次元の世界に取り残されているままらしい。

湯﨑　言語が違う、ということですね。ただし近年はデジタル化が進んだおかげで、産学連携にも共通の基盤ができてブレークスルーになりつつある、とも感じています。

亀井　起業や共創の支援について、他の自治体ではどちらかといえば、制度の構築が主体となる例が多いなか、多様な人の交わりを活かして人を支え育てる、その音頭を広域自治体が取る例は貴重です。顔が見える関係を活かし、経営者にもコミットしてもらい、彼らにも役割を果たしてもらっていますよね。広域自治体こそ、プラスサムの発想で「人」に資源を積極的に投入する具体的な取り組みが必要です。

湯﨑　結局、「仕事をつくれる人をつくる」育成をしないかぎり、長期的に見て自治体がじり貧になってしまうので、人を育てる力が県にも求められると思います。企業にとっては人材こそが競争力の源泉であり、加えて社会から見てもリーダー育成は急務です。

たとえば中山間地域の問題にしても、リーダーなしで地域の活性化はありえません。現在、広島叡智学園という全寮制の中高一貫校をつくって学びの変革を行なっているのもその一つです。世間ではグローバル・リーダーの育成が叫ばれていますが、いまの時代、グローバルとローカルのリーダーに求められる能力は共通しており、むしろローカルの課題を解決するほうが高い能力を求められています。

金子　教育や産業育成につながる点として、湯崎知事が行なっている取り組みは経済産業省の政策に近いものがある、と感じます。国ではなく都道府県だからこそ力を発揮できる点や役割について、どのようにお考えですか。

湯崎　県としては、やはり国よりもグラニュラーな（手触り感のある）把握《はあく》ができることが大きい。また、企業の活動範囲は市町村にまたがっていますので、基礎自治体では範囲が小さすぎてカバーできないところがあります。人材の点に関しても、やはり市町村だけで考えるわけにはいかず、広域的に見た政策が必要です。もちろん二重行政には無駄もありますが、産業や人材の問題は現実に重層的なので、ある程度ファジーさを残し、重なった政策を行なうことは必ずしも否定すべきではない、と考えています。

永久　基礎自治体と広域自治体、そして国とのあいだのコミュニケーションや調整、協同が必要ですね。

湯崎　そうです。もちろん互いの政策が真逆の方向性に走ってはいけませんが、こと町づくりや仕事、暮らしの改善に関しては、政党間でも極端な意見の対立はないはずです。

国に対して提言する都道府県へ

御立　以前から広島県の改革を見て感じるのは、湯崎知事は政策を行なう際、「何をどの範囲でやるか」をご自身で明確に決めている、ということです。たとえば観光の政策は県単独よりも瀬戸内海全域で取り組んだほうがよい、と考えてＤＭＯ（食や自然、文化などを通じた地域の観光経営）や観光ファンドを七県でまとめるなど、英明な藩主さながらの経営判断をつねに行なっています。

改革にあたって重要なのは、制度的にベストなものをつくること以上に、切れ味のよい判断を下せる首長がいるかどうかに懸かっている気がします。自治体ごとに一律の裁量を決めるのではなく、人によって権限の及ぶ範囲が異なっていたほうが、じつは日本的な改革に合致するのではないでしょうか。すべての権限をきちんと分割するのではなく、ややオーバーラップさせ、適材適所の運用ができることが、日本らしい変化起点になると考えています。

平泉　湯崎知事は、国内外にまたがる教育訓練経験、官民にまたがる実務経験、大小組織にまたがる就労経験をおもちの稀有《けう》な人材です。このような赫々《かくかく》たる成果を挙げているのは、議会の新旧交代とたまたま時期が合致したこともあって、知事のリーダーシップが既得利益に阻害されることなく発揮された、という僥倖《ぎょうこう》によるところも大きいとの印象を受けました。本研究会でお話しいただいた髙島宗一郎・福岡市長、片山健也・ニセコ町長の成功の例も僥倖なのか、僥倖を必然にし、日本として適材適所を少しでも実現する術《すべ》・仕組みを考える必要があるのではないでしょうか。

永久　改革を進めるうえで、制度やルールが障害になるという事態に直面することはありましたか。

湯﨑　やはり資金ですね。都道府県にはお金がないので。

小黒　高齢化に伴う社会保障費の急増が国の財政を圧迫しており、国にも余裕がない状況です。地方分権を進め、いくつかの地域単位で政策決定を行なったほうがはるかにスピーディな改革が可能なのではないでしょうか。

平泉　いちばんの問題は、日本にはリスクキャピタル（元本がゼロになるリスクを負う資金供給者）がないことです。日本の金融機関の大部分は元本保証であり、合理化や更新ではなく、成長にお金をつける機関がそもそも存在しない。だからこそ、ひろしまイノベーション推進機構のような試みは面白いですね。

小黒　デジタル政府の推進も重要で、それを積極的に利用する自治体とそうでないものとのあいだで格差が広がると思います。補助金も各省庁の「ひも付き」ではなく、できるかぎり交付金化し、知事の先見性に応じて活用していくほうが望ましい。

亀井　予算が求心力の源泉になっているのが間違いです。中央省庁が都道府県に、都道府県が市町村に求める構造ですが、持続可能ではありません。むしろ、「世界の潮流を踏まえ、われわれはこれでいこう」と具体的なビジョンや方向性を示せるだけの専門性をもつこと、それこそが求心力の源泉にならねばなりません。専門性を活かし、具体的なアドバイスができればよいのです。そうなれば、基礎自治体も含めて、地域全体は変わっていきます。豊かな暮らしと経済があるまちになっていきます。この転換にいち早く気付き、実践できる首長のいる広域自治体から変化が始まるでしょう。

小黒　もっとも、いきなり予算の話から入ると中央省庁も警戒するので、デジタル政府のようなテーマを切り口に改革を推進するのがベストに思います。自治体の役割についても、たとえばスペインでは、政府や議員のほかに住民や各地方の自治州議会に法案提出権がありまず。省庁に制度改革案を要望するだけではなく、実際に都道府県が法案を提出できる権利を認めるところから少しずつ切り込み、国の制度を変えていく道もあると思います。

湯崎　じつは実際、全国知事会（会長：上田清司・埼玉県知事＝会長任期：平成三十一年四月十七日～令和元年八月三十日）のなかでおっしゃったような動きがあります。従来、知事会の議論は国に対する要望が主でしたが、上田知事が「行動する知事会」を掲げて以来、政策を打ち出す機運が高まっています。四七都道府県が一度に動くのは難しいかもしれないけれども、政策に共感した複数の自治体が実際にやってみて改革に成功したケースがあれば、国が取り入れることはプラスになります。

亀井　ありたい社会を示すビジョン・ドリブンであると同時に、具体的な取り組みや事業が引っ張るファースト・アクションを示すことが大事ですね。広域自治体の強みは、住民の現場に密着しているので具体的な手触り感があり、ファースト・アクションを確信をもって起こしやすい。ビジョンとアクションが明解な首長がいれば、任せるべき人も具体的に見えますから、誰を現場に充《あ》ててどの仕事を担《にな》ってもらうかを決め、フォロワーに至るまでの改革の連鎖を形作ることができます。

湯崎　たとえば広島県で土木事業に関するデジタライゼーションを行なったとき、デジタル化された技術資料が蓄積されました。「デジタルデータであれば、他の自治体に販売することもできるのではないか」と。技術データは更新されるから、永続的なサブスクリプション（サブスク＝定額制）型サービスにもつながるわけです。

松本　広島の場合、マツダというプレーヤーの存在感も大きいと思います。以前と比べて企業戦略が大きく変わってきた印象がありますし、実際によい車が作れているように感じます。広島県経済への貢献度は高いのではないでしょうか。近年は広島カープも好調で、全国のなかで県の存在感が際立っています。

湯﨑　有難いことに、私が知事になってからマツダは復活するわ、広島東洋カープは三連覇するわ、サンフレッチェ広島は三回優勝するわで、よいことずくめです。広島の勢いがさらに続くと嬉しいですけれどもね（笑）。

（『Voice』二〇二〇年一月号）

アジアのリーダー都市へ

権限と現場が両立する政令市の強み

髙島宗一郎《たかしまそういちろう》（福岡市長）

一九七四年、大分県生まれ。大学卒業後、九州朝日放送に入社。アナウンサーとして朝の情報番組などを担当。二〇一〇年に退社後、三十六歳の若さで福岡市市長選挙に出馬し当選。歴代最年少の福岡市長に就任。一四年、史上最多得票で再選。シアトルのビジネスに影響を受け、一二年にスタートアップ都市・福岡宣言を行う。一四年三月、国家戦略特区（スタートアップ特区）を獲得、数々の施策とムーブメントで日本のスタートアップシーンを強力に牽引。福岡市を開業率三年連続日本一に導く。

シアトルと福岡市

髙島　私は基礎自治体の市長を務めていますが、「日本という国をよくしたい」という思いは皆さんや国会議員の方々と同じです。以前、麻生太郎・財務大臣にお目にかかったとき、「いつ国政に出るのか」と尋ねられました。でも私は、国会議員になることが必ずしも国を変えることではない、と考えています。

国会議員の仕事は法律をつくることです。しかし、全国の各地域にはそれぞれ多様な問題や特色、強みがあります。一律の法律を適用することが必ずしも地域の課題を解決し、まちづくりに有効に働くとは限りません。むしろ地域の特性に合わせて、自治体がそれぞれ持ち味を発揮するのが、国を元気にすることにつながるのではないでしょうか。

二〇一〇年に福岡市長に就任して以来、私が実行してきたのは、①短期的施策の「交流人口の増加」、②中期的施策の「知識創造型産業の振興」、③長期的施策の「支店経済からの脱却」という三つの成長戦略です。二期目の選挙で掲げたキャッチフレーズは「FUKUOKA NEXT（フクオカ ネクスト）」。人と環境と都市活力の調和がとれたアジアのリーダー都市をめざして、福岡を次のステージへ飛躍させるというチャレンジです。

私が福岡の特性に着目したきっかけは、二〇一一年にシアトルを訪れたことです。福岡市の人口（約一五八万人、二〇一八年十月一日時点）の半分以下である約七二万人のシアトルに、なぜスターバックスやアマゾン、コストコやボーイングなどアメリカの代表的企業が軒並み本社を構えるのか。最初は不思議でした。

しかし話をよく聞いてみると、シアトルは西の港湾に面したコンパクトシティであり、ワシントン大学をはじめ、大学のキャンパスが多い。住居エリアも明確にゾーニング（区分け）されており、生活がしやすい。「これって福岡のことじゃないか」と、シアトルとの接点に気付いたわけです。

そこであらためて福岡市の特性を振り返ると、福岡市は第三次産業が九〇％を占める「第三次産業のまち」です。市内に一級河川がなく、工場立地をしにくいマイナスの地理的特性が、逆にサービス業や情報産業を育んだ経緯があります。よく福岡は「七社会経済（電力やガス、銀行ほか大企業七社による「互友会」が支える経済）」といわれますが、そんなことはありません。町を支えるのは九割を超える中小企業の力です。また、半径一〇〇〇km圏内に上海やソウル、釜山《プサン》などアジアの主要都市が位置する「地理的優位性」もあり、学生の割合が政令市中第二位という「人材の宝庫」でもあります。

にもかかわらず、福岡より東京で働く人が多いのは、単純に東京のほうが仕事も所得も多いからです。ならば、福岡市はシアトルのようにビジネスと住みよさを兼ね備えた、世界中からチャレンジの志をもった人たちが移住したくなる都市にしたい、と考えました。

スタートアップなくして雇用創出なし

髙島　そこで私が目を付けたのは、スタートアップ（起業、新規事業の立ち上げ）です。二〇一二年に「スタートアップ都市ふくおか宣言」を行ない、二〇一四年に日本で初めて国家戦略特区の「グローバル創業・雇用創出特区」の指定を受け、官民共働のスタートアップ支援に取り組んでいます。

スタートアップが経済に与える最も大きな影響は、「雇用の創出」です。日本で開業三年以内の事業所は全体の八・五％程度にすぎません。しかし、その八・五％の事業所が、じつに全体の三七・六％の新規雇用を生み出しているのです。歴史の長い企業ほど新規雇用者が少なく、若い企業は新規雇用者が多い。つまり新しい企業が生まれないかぎり日本の雇用は伸びない、ということです。

グローバル創業・雇用創出特区による新たな試みとしては、まず「スタートアップビザ（外国人起業活動促進事業）」が挙げられます。外国人が日本で起業するため、経営・管理ビザの申請をしようとした場合、オフィス、資本金、職員雇用などが必要ですが、それらの要件を満たすには手間も時間も掛かります。そこで福岡市が、特区に提案し実現したのが「スタートアップビザ」です。福岡市が、起業準備活動計画書などで一年以内に経営・管理ビザの取得要件を満たす可能性を判断し、確認証明書を交付します。出入国在留管理局にその証明書を付けて申請し審査を受けることで、最長一年間の在留資格が認められる仕組みです。その在留期間中に経営・管理ビザの申請要件を満たせばよいので、着実に起業を進められます。

また、スタートアップ法人減税（市税は法人市民税が最大五年間全額免除、国税は最大五年間所得金額の二〇％を控除）の実施や、統廃合された旧大名小学校の校舎を改装した官民共働型のスタートアップ支援施設「フクオカ・グロース・ネクスト」を設立しました。「フクオカ・グロース・ネクスト」には累計二五九社・団体に入居いただき、創業のサポートや相談を行なっています。施設内には無料で利用できるスタートアップカフェや雇用労働相談センターから、シェアオフィスやコワーキングスペース、バーまであり、起業者のネットワークの輪に入って情報や人脈、チャンスを得ることができます。福岡進出や海外進出の支援、事業者とのマッチングからスキルアップのアドバイスまでフルサポートする体制を築いています。

さらに、海外との協力支援体制としてヘルシンキ（フィンランド）、エストニア、台北（台湾）、ボルドー（フランス）など世界一〇カ国・計一四カ所とＭｏＵ（スタートアップ国際交流支援に関する覚書）を締結するなど連携しています。都市間の提携がうまくいくのは、外交・安全保障に携わる国同士ではなく、市民に最も近い行政府同士だからだと思います。お互いにプラスになるアイデアを語り合うことが多くあります。

こうしたスタートアップ支援策が、内外から起業や新たなビジネスを志す人を福岡に呼び込み、さらに官民共働で新しい価値やサービスの芽を出していく、という好循環が生まれています。最近の例として、ＡｎｙＰａｙと協働で、電動キックボードで公道走行を可能にする規制緩和を特区に提案したほか、Nature Innovation Groupと一緒に傘のシェアリングサービス「アイカサ」を始めました。

外出先で予想外の雨が降りだすと皆、コンビニエンスストアに駆け込んで五〇〇円の傘を買い、雨がやんだら路上や駅のゴミ箱に捨ててしまう。あるいは店舗に忘れたふりをして放置する人もいます。そこで、公共交通機関や商業施設など天神・博多の主要スポットにアイカサを設置し、一日七〇円の傘シェアリングサービスを始めました。

特区と市独自の取り組みによる効果によって、福岡市の新規事業所数は二〇一七年に三三五一に達し、五年連続で過去最高を更新しました。開業率も七・五%と政令市では唯一、五年連続の七%台を記録しています。

天神ビッグバン始動

髙島　私が市長に就任した二〇一〇年から五年間で、福岡市の人口増加数・率は全国の政令市で第一位になりました。市税収入は政令市で唯一、五年連続最高額を更新しています。暮らしやすさの点でも、二〇一八年度の市民意識調査で九七・一%の方が「住みやすい」と答え、世界で注目を集めるイギリスのライフスタイル情報誌『MONOCLE（モノクル）』の「世界で最も住みやすい都市」の二〇一六年ランキングでは世界七位にランクインしました。

しかし経済が急速に伸びる半面、「成長痛」もあります。福岡市への入込《いりこみ》観光客数（延べ数）は六年連続で過去最高を更新し、クルーズ船の寄港回数は四年連続で全国一位となりました。ところが前述の『MONOCLE』二〇一八年ランキングでは、福岡市は二二位に落ちてしまったのです。

理由の一つは「記録的な数の観光客が訪れるなかで、行政が住民や企業のニーズへの対応に追われている」というものでした。たとえば、グローバル企業が福岡市に本社を構えようとしても、オフィスの供給が足りず、ワンフロアに全社員が入れる物件がないのです。

しかし私たちは、このピンチをチャンスと捉えました。オフィス不足や「ホテルが満室ばかりで予約できない」という批判もメディアからいただきましたが、むしろ有り難い声だ、と。なぜなら、まず需要があることを喚起・周知させなければ、ビルやホテルの供給支援がたんなる「利権のための箱モノづくり」と誤解されてしまうからです。

そして、オフィス不足というピンチをチャンスに変えたのが「天神ビッグバン」。二〇一五年から二〇二四年までの十年間で三〇棟の民間ビルの建て替えを誘導し、空間と雇用を創出する一大プロジェクトです。

福岡の中心市街地開発における最大の難点は、航空法に基づく「高さ制限」でした。たとえば、天神中心部では高さ六七m（オフィスビル・複合ビルで一五階前後）以上の建物をつくることができず、開発が制限されていました。

ご承知のように福岡の中心街は福岡空港からたいへん近く便利ですが、高さ制限のエリアが空港からすり鉢状に広がっており、高層ビルが建てられない。容積率にも厳しい制限があり、「建て替え自体にメリットがない」という状態でした。

ところがある日、福岡市役所の屋上から市内を眺めていて、違和感を覚えました。高さ制限によってスカイラインが揃っているはずなのに、よく見るとＮＴＴコミュニケーションズ天神ビルの鉄塔が頭一つ飛び出している。調べてみると、航空法以前からある既存建築物でした。航空法の制定（一九五二年）から六十年以上がたっていますが、ＮＴＴのビルは現在に至るまで何ら支障なく、事故も起きていません。昔にできた航空規制が有名無実化しているのではないかと考え、国土交通省と度重なる折衝を行なった末、特例を認めていただきました。

規制緩和の結果、天神明治通り地区と旧大名小学校跡地では高さ一一五ｍ（オフィスビル・複合ビルで二六階前後）まで建設が認められました。容積率は八〇〇％から最大一四〇〇％へ緩和され、桁違《けたちが》いの空間が創出されたのです。事業者に与えるメリットは計り知れず、かつ「二〇二四年まで」という建て替えリミットがあるので、皆さんこぞって天神ビッグバンに参画いただいています。つまりほとんど税金を使わずに、老朽化したビルを一気にスマートな最先端のビルに建て替えられる、ということです。

世界を変えるロールモデルになる

髙島　人類史上、誰も経験したことのない課題があります。いうまでもなく「少子高齢化」です。誰かが本腰を入れて着手しなければならないけれども、なかなか解決に向けた動きが進んでいません。

そこで私たちが手を挙げました。政令市である福岡市には、「権限」と「現場」の両方があるという強みがあります。福岡市は都道府県並みの権限に加え、特区を活用して国の規制緩和を適用でき、なおかつ市民生活の現場を熟知しています。政令市以外の市町村には権限が少なく、国や都道府県は現場を知りません。あらゆる面から動きやすい状況にあることを自覚し、人生百年時代の健寿社会モデルをつくる一〇〇のアクション「福岡一〇〇」の挑戦を始めました。

いくつか例を挙げます。一つは、ケアテックの推進です。「入院から在宅へ」という医療制度の流れのなか、遠隔モニタリングで単身高齢者の健康状態を把握し、万が一、室内で倒れた場合は自動的に運営者に連絡が入り、訪問看護師が駆け付けるサービスなど、ＩｏＴ

（モノのインターネット）やＡＩ（人工知能）を活用した課題解決につながるサービスの実証を市がフルサポートしています。

特区の規制緩和を活用して、全国初となるオンラインでの遠隔服薬指導も始めています。オンラインでの診察や服薬指導は、地域の病院や薬局と競合するので当然、反発もあります。しかし少子高齢化が抗し難い流れである以上、医療サービスのＩＴ化もまた不可逆的である、といわざるをえません。地域包括ケアのビッグデータを集約し、在宅連携支援・情報提供・データ分析の各システムを活用する「care 4ＦＵＫＵＯＫＡプロジェクト」も進行中です。

認知症に関しても、ＩＣＴ（情報通信技術）を活用した取り組みを行なっていますが、さらに興味深いのは、二〇一六年に導入した「ユマニチュード（「Humanitude」＝人間らしさの意）」というフランス発祥の認知症コミュニケーション・ケア技法です。

たとえばお見舞いで認知症のおばあさんに話し掛けるとき、子供に話し掛けるような高い声と、低い声のどちらがよいでしょうか。答えは低い声です。または、認知症の方とコミュニケーションを取ろうとして触れると、体がこわばってくることがありますが、その硬直をどう解きほぐしていくかなど、認知症を熟知していないとなかなかわからない対処のメソッド（手法）を体系的に教えてくれるのが「ユマニチュード」です。

いままで縷々《るる》、申し上げた施策に共通するのは、福岡市が世界を変えるロールモデル（模範）となる、という姿勢です。現在の行政にとって「やらなければならないこと」「必要なこと」は、従来の法や条例、規制で想定しなかったことが多くあります。普通の自治体であれば他都市の事例を見てコピー&ペーストするのですが、申し上げたようにアジアのリーダー都市をめざす福岡市には、参考となる前例がありません。逆にいえば、私たちの試みがつねに第一号の事例になる、という意識が必要です。

人数が少ないほど早く決まる

亀井　自治体のトップがリーダーシップを取って改革を進める際、抵抗勢力が「自治体職員」であるケースが少なくありません。古参の職員が「俺たちはいままでどおりのやり方をする」といって改革に反対・サボタージュする空気もある、と聞きます。髙島市長はどのように対処されたのでしょうか。

髙島　自分の場合、鈍感なので気付きませんでした（笑）。人材の最適配置は大切でしょうね。去年と同じように作業を確実に行なってくれる職員も必要ですし、去年の仕事に一工夫、加えて改善することに喜びを覚える職員も必要です。たとえばスタートアップ支援のような仕事に前者のタイプを充《あ》てると双方、不幸になってしまう。自分の攻めたい分野に、改革向きの職員を配置すべきでしょう。

亀井　それでも人事を掌握《しょうあく》するには時間がかかります。大きな方向性に組織が向かうための最初の取っ掛かりとして大切なことは何でしょうか。

髙島　小さくても、はっきりと成果が見えるプロジェクトを少人数でも進めることです。「このプロジェクトをやるんだ」という情熱をもった少数のチームで、スピード感をもって推進する。物事を決めるときは、人数が少ないほど早く決まるものです。改革に対して半信半疑な人は、何をいったところで結果が出るまで信じてもらえません。

小黒　髙島市長はすでに福岡市で実績を上げていますが、たとえば仮に別の自治体の首長になったとして、いままでの経験を踏まえて改革するとしたら、何から着手されますか。

髙島　あくまで自分の経験から申し上げれば、冒頭で申し上げた三つの成長戦略のうち、短期的施策の「交流人口の増加」は就任直後、目に見える成果を出すうえで不可欠でした。たとえばまず市役所を人が集まる交流ステーションにしようと考え、一階のロビーを改装しました。以前の市役所は市街地の中心にありながら、立地の良さを生かしておらず、がらんどうの空間に椅子だけがあり、暗いロビーに靴音が響くような近寄り難い雰囲気でした。

そこで巨大デジタルサイネージ（ディスプレイによる情報・広告）や九州の観光案内コーナーを設置し、観光ボランティアのための活動拠点を設けました。また、カフェをつくって障害をもつ人が働けるようにして「コーヒーの香りがする一階にしよう」と。さらに市役所西側の広場を民間にレンタルしたところ、平日の来訪者が四倍以上に増え、音楽イベントの開催で賃料が入るなど、目に見える変化が生まれました。

市長就任当初は「小手先のパフォーマンスより骨太の成長戦略に取り組んでほしい」といわれましたが、骨太の改革はまさに中長期の施策だから、結果が出るまで時間がかかる。その間、何とか目に見える成果を出して市民の信頼を勝ち得なければなりません。

平泉　いまのお話で思い出したのは、ジョン・コッター（ハーバード大学ビジネススクール名誉教授）が提唱した「企業変革の八段階」です。列挙すると、

一、危機意識を高める
二、変革推進のための連帯チームを築く

三、ビジョンと戦略を生み出す
四、変革のためのビジョンを周知徹底する
五、従業員の自発を促す
六、短期的成果を実現する
七、成果を生かして、さらなる変革を推進する
八、新しい方法を企業文化に定着させる

です。髙島市長の例が興味深いのは、六番目の「短期的成果を実現する」を最初に行なったことです。

金子　危機意識の醸成については、そこまで強くおっしゃらなかったのですか。

髙島　福岡市については、危機感が醸成しないところがまさに課題で、東国原英夫さん(元宮崎県知事)の「宮崎をどげんかせんといかん」という言葉が地元の人たちの心に響いたのは、皆が「どげんかせんと(どうにかしないと)」と思っていた下地があるからです。福岡市の場合はなまじ経済がうまくいっていることが災いして、ゆでガエルの状態になる恐れもあります。現在のところ目に見える変化にメリットを感じて参加する人が増えているので、

危機感をもちつつ、よい流れを止めないようにしています。

御立　コッターが唱える変革のリーダーシップの諸段階は、典型的なアングロ・サクソンの経営の観点から見た優先順位であり、コスト（費用）とベネフィット（利益）の側面を意識しています。ところが面白いことに、髙島市長の場合、頭の中では危機感を強く抱きながらも、いきなり「わが市はこのままでは潰れる」と宣告して外科手術に踏み切るのではなく、漢方医療のように少しずつ効能のあるところから言い聞かせて市民に服用してもらう。さらに「ゆでガエル」になっている状態を可視化して見せ、危機を共有するプロセスを就任以来、続けているように思います。

末松　先日、ご著書『福岡市を経営する』（ダイヤモンド社）も拝読しましたが、熊本地震のときには、平時だけではなく、有事の際のリーダーシップについても圧倒されました。

金子　私たちの問題意識として、いま日本全体が前時代の工業化モデルを引きずっており、国全体を変えるのはなかなか難しい、地方から変わるしかないのではないか、と思っています。第三次産業中心の福岡市はいいモデルになりそうですが、他のアジアの都市と比較して、イノベーションのレベルや競争力をどう見ていますか。

髙島　私がつねづね語っているのは、「いま『福岡が元気だ』と持《も》て囃《はや》されているけれども、アジア各地の発展に比べたらまだまだ」と。私たちは、高度経済成長にあぐらをかき、発展途上国と呼んできたアジアのライバル国に追い抜かれた歴史から何も学んでいないのです。だから、職員には「海外に行こう」といっています。実際にシアトルのような都市を見て、同じ問題意識を共有した人でなければ、一緒になって前へ進むことはできません。最近では、だいぶ自信とチャレンジ精神がついてきて、職員も「俺たちがやろう」という空気に変わってきています。

規模にこだわらなければ可能

小黒　先ほどＡｎｙＰａｙの話が出ましたが、福岡市でデジタル地域通貨を発行する構想はありますか。社会保障費の原資が足りないといわれるなか、地域独自の通貨を発行して再分配の一部を賄《まかな》う発想や、介護・子育て支援の報酬として地域版のゲゼル通貨を発行する発想もあると思います。

髙島　私は自分のリーダーシップの権限が及ぶ範囲はかなりシビアに見ていて、通貨発行権のように基礎自治体の範疇を超える政策については、いまのところ考えていません。規制や権益を壊す話は既得権者も真剣なので、こちらと相手のリソースを冷静に見極め、負ける戦いはせず、着実に勝てるところを攻めることを意識しています。

御立　スタートアップの国際交流のように、世界中の都市間で種々の試みができるようになったのは時代による変化で、本来は小黒さんのおっしゃった地域通貨のような試みもトライできるようにすべきでしょう。その半面、一から一〇まで市に変革を求めるのは酷なところもあり、国や県、地域連合が市と組み合わさらないかぎり動かないレベルの施策もあります。

永久　全国の基礎自治体が「ロールモデルの福岡市に学びたい」と思った場合、まさにいまおっしゃった政令市と基礎自治体の権限の違いという点で、どうしても難しい面がありますね。

髙島　じつは面白いことに、私たちが新しい挑戦を行なうことで、いちばん刺激を受けるのは基礎自治体より県なのです。実際、スタートアップカフェのような取り組みは九州の他県でも始まっています。

亀井　広域自治体が変わる必要性は大いにありますね。加えて、基礎自治体には能力がないわけではなく、規模にこだわらなければ、ニセコ町でも見てきたとおり、市町村でも福岡市と同様の試みは可能だと思います。

御立　それにしても興味深いのは、やはり博多っ子の気質というか、福岡の人たちには「何か面白いことをやっているみたいだから、応援してやれ」という気風がありますね。

松本　高さ制限の緩和を勝ち取った「天神ビッグバン」など、本当にすごいと思います。一点、気になるのは、かつて大量供給されたオフィスがバブルやリーマン・ショック後、大量の空室が出てマーケットが大打撃を受けたことがあります。髙島市長が長期的施策に掲げた「支店経済からの脱却」を進めるなかで、福岡に本社を移転する企業のニーズもないと厳しいようにも思うのですが。横浜市のように移転企業へのインセンティブ等の施策はあるのでしょうか。

髙島　たとえばホテルをつくる際、ゆとりある広さの客室、スパやフィットネスなど充実した付帯設備を備えた一定以上のハイグレードホテルに関しては、容積率を緩和する制度を設けて、足りないボリュームゾーンを補うかたちで供給をコントロールしています。オフィスに関しても、福岡市に進出する企業に対して立地交付金制度というインセンティブもありますし、福岡市は南海トラフの三連動地震を始め、地震による想定被害が少ない、という強みもあります。実際、「アイランドシティ」という埋め立て地をつくって事業者や居住者の誘致を行なったときは、メディアは「売れ残る人工島」になるといっていましたが、現在は完売しています。

亀井　髙島市長は世界を見ている地域リーダーです。世界の経済や社会の動きと市民生活は密接につながっていて、このつながりを語り、具体的な施策の必要性を訴えることができるかどうかが地域リーダーに求められる資質の一つだと思いますが、いかがお考えですか。

髙島　まさにおっしゃるとおりで、自分の強みはそこにあります。スマートシティ化のような施策を進めるうえで「データの分析・共有によって都市の最適化を図る」という話を市民に伝えるには、表現を変えなければいけません。たとえば、「皆さんが現役のときにできたニュータウンは坂が多く、買い物やバス停までの道も上り下りが多くて大変ですね。でも最近はバスの利用客も路線も減っています」「そこで、じつはコストも安く、皆さんがいつでも便利に買い物に行ける仕組みを導入しようと思っています」などと、スマートシティの話を翻訳して伝えなければなりません。つねに市民と課題を共有したうえで、ソリューションをわかるように見せなければならない、と肝に銘じています。

新型コロナウイルスは、この社会の脆弱性、言い換えれば、変わらなければならない部分を炙《あぶ》り出しました。私は、社会の弱点が露わにされ、対応を迫られているいまこそ、さまざまな変化が許容される「社会が柔らかい」期間だと捉えています。まさに、本著のテーマでもある「『変われない日本』を変える」絶好の機会です。

また、現状を嘆くのではなく、「ピンチこそチャンス」と、マインドセットを変えることも大切です。本論のとおり、福岡市では、都心部ビルの建て替えプロジェクトが進行中です。街が新しく生まれ変わるいまこそ、世界に先駆け「感染症対応シティ」を実現するチャンスと捉え、福岡市では、感染症対策を取り入れるビルに対し、新たなインセンティブ制度を創設するなど、新たなチャレンジを始めました。

「社会が柔らかい」期間は長くはありません。波にのまれるか、波に乗るか、それとも新たな波を生み出すのか。それは私たち一人ひとりの行動にかかっています。

(『Voice』二〇一九年八月号に加筆・修正)

小さな世界都市をつくる

住民に公開・共有して困るような情報はない

片山健也《かたやまけんや》（ニセコ町長）

一九五三年生まれ。七五年、東洋大学法学部卒業。同年、株式会社エーコープライン入社。七八年に同社を退社、同年ニセコ町役場採用。のちに町民総合窓口課長、環境衛生課長、企画環境課長、総務課参事、教育委員会町民学習課長、会計管理者、教育委員会学校教育課長兼学校給食センター長を歴任する。二〇〇九年に退職、同年ニセコ町長に就任。

日本の自治体は半世紀何をしていたのか

永久　ニセコ町は人口約五〇〇〇の小さな自治体でありながら、多数の外国人観光客（二〇一七年は二二万八四九八人）誘致で注目を集めており、私も何度か訪れている大好きな町です。私たちの研究会のテーマは「日本に自己変革のダイナミズムをいかにしてつくるか」

で、実際に自治体の変革に携わる町長のお話を楽しみにしてきました。

片山　ありがとうございます。私は東京で就職して神戸と札幌で働いたのち、一九七八年に縁あってニセコ町役場に入り、現在に至ります。長年、さまざまな役所を見て率直に感じるのは、公務員社会という特権的階級の問題です。

一九五六年時点で全国に四六六八あった市町村は、合併等で二〇一四年には一七一八に減少しました。一方、自治体の果たすべき役割は近年ますます増加しています。

にもかかわらず、少なからぬ自治体は時代の変化に対して「居眠り」を続けて公務員の特権的立場を守ろうとし、「公務員同士に温かく、住民に冷たい」公務員社会を守ってきました。結果として、改革を続けてきた「先駆自治体」と「居眠り自治体」とのあいだには、いまや三十年かかっても追い付けないほどの格差が生じています。

一九五二年公開の映画『生きる』（黒澤明監督）の主人公は市民課の男性ですが、住民の陳情をたらい回しにする光景が、現在と比べてほとんど違和感がないことに驚きます。日本の自治体は半世紀いったい何をしていたのか、と思います。

自治体の進歩を妨げているものとして、たとえば地方自治法の第二条一四項に「地方公共団体は、その事務を処理するに当つては、住民の福祉の増進に努めるとともに、最少の経費で最大の効果を挙げるようにしなければならない」とあります。私は、この「最少経費美徳論」が自治体を駄目にした要因の一つではないか、と考えています。

地方公務員の頭には、つねに公共サービスは「安いものを」という意識があり、裏を返せばクオリティ（品質）が二の次となっています。「住民の福祉や幸福のために質の高いものを提供する」という視点が置き去りにされており、住民の暮らしにとってプラスになっていない。

私は、こうした最少経費美徳論に対して以前から「最大の効果を最少の経費で」と訴えています。したがって、住民に対して「わが町の財政が厳しい」や「予算がない」という言葉は禁句にしています。日本人は優しい人が多いから、そういわれると改善の要請を諦めてしまうからです。職員の側も、担当者がその事業が住民の幸福にとって不可欠だと思ったら、必要な額とプランを提案するのが地方公務員としての義務です。

最初に申し上げた「公務員社会」の姿は、住民がいかに暮らしやすい社会をつくるか、という地方自治の本義に反しています。地方公務員制度がいますぐになくなることはないでしょうが、ニセコ町の職員も、ゆくゆくは三分の一を外部から入れて組織を流動化させていきたい、と考えています。

情報公開から情報共有へ

片山　私がニセコ町の改革を行なううえで取り組んだのは、住民に対する徹底的な情報公開と共有です。たんに「開示」するだけではなく、住民に「共有」していただく。私は以前から、わが町に必要な仕組みは自治体・住民自身が決めればよい、と考えています。

住民が日ごろから議員を取り巻くかたちで議会を傍聴し、場合によっては議長が住民の発言を求める。ニセコ町の課題を話し合う会議は基本的に車座方式で行なわれており、行政VS住民の議論ではなく、住民同士が丁々発止の議論を行なうのが望ましい行政の在り方です。

自治体の首長と議会は二元代表制の関係にあり、それぞれが直接、住民に対して責任を負っています。にもかかわらず、自治体の首長が議会に根回しをして条例や予算案を通すなど、あたかも国会を真似た暗黙の合意がまかり通っています。代表制に名を借りた密室政治から行政を住民に解放しなければならない。

たとえば図書館の運営に関して、ニセコ町では図書の選定に行政はいっさい関与せず、お母さん方が運営するNPO法人に任せています。事務局長の面接も役場はいっさいノータッチ。役場や教育委員会の人間を一人でも入れると、行政主導で事が動いてしまう。反対に住民に任せたところ、絵本の読み聞かせなどさまざまな主体的な活動が自然に生まれました。結果、図書館という公共施設がお年寄りや子供が世代を超えて集まる「愛される居場所」になったのです。

まちづくりのための町民講座も一七〇回以上続けており、最初は職員が原稿など内容の確認を求めてきましたが、私はいっさい見ずに「自治体の職員として内容は自分で考え、判断して住民と意見を出し合う過程を経験せよ」と伝えました。いまでは係長クラスの職員も一、二時間のプレゼンテーションができるようになり、政策議論のほかに住民からの「町はこんな仕事をやっているのか」「なぜあの仕事にこんなに多くの職員が必要なのか」という素朴な疑問や誤解を解決する場ともなっています。

たとえば以前、住民から「ニセコ町の介護保険料はなぜこれほど高いのか」という意見が出たことがあります。ご承知のようにニセコは冬の寒さが厳しく、家庭介護をサポートする目的で社会福祉法人を設立し、特別養護老人ホームを運営しているという理由を説明したところ、負担を強いる特別養護老人ホームは廃止すべき、という話の流れになったのです。

ところがそのとき、家庭介護を経験する一人の職員が次のように語りました。「うちの家では二年前におやじが倒れてしまい、家族で介護を続けるうちに、このままだとおふくろも倒れてしまい、自分も嫁と離婚せざるをえず家族がばらばらになってしまう。『おやじが死んでくれたら、うちの家はまだもつのに』と思った」。

すると、何人かの女性が手を挙げて「私もいま家族の介護でたいへんな目に遭《あ》っている。介護する側の家族にも逃げ場が必要で、特別養護老人ホームがあることで救われている面がある」といいました。二時間ほど議論が続いた結果、「皆で負担しようじゃないか」ということになりました。

このように、役場も含めた住民同士の議論の積み重ねが、ニセコ町の自治のレベルを底上げしていると痛感します。検討や議論の前提となる情報の共有、政策意思形成と意思決定の「見える化」こそ、自治体改革の肝《きも》であると思います。

予算に関しても、自治体は「予算が厳しい」とはいうけれど、では住民が自分の町に借金がいくらあり、予算のどこが厳しいかを知っているか、という点になかなか思いが至らない。そこでニセコ町では毎年、「もっと知りたいことしの仕事」という嚙《か》み砕いた予算説明書をつくり、町内で全戸配布を行なっています。

さらに、全国初の試みとして「自治体基本条例」を制定しました。憲法のように、首長が代わっても変わらない「ニセコ町の慣習を条例化したもの」（神原勝《かんばらまさる》・北海道大学名誉教授）です。四年に一回、見直しを行なって「成長する条例」をめざしています。

公共の場でいえない本音とは何なのか

片山　すべては情報の共有から始まります。そのためには、何も情報公開条例をつくる必要はない。以前、木佐茂男先生（北海道大学名誉教授）にニセコ町の委員を務めていただいた際、「情報公開条例をつくると住民と行政のあいだに余計な壁をつくってしまい、逆に情報が出てこなくなる恐れがある」と伺いました。理想は住民の暮らしのなかに行政機構が浸透することで、木佐先生の「行政のなかには個人情報を除き、いっさいの秘密はない」という認識はまさに慧眼《けいがん》だった、と感じます。

自治体職員の裁量によって本来、主権者のものである情報が出たり出なかったりすること自体がおかしい。住民に公開して困る情報とはいったい何なのか、ということです。以前、当時の逢坂誠二《おおさかせいじ》町長がニセコ町の管理職会議を公開する、と宣言したところ、「重要な会議を公開すると、本音で意見がいえない。自由な議論ができない役場にしてよいのか」という反対意見が出ました。

しかし私たちの仕事は、税金によって公共課題の解決を行なうことです。その際、公共の場でいえない本音とは、結局のところ「あの人にお世話になったから話を通してやりたい」という個人の恣意的《しいてき》意見にすぎません。そこで管理職会議を公開し、住民と職員が集まって議論を重ねるうちに、日ごろは課内や居酒屋で威勢のよいことをいっていた管理職が、公の場では何も発言できないことが明らかになり、人事異動もスムーズになりました（笑）。

「小さな世界都市」「環境創造都市」の実現

片山　冒頭でご紹介いただいた観光の話をすると、ニセコ町が本格的に観光誘致に取り組み始めたきっかけは、バブルの崩壊です。最盛期で七〇万あった宿泊件数が一九九三年には半減してしまい、観光関連施設の経営者は軒並み廃業の危機に瀕しました。
そこで行なった改革は、まず「観光協会の株式会社化」（二〇〇三年設立）。観光客の激減というピンチに際してなお、誰も責任をもとうとしない役場内の観光協会を抜本的に改善するため、全国初の株式会社にして経営を「見える化」しました。理想は一〇〇％住民出資の株式会社でしたが、公共性の担保を議会から求められたため、市民参加のジョイントセクターというかたちを取りました。

もう一つの取り組みは、住民主体での観光PRです。当時、フランスへの観光客数が安定して伸びているので調べたところ、近隣諸国から訪れる旅行客数が圧倒的に多かった。そこで住民の有志が台湾や香港へ出向いて、現地の旅行会社を訪問し、ニセコの観光PRを行ないました。このときのチャレンジが現在に生きているわけです。

さらに、現在でこそニセコは『ニューヨーク・タイムズ』やCNNでパウダースノー（スキーに適した、さらさらした雪）のメッカとして紹介されるようになりましたが、長く問題になっていたのは、雪質がよい代わりに雪崩《なだれ》の恐れがあるコース外の区域にスキーヤーが入り、命を落とす事故でした。禁止区域にネットを張っても、パウダースノーを求める進入者が後を絶たない。

この難題に取り組んだのが、新谷暁生《しんやあきお》氏（ロッジ経営者、冒険家）です。ニセコなだれ調査所を設立して「ニセコ雪崩情報」を毎日早朝に配信し、ゲレンデから「バックカントリー」への出口を各スキー場内に設けたゲートに限定するなど、危険を避けるために九項目の「約束」を設けました。ガケなどの危険地帯は完全に立ち入り禁止にしたうえで、それ以外のエリアは雪崩のリスクが少ない日に滑走を容認する、という「ニセコルール」を確立したのです。

　並行して国際リゾート地としての質を高めるため、外国人の職員採用や国際交流員の活躍を支援し、民間のインターナショナルスクールを誘致しました。

　私たちニセコ町がめざした二十年前の目標は、「小さな世界都市」の実現です。海外のどの国から誰が来ても歓迎を受ける、世界標準の暮らしやすさを実感できる町にしたい。そして、現在の目標は「環境創造都市」の実現です。二〇五〇年にCO_2を八六％削減する、という目標を掲げて、地中熱の利用や民間による地熱資源開発調査、ホテルの温泉熱を冷暖房に使うなど、資源・エネルギー・経済の三つの循環を持続させる循環型社会に挑戦していきます。おかげさまで二〇一八年六月、国からＳＤＧｓ（持続可能な開発目標。国連サミットで採択された行動計画に記載）の達成に向けた取り組み、提案を行なう「ＳＤＧｓ未来都市」に選定されました。

　ニセコ町にとって自然環境と景観は宝ですから、環境保全に関してはかなりシビアな基準を設けています。この点で日本の自治体は遅れており、たとえばドイツでは、断熱効果の低いアルミサッシの窓は使用が禁止されています。さらにニセコ町から国への要請として、所有者不明地の所有権の自治体への移管や、水資源の保全に関して財産権を自治体が制限可能な基本法の制定、景観保全のため地域の特色を反映できる建築諸法の改善、外国人労働者の住民税を一律自治体課税にする改正などの要望を今後とも行なっていきたい、と思っています。

町が直接に世界と向き合う

永久　ニセコ町の取り組みが成功したのは、約五〇〇〇人という自治体の規模も関係しているように感じます。たとえば横浜市のように人口三七二万人の自治体では、住民が行政に参加して何かを決めるという感覚自体が失われてしまい、首長や議会に任せっきりの状態になってしまっています。

片山　戦後日本の問題は、右肩上がりの経済のなかで、地域・住民が本来もっていた力を「行政サービス」という名のもとに奪い取ってしまった点にあると思います。その結果、行政の裁量・仕事が肥大化して予算が膨張してしまった。規模が大きい自治体でも、より細分化してみれば行政区や自治会ごとに必ず、何らかの解決すべき課題があるはずです。自治体内分権が必要です。

地方自治の目的は、主権者である住民が安心して暮らせる社会をつくることです。したがってまず住民自身が課題を共有し、町内会や自治会のような感覚で侃々諤々《かんかんがくがく》の議論を行なうべきです。すべてを行政が請け負ってしまうことに、最大の問題があると思います。

亀井　大きな規模の自治体の場合、いかにわが町のサイズで課題を共有できるか、という再細分化が必要でしょう。片山町長がいわれたように、行政をサービス産業ではなく、地域をよりよいものにするまちづくりのプロフェッショナルの仕事に変えていく作業が重要です。

末松　むしろ、逆の視点も必要ではないでしょうか。「この問題は町内で協力して対応できるよね」というふうに小さなコミュニティがしっかりしていれば、それらが積み重なった自治体の行政もよいものになると思います。上からの発想だけで考えると、現在のように国や役所が発した方針が基礎自治体にまったく届かない、という状態になってしまいます。

小黒　コミュニティでの活動を考えたとき、ニセコという地域がもつ地理的特性の側面も大きいと思います。大都市で暮らすサラリーマンのように毎日、会社に張り付いた生活をしていると、自由時間が少なく、別の生き方を考え、模索することが難しいという現実があります。

金子　長時間の通勤がなく、職住接近だからこそ可能なライフスタイルがあるでしょうね。

小黒　大企業などでもマルチジョブの権利をもっと認め、平日五日間のうち一日は副業や公共セクターでの仕事など、他の活動に空けられるような制度を考えたほうがよいと思います。

亀井　客観的な観察者の視点からいえば、ニセコは羊蹄山の麓《ふもと》にあって真狩《まっかり》、倶知安《くっちゃん》という肥沃な地域に挟まれており、農業だけで生き残るのは厳しい土地柄です。しかしそのマイナスがあったからこそ、逆に外国人であっても排除せず、「声を受け止め、一緒にやろう」という発想に転換できたのかもしれません。

片山　私もニセコに住んでみて、風通しのよい町だな、という点は実感しました。

御立　片山町長のお話を聞いてあらためて感じるのは、地方自治には、上からの「統治」と下からの「自治」の両方が不可欠だ、ということです。予算配分という権力を使い、霞が関を頂点として、地域の隅々《すみずみ》まで上から統治するというモデルには明らかに限界がある。工業化によるキャッチアップの時代はとうに終わっているわけですから。自治体のサイズごとに、何を統治し、何を住民自治に任せるか、を考え、両者を使い分けて最適化することが重要だと思います。

もう一つの興味深い論点は、外から来た人たちの受容ということです。ニセコを訪れてファンになり、アウトドア観光の会社までつくったNAC（ニセコアドベンチャーセンター）社長のロス・フィンドレー氏は、夏場の需要開発の観点で、カヌーなどで河川で遊べるようにさまざまな働き掛けを行ないました。彼らのような「外から来た人」の話を面白がって聞いてくれる土壌がニセコにはある。外国人を日本文化に同質化させる発想ではなく、多様な意見をうまく汲《く》み取り、地域を変えていく。こういうやり方は本当に面白いし、大事ですね。

末松　ニセコ町にインターナショナルスクールがある、というお話には驚きました。たんなる出稼ぎではなく、実際に外国人の家族が移り住んで子供が教育を受けている、という点で、他の小規模な自治体とは一線を画しています。

平泉　何といっても「小さな世界都市」という自己規定が凄い。そこには北海道も日本も介在しません。両者を飛び越えて町が直接に世界と向き合う、という気概と主体性が凄い。自分のことは自分で何とかする自力更生の精神があれば、これほど変わるのですね。反対に、道や国の指導や支援を当てにした瞬間、すべてが他人事になって衰退に向かってしまう。この自己規定がすべてだと思います。

明治以来、百五十年も続いてきた中央政府の「子供扱いの統治」に対し、片山町長のような首長が内発的・主体的な改革を働き掛けてきた。その努力がいま結実しているように思います。

人間にはあらかじめ問題解決力が備わっている

亀井　平泉さんのご指摘の明治以来の中央集権を崩すポイントは、まさに「情報の共有」です。

小黒　同感ですが、元行政官の感覚でいうと、やはり法律の「縛り」があり、本当に山を動かすためには、道州制など抜本的な地方分権を実現しないと変わらない側面も多いと思います。

永久　そこが難しいところで、私たちPHP総研（当時はPHP総合研究所）が第一次安倍政権時代に発足した道州制ビジョン懇談会の議論に加わった際にも、道州制基本法をつくろうという話がありました。しかし最終的には全国町村会の反対で自民党総務会を通らず、法案提出の一歩手前で終わってしまったと聞いています。改革に際しては基礎自治体が取り組みやすい部分と、国あるいは広域連合で行なう部分を分けたほうがよい気がします。

亀井　その点は御立さんがご指摘のように、統治と自治の両面を見ることが大切です。多くの住民にとって、生活空間のデザインや改善という意味で重要な部分の大半は自治でできることばかりです。性善説ではないけれども、人間にはあらかじめ問題解決の能力が備わっており、自ら意思決定を求める生き物であるという前提に立てば、情報や課題の共有こそ社会を変える一歩に繋《つな》がるのではないでしょうか。

（『Voice』二〇一九年六月号）

謎の国・日本を言語化せよ

権威主義国家への対抗

大屋雄裕《おおやたけひろ》（慶應義塾大学法学部教授）
一九七四年生まれ。東京大学法学部卒業。同大学大学院法学政治学研究科助手、名古屋大学大学院法学研究科教授などを経て現職。著書に『法解釈の言語哲学』（勁草書房）、『自由か、さもなくば幸福か？』（筑摩選書）など。

リベラリズムが陥った縛り

亀井　新型コロナウイルスの拡大によって、いままでこの新時代ビジョン研究会で議論してきた「自己変革できない日本を、いかにして自己変革できるようにするか」という課題がより加速度的に、切迫感をもってきたように思います。

今回は、法哲学がご専門の大屋雄裕先生にリモートでお話を伺い、ディスカッションを行ないたいと思います。

大屋　よろしくお願いします。私はもともとヴィトゲンシュタインの言語哲学を研究してきましたが、近年はもう一つの研究テーマである「情報技術の進化が法や政治のシステムにもたらす変化」について論文やメディアで考えを書く機会が増えました。

ちょうど本誌（『Ｖｏｉｃｅ』二〇二〇年五月号）に、「自由と幸福の相克を乗り越えられるか――個人と集団のあいだに」という論考を寄せました（「ＰＨＰ総研」ホームページより閲覧可能）。

内容をかいつまんでお話しすると、新型コロナウイルスのような疫病が発生した際、個人としてはまずウイルスが蔓延《まんえん》する国や地域から脱出することを考えます。より感染者が少なく、医療機関の充実したところへ逃げるほうが、幸福の追求に資することになります。

しかし個人が幸福を追求すると、結果として感染者が世界中に拡散し、社会が疫病の封じ込めに失敗して不幸が生じてしまう。ここにおいて、イギリスの哲学者ジョン・スチュワート・ミルが唱えた「善の構想の多様性」を根拠とする自由と幸福のマリアージュ（調和）に亀裂が走ることになります。

ミルが『自由論』で述べたのは、人生の追求すべき価値は一人ひとり異なり、集団が善いと思われるものを個人に押しつけるよりも、その人自身に判断させるほうが個人の幸福度は増大する。そして個人の総和である社会全体の幸福もまた最大化する、という点でした。

ところが、平時ではない有事においては「個人の自由を抑圧することで、社会の幸福が実現される」という矛盾が生じます。

現に新型コロナウイルス発生時の中国や、SARS（重症急性呼吸器症候群）発生時のヴェトナムのように、個人の意見や立場に配慮せず都市封鎖を行ない、感染者を病院に閉じ込めた国が疫病の抑え込みに成功した事実があるからです。

ミル以来のリベラリズムは、この課題にどう答えるべきなのか。すなわち「危機への対応としての強大な権力」と「権力抑制のインセンティブ」という相矛盾する二者をいかにして調和させられるのか、という課題を突き付けられています。

もちろんウイルス感染拡大のような状況においては、権力抑制のインセンティブが利かず、過大な権力行使が発生する危険性も指摘すべきです。たんに強力な国家というリヴァイアサン（トマス・ホッブズの提唱した絶対主権をもつ人工国家。旧約聖書に登場する海の怪物に因《ちな》む）を答えとして提示するだけでは、後述するグローバル市場の経済効率化に伴う課題は解決できない。過大な権力行使についてはさしあたり、事態が収束したのちの事後的な答責性

（権威者の行動を利害関係者に報告、説明すること）で安全を確保すべきである、と申し上げておきます。

世界政府なき世界政府モデル

大屋 先ほど挙げたグローバル市場（経済効率化）に伴う課題の一つは、「国籍」です。同じく論壇誌への寄稿で、『アステイオン』Vol.89（二〇一八年十一月）に「割当国籍論の可能性と限界」という論考を執筆しました。

国際法に基づく主権国家の枠組みにおいては、「一人の人間は一つの国籍を所有する」というのが原則です。個人の行動に関して、第一義的に責任と義務を負う主体が明確化されている必要があり、領土に関して展開されてきた割当責任論がおおむね国民に関しても適用可能である、というのが「割当国籍論」の考え方です。

ところがご承知のように、現代の世界において多重国籍者は珍しい存在ではありません。

現代における国籍の多重性・複合性をもたらしているのは、「財産ベースの理念」です。個人の金融資産が複数の国家にまたがって存在していることは珍しくないでしょう。その場合、国家による私有財産の保護を求めるような「国家からの意味」が国籍に付与されます。

他方で、肉体の帰属は一カ所に限定されているはずです。国家や社会を守るための軍事的な参加が求められ、逆にその代償としての政治参加を主張するような「国家への意味」が国籍に付与されます。ここには「肉体ベースの理念」はあるでしょう。

しかし近年、グローバルな経済発展によって国家間戦争の可能性や、軍事的な参加のリアリティが薄らいできました。トーマス・フリードマンの「マクドナルド理論」（マクドナルドのチェーン展開を支えられる程度まで経済発展した国家同士はもはや戦争を選ばない）のような考え方や、国家への配慮よりも個人への配慮を求める風潮が強まり、「国家は個人に保護を与える主体である」という側面が強調されて多重国籍が当然と見なされるようになりました。

にもかかわらず「国家間戦争や軍事的な参加、国民の忠誠は、本当に過去の遺物となったのか」という疑問が残ります。「君は戦争を忘れることができるとしても、戦争の側で君を忘れてくれるかは別問題」なのではないか——トロイア戦争と国家滅亡を予言したカッサンドラの夢は、まだ生きているのかもしれません。

さらに、新型コロナウイルスの拡大前から浮上していた問題が「世界経済の政治的トリレンマ」の新しい展開です。経済学者のダニ・ロドリックが唱えた世界経済の政治的トリレンマとは、①資源調達のコストを最小化して生産の効率化を図る「グローバル化（Deep economic integration）」、②被治者に政治権力を与えることで国民への配慮を実現する「民主政」、③一つの集団が主権をもって内部統治を独占し、外部の干渉を拒む権限をもつ「国民国家」の三者による軋轢《あつれき》、葛藤のことです。

ロドリックは三者すべての並立は不可能であり、いずれか二つの組み合わせのモデルが並存する、と考えました。私の表現でいえば、たとえばアメリカのように国民国家の内部で民意を確立して国民ファーストをめざす「国民国家」＋「民主政」という国民国家モデル（Bretton Woods compromise）の組み合わせや、かつてのルーマニアのように、たとえ国民が飢えても穀物輸出で国富の増大を図る飢餓輸出のような「グローバル化」＋「国民国家」という権威主義モデル（Golden Straitjacket）の組み合わせも存在します。

さらに第三の組み合わせが、カントが『永遠平和のために』で示したように世界全域が一つの共和国に統合され、世界政府の下ですべての人が生きるのが望ましい、と考える「グローバル化」＋「民主政」の世界政府モデルです。ロドリック自身は世界政府モデルには否定的で、国民国家モデルの安定性を評価しています。

翻《ひるがえ》ってコロナ禍《か》以前の世界を見ると、じつは「世界政府なき世界政府モデル」と呼ぶべき状況だったのではないか。政治的な世界レベルの民主政の実現可能性は置き去りにされたまま、「経済効率はすべてを救う」という発想のもと、トリクルダウン効果（富裕層が儲かればその下の層も経済発展の恩恵に与《あずか》る）が唱えられ、グローバル市場が拡大の一途を辿《たど》りました。

そして現在、この「世界政府なき世界政府モデル」に対する揺り戻しが起きつつあります。一例を挙げれば、ユーロクラット（EU官僚）への反発です。EU内の民主政を謳《うた》いながら、実態はドイツなど一部の国とブリュッセル（EU本部）にいる官僚だけが利益を享受しているという指摘が、「民主政の赤字」です。イギリスのブレグジットは、「世界政府なき世界政府モデル」への反動の最たるものでしょう。

富裕層から見れば世界に横断的な経済連携が実現している半面、「世界人民」の生活はむしろ困窮している。マイケル・サンデルはかつて『民主政の不満』（邦訳：勁草書房）という本を書きましたが、グローバル市場における国際経済の現状はまさに「世界民主政の不満」なのではないか、というわけです。

主権国家の逆襲

大屋　では「世界民主政の不満」がポスト・コロナウイルスの時代、いかなる形となって現れるのでしょうか。考えうる事態の一つは「主権国家の逆襲」です。この問題を考える際、私たちは世界における「物理層」に注目する必要があります。

たとえば情報技術の進展を見てきた立場から申し上げると、「コロナウイルスの時代にテレワークでソサエティ5・0へ」という話の前に、アプリケーション層を支える物理的なインフラの問題を考えなければならない。

通信機能を階層別に定義するモデルに、ＯＳＩ参照モデルというものがあります。七つの階層における最上層がアプリケーション層、最下層が物理層です。

簡単にいえば、平時にはスマホだけもっていれば現状のデータ量で全員の情報共有が可能だったのが、ポスト・コロナ時代は企業の会議も大学の講義もオンライン設備が必要となり、物理層の格差がアプリケーション層の格差に直結する。物理層という埋もれた領域に視点を当てないと、議論が宙に浮いてしまう恐れがあります。

デジタル経済に関しても、たとえば締約やサービスの提供、代金回収がはたしてインターネット上で完結するのか、という問題があります。クレジットカードの支払いや電子決済をどれほど推《お》し進めても、差し押さえが生じた際、最後にものをいうのは金融機関の残高です。

国家に対して頑強に抵抗するGAFA（グーグル、アップル、フェイスブック、アマゾン）と、UberやAirbnbの違いを、物理層への依存度に見ることもできるでしょう。日本でAirbnbに対する行政指導が有効に機能したように、配達する道路や宿泊する不動産に束縛されるサービスは、国家への依存から物理的に脱することができないのです。

そして、物理層による制約の最たるものが、私たちの「肉体」です。新型コロナウイルスの拡大により、人間の存在基盤である肉体に対し、主権国家は物理的に強力なコントロールをなしうることが明らかになりました。たとえば武漢の在留邦人を脱出させる際、中国籍の人はたとえ家族が日本にいようと出国が認められなかった。どれほど日本と経済的なつながりがあろうと、国籍を管理する国家のコントロールはいささかも揺らがない。

出入国管理や外交保護権に関し、個人の肉体に対して国家が再びコントロールを志向するとすれば、問題はもはや前述の「財産保護をめぐる義務が衝突する」という意味での多重国籍の否定にとどまらない。「肉体という資源」の流出を意味する国籍変更・国籍離脱への歯止めがクローズアップされるでしょう。ウイルス蔓延とともに、国家というリヴァイアサンが再び台頭しているとすれば、グローバルな課題の解決はいっそう困難になると思われます。

蘇るグレート・ゲーム

大屋　ウイルスの問題に関していえば、そもそも公衆衛生はリベラリズムと相性が悪い。たとえば、ワクチンのジレンマというものがあります。ご存知のように、ワクチンは副作用を伴います。しかし私たちの社会では、インフルエンザに罹《かか》らないような丈夫な人にも副作用のあるワクチンを打っています。

これは「ワクチンのメリットがない強い人に副作用のリスクを忍従してもらい、ワクチンの効果がある弱い人の利益を肩代わりさせている」ということです。公衆衛生は「公共の利益を実現するために個人の意思を制約する」という前提のもとに成り立っている。仮に強い人がそのような制約を受け入れることを拒むなら、公衆衛生は実現できません。ここから考えうるもう一つの事態が、「国民国家の逆襲」です。

いまイタリアやアメリカの一部では、コロナウイルスを「Boomer Remover」と呼んでいるそうです。社会福祉の負担となる一九四〇年代に生まれたベビーブーマーの高齢者を除去するもの、という意味です。日本でも飲食業やエンターテインメント業を救済する意見に対し、就職氷河期世代の若者から「デフレの二十年間、苦しんだのに国は助けてくれなかった」という反発の声が上がっています。

イギリスでは二〇二〇年四月、グローバル航空会社のヴァージン・グループを率いるリチャード・ブランソン氏が「政府の支援がなければ傘下の英・豪航空会社は新型コロナウイルスの危機を生き残れない」と訴えました。ところがブランソン氏の悲痛な訴えは、国民から嘲笑をもって迎えられた。グローバル企業を経営する億万長者の彼が、日ごろタックスヘイブン（租税回避地）を使って納税義務から逃れながら、いざ困窮すると国家に泣きつく姿を見せたからです。もちろんヴァージン・グループが潰れることによる経済的なデメリットは大きく、国家としては支援するほうが得策なのでしょう。しかしそれは国民を説得する力を十分にはもっていない。

これらはいずれも、配慮のやりとりによって支えられた「互恵性ある国家」という幻想が危機に瀕《ひん》していることを示す例といえるでしょう。グローバル企業の存在が何らかの意味で必要だとしても、その意義を国民に納得させなければいけません。

私たちが公衆衛生を維持するためには、二つの道があります。一つは、国家権力の強化で権威主義モデルを支える道。もう一つは「国民」という理念を当の国民自身に説明して理解、納得してもらい、その中身を充実させる道です。

前者の「国家権力の強化で権威主義モデルを支える道」を推し進めると、懸念されるのは「二十一世紀のグレート・ゲーム（覇権をめぐる戦い）」の可能性です。チャーチルの言葉「民主主義は最悪の政治である。これまで試みられてきた他のあらゆる政治体制を除けば」に対抗して、中国のように個別の不満を抑え込む国家が短期的に有利に見える事態は、今後も出てくると思われます。国民国家の内的ガバナンスを確立したうえで、権威主義国家に対抗する国際協調という名のゲームを機能させる制度整備を考える必要があるのではないでしょうか。

日本はジャンクフードを食べる女子高生？

亀井　あらためて実感するのは、日本は「弱い権威主義モデルの国」だということです。新型コロナウイルスに対する安倍政権の対応を見ると、諸外国に比べて権力の行使が弱く、「個人の幸福」を追求するリベラリズムに近い。さらには、政権への支持が低くても社会は動きました。

大屋　「日本の政府・行政の権限は弱い」というのは、行政法学の分野では定説といってよいと思います。たとえば違法建築物について、行政代執行による除却《じょきゃく》は日本でも制度化されていますが、実際に行なうことはきわめて稀《まれ》です。ヨーロッパでは法律による規制で建物の屋根が同系色に統一されており、違反すれば確実に取り壊されるでしょう。

新型コロナウイルスの拡大に際し、国民の自由や自治を抑圧する権威主義国家の中国と、若者がコロナパーティを始めてしまう自由社会国家のアメリカがあり、両者の中間にロックダウン（都市封鎖）を民主政でコントロールしようとするEUがある。

では、そのなかで日本という謎の国家はいったい何なのか。言い得て妙だと思ったのは、『アジア・タイムズ』という香港のメディアで紹介されていたアメリカの退役軍人の言葉です。「日本人はジャンクフードを食べているのにスリムな体型をしている女子高生みたいだ」と。規制もなく自由を謳歌《おうか》しているのに格段の支障が起きない。憎しみと無視がない交《ま》ぜの対象になっています。

自粛に関しても、皆が「いわれたから何となく従う」社会モデルを普遍的な言葉で西欧社会に伝えられるかが問われている気がします。

御立　理由はまだ明確ではありませんが、少なくとも人口当たりの死者数を見れば、東アジアと欧米では二桁の差がある。東アジアは明らかにダメージが少ないわけですね。したがって、復旧、復興のプロセスでも優位に立ちうる。これを中国や韓国の「権威」による強いコントロールモデルの有効性だと単純な議論にしてはいけない、と思います。少なくとも日本は、「権威」と「自由」の対比だけでは説明できないモデルを取りながら、ここまでのところはCOVID-19の被害をうまくコントロールしてきた。したがって、自らのモデルがいかなるものかをきちんと世界に説明する義務があるはずです。

「自粛しようといわれたら、罰則がなくとも何となく従う」というのはムラ社会のモデルで、ロジックよりエモーションを優先する文化に立脚しています。日本は一見、中央集権型の国家の顔をしながらじつは分散型モデルで、共同体内で相互監視をするムラの集まりなのかもしれません。戦前の日本のように、ムラ社会のエモーションが権威主義と結びつくと失敗するし、コロナ対応のように個人の自由を多少、抑えて共同体を優先するとかなり成功する。日本モデルのプラスとマイナスの部分がある程度、見えているわけです。おそらく、何らかの「権威」と「自由」に加えて、「集団の全体善」という第三の要素を加えた説明を試みるべきなのではないか、と考える次第です。

小黒　日本の立ち位置という意味では、中国とアメリカの対立が激化するなか、コロナ問題で一時的に遮断された、国際間のヒトの移動や交流をどう復活させるかという問題も重要ですね。いま政府は、オーストラリア等とのビジネス渡航の往来で、PCR検査と陰性証明書の提出を求める仕組みを検討中ですが、その次のステージで、日本はいかなる戦略で国際間調整を行なうべきなのか、慎重に検討する必要があります。

国際間のヒトの移動では検査の拡充が必要ですが、日本の検査数は少なく、潜在的な感染者数も把握できていない。日本のコロナ死者数が少なく済んだ理由が不明であるにもかかわらず、「日本モデルの成功」という言葉がひとり歩きする兆候《ちょうこう》があり、「ジャパン・アズ・ナンバーワン」といわれた一九八〇年代のように、慢心の蔭で世界から「あの国は何をやっているのかわからない」といわれる状況になることが懸念されます。

そもそも、国際間のヒトの移動やワクチン開発を含め、新型コロナウイルスの感染拡大の問題は、世界政府モデルのように、国家同士が協力して互恵性を保たないと解決できない問題ですが、アメリカや中国などの各国は自らの国益に基づき行動しているのが現実で、モデル間の対立における日本の立ち位置が曖昧で判断を間違うと、将来の日本の国益を損なう可能性があると思います。

大屋　おっしゃるようなモデル間の対立は今後も起こるでしょうし、日本の宿痾《しゅくあ》はまさに「ジャパン・アズ・ナンバーワン」という表現のように、アウトプットだけを見て原因を分析しないこと。今後は自分たちの経験を普遍化する責任が求められるし、それができなければ、謎のモデルとして孤立するだけです。

「人の命か、経済か」を政治家に決められるか

松本　先ほど、電子決済がどれほど進んでも最後は物理層の金融機関の残高が重要だという話をされました。今後、ブロックチェーン（分散型ネットワーク）が進展するなかで仮想通貨が広がると、大屋先生のおっしゃった主権国家が仮想通貨をコントロールできなくなる流れも生じるのではないでしょうか。

大屋　興味深いご質問です。仮想空間でのやりとりが制御できないというのはもっともな

指摘で、だからこそ信頼できない主体が発行した仮想通貨は淘汰《とうた》されるのだと思います。

また以前、『論究ジュリスト』という雑誌の連載座談会「ＡＩと社会と法」で、仮想通貨がブロックチェーン上の強制力から逃れる手法について指摘されました。残高をコールドウォレット（インターネットに接続されていない仮想通貨の財布）に移してしまうことです。オンラインの残高はネットワークの監視・強制下にあるけれども、オフラインにしてしまえば逃れられる。そこをさらに追及するためには物理的にウォレットを押さえる必要があり、ということは国家による暴力が結局は必要になるだろう、と。

松本　もう一つの質問は、コロナ問題が議論されたとき「人の命か、経済か」という表現がありました。でも、これはトロッコ問題（ブレーキの利かなくなったトロッコが真っすぐ進めば五人を、ポイントを切り替えて曲がると一人を轢《ひ》いてしまう状況）のようなもので、どちらを選択しても死者が出てしまう。それは最終的に政治判断にならざるをえないと考えているのですが、いかがでしょうか。

大屋　その疑問に対する答えは、端的にいって「平時の選挙で選ばれた政治家に、危機における最終決断を委《ゆだ》ねるのは酷だ」というものです。政治家は票をもつ「人民の意思」に弱い。民意を反映しなければいけない政治家は、独立した医学的な専門家集団からの情報提供に頼らなければなりません。その意味で必要なのは、「人の命か、経済か」といった際、経済的な観点から、そして公衆衛生の管理についてコンセンサスを形成できる専門家集団です。政治家がそれらのバランスを取りながら判断を行なう仕組みを統治機構上、構築しなければならない。

永久　大屋先生のお話と御立さんのムラ社会モデルのお話を聞きながら、山本七平さんの『「空気」の研究』を思い出しました。コロナ対応に関して、日本はどちらかといえば国民の行動を束縛せず、集団免疫をめざすスウェーデンに近い政策を取っているように見えるのですが、「空気」で動く日本とのあいだにどのような違いがあるのでしょうか。暗黙の了解による集団行動が国の方向性を決めていくということが、まさに「社会や企業がなかなか変わらない」日本の問題であるように感じます。

大屋　スウェーデンと日本の違いは、彼らは剝《む》き出しの個人の自由を信頼して尊重する、という意味でむしろアメリカ型に近い。「自己責任で死ぬ」という選択が社会に共有されています。日本の場合は逆に「なぜステイホームをしないのか」という同調圧力が個人の自由を制限している、と見ることもできます。

では欧米に同調圧力や「空気」がないかといえば、それも違う。たとえばハリウッドの俳優のあいだでは、トランプの共和党を支持することはタブーです。ただし彼らの場合、その空気があたかも存在しないかのようにＰＣ（政治的正しさ）や社会の仕組みを説明する議論を磨いてきたわけです。それを私たちも言語化できないと、日本が一番だといっているうちに肝心な何かが抜け落ちてしまう。

平泉　この議論はロドリックの「世界経済の政治的トリレンマ（国民国家、民主主義、グローバル化）」モデルに帰着すると思いました。問題は日本がどこに位置するかですが、私は「どの価値観からも距離があり、真ん中なのではないか」と考えています。国民国家としては安全保障を米国に依存しており、民主主義だが国政選挙の投票率は辛うじて五割超、グローバル化の面では輸出入がＧＤＰに占める割合は二割弱（独仏伊加は三割強）、国際的ルールにも追随する一方。すべての面で不徹底なのです。

米英の宗旨替え（米国第一、ＥＵ離脱）で、何とグローバル化・自由貿易の旗手は習近平の中国です。対外的には「一帯一路」でグローバル化を推進し、国内的には「中国梦《ちゅうごくのゆめ》」で国民国家への献身を説き、民主主義は抑圧して「権威主義モデル（または、黄金の拘束服）」に邁進《まいしん》しています。こうした中国に、万事不徹底の日本は今後どう対処していけばよいのでしょう。

大屋　日本が真ん中というのはそのとおりで、なかなか世界にコミットしたがらない。しかし日本人に主体性が発揮できないかといえば、そうでもないと思います。私が関わるところでは、ＡＩ（人工知能）開発倫理の原則について、日本がポイントをまとめてＯＥＣＤ（経済協力開発機構）に持ち込み、規範形成につなげたことがあります。中国やアメリカに規範づくりができなかったのは、自分たちがＡＩのフロントランナーで、開発を規制されることを嫌ったから。こうした仲裁や調停の役割は果たせるはずです。

御立　今回のコロナ禍で国家という括《くく》りが復権してきています。その流れで、各国はワクチン、新薬、医療用具だけでなく、食料やエネルギーまで「国民の安全担保」という名目で囲い込んだり、自らと関係の良好な国だけに配分するようになると思います。欧米がリーダーシップを取れない、取らない状況のなか、日本が公共善の理念を訴えつつ、自国が追い詰められないモデルをどのようにつくるべきでしょうか。

大屋　規範より落としどころを求める日本としては緩やかな連合体の形成、具体的には非権威主義の立場を鮮明にしつつ、台湾のような「非中国」の存在と連携しながら世界の戦略資源の確保ルートを調停することになるのではないでしょうか。

末松　大屋先生が先ほど紹介した、高齢者を排除する「Ｂｏｏｍｅｒ Ｒｅｍｏｖｅｒ」について、じつは対極にあるのが日本の文化ではないか、と思います。たしかに東京では世代間対立も見られますが、地方では二世代で暮らす家も多く、むしろ世代間協調を重んじる空気があります。「うちには高齢者がいるので、面倒を見る関係で今日のお稽古事は休みます」といえるような。

もう一つ面白いのは、今回のコロナ問題で、図らずもリーダーの在り方について一般の人びとが興味をもつようになったことです。自治体レベルでも独自の支援策や給付金の対応などに大きな違いがあり、リーダーの対応によってこれほど暮らしに影響するのか、という事実を皆が知って議論するようになりました。

金子　リーダーシップや行政の仕組みに関する検証が必要でしょうね。今回、日本の感染者が比較的軽微で済めば幸いですが、「結果がよかったから日本のシステムはこれでいい」という話になってしまうと、構造的な問題が見過ごされ、より深刻な危機に十分備えられないままになる恐れがあります。

大屋　たとえばマスクや集中治療室の不足でも明らかになったように、日本には備蓄や余剰資源がない。危機が発生した際、マンパワーをぎりぎりまで削り取ってしまう問題があります。「頑張りスパイラル」と私は呼んでいるのですが、企業がリストラで人員を一割減らすと、残ったメンバーが一・二倍働いて当面の問題を解決してしまう。すると経営者のほうは「もう一割削っても大丈夫だろう」と思ってさらに人を減らし、最後は共倒れになるという現象が社会の隅々に見られます。

日本の空気はある程度生かしつつ、大問題や大方針についてある程度、自覚的に議論のできるシステムは加えるべきだし、過労死やコロナ失業・経済苦による自殺のような社会問題に対する観測・感知システムを意識的に張り巡らせたほうがよい。データや統計も日本が伝統的に弱い分野で、まずは情報収集と分析を正確に行なうところから始めるべきではないでしょうか。

（『Voice』二〇二〇年八月号）

同調圧力を超えるエビデンス

データが地理的制約からの解放をもたらす

宮田裕章《みやたひろあき》（慶應義塾大学医学部教授）

二〇〇三年、東京大学大学院医学系研究科健康科学・看護学専攻修士課程修了。同分野保健学博士（論文）早稲田大学人間科学学術院助手、東京大学大学院医学系研究科医療品質評価学講座助教を経て、〇九年より東京大学大学院医学系研究科医療品質評価学講座准教授。一四年より同教授（一五年より非常勤）、一五年より慶應義塾大学医学部医療政策・管理学教室教授。一六年より国立国際医療医研究センター国際保健政策・医療システム研究科グローバルヘルス政策研究センター科長（非常勤）。

LINEによるコロナ全国調査

金子　今回は、医療政策・管理学がご専門の宮田裕章先生をゲストにお招きしました。ビッグデータの医療への活用や、新型コロナウイルスが社会にもたらす行動変容についてお話を伺い、質疑を行ないたいと思います。

宮田　よろしくお願いします。コロナ・ショックの現状について論じながら、ニューノーマル（新しい日常）の可能性、展望についてお話ししたいと思います。

新型コロナウイルスの大きな問題は、何といっても「数」です。世界でどれほどの人数が感染しているのかについて捕捉できておらず、ニューヨークやイタリア、スペインなどで医療システムと社会の機能不全が起きてしまいました。ICU（集中治療室）でECMO（体外式膜型人工肺）を用いて治療を行なうことで限られた設備や人的資源が占められてしまい、イタリアでは高齢者の延命を後回しにせざるをえない事態にまで追い込まれました。経済へのダメージもリーマン・ショックをはるかに上回り、米国では三四〇〇万人の失業保険申請がありました。

抗体やワクチンの効果についても、現時点では正確な情報が少なく、権威ある仮説や事実と思われていたことが覆《くつがえ》されることもたびたびです。たとえば当初、マスクに感染を防ぐ効果はなく、自粛下で通勤電車を走らせた日本は海外から狂気の沙汰《さた》と見なされていました。ところが実際は、感染者と非感染者の相互がマスクをすることで、かなりの程度ウイルスを抑制できたわけです。不確実性のなかで刻一刻と移り変わるデータや現実を見ながら、その都度、対応を考えなければならない。

日本では二〇二〇年二月末から学校が休校になり、三月から自粛が始まりました。厚生労働省クラスター対策班が携帯電話会社のデータを見るかぎり、三月半ば時点で東京での交通量は大きく減っていました。ところが商業・娯楽施設を見ると、平日はそれほど人出が減っていなかった。

市中感染に備えて別のかたちでデータを集めなければならないと感じ、厚労省クラスター対策班や自治体の協力を得て、LINEの国内ユーザー八三〇〇万人を対象に三月三十一日、第一回「新型コロナ対策のための全国調査」を行ないました。さらにLINE公式アカウント「新型コロナ対策パーソナルサポート（行政）」を立ち上げ、健康情報の収集と申告された体調、状況に合わせた情報を提供し、健康医療相談へのリンクを設置しました。

LINEの全国調査から職業・職種グループ別に見て、とりわけ発熱者の割合が高かったのが、外回りの営業や比較的、長時間の接客を伴う対人サービス業（飲食店を含む）の従事者です。発熱リスクが全国平均の二、三倍、東京都の発熱者集積エリアでは五倍近くあり、個別対応の必要性が生じました。

民主主義の輪郭を描き直す時期

宮田　コロナ・ショック後の展望について、基本はソーシャルディスタンス（社会的距離）の確保や体熱測定などのガイダンスを定め、リスク対策と予防行動を十分に取ったうえで営業を行なわなければならない。リスク対応がなされたうえで第二波が広がるのか、たんに警戒のガードが下がった状態で広がるのかによって、打つ手はまったく異なります。

いずれにせよ「緊急事態宣言が終わったから以前の日常が戻る」という見方は誤りで、私たちはやはり「新しい日常」のなかにいる。その意味で韓国や北海道、北九州の再発例は教訓となるでしょう。ＰＣＲや抗原検査、抗体検査など「これだけをやればよい」という黄金律は存在しません。

海外の対応を見ると、たとえばシンガポールでは当初、使っていたコンタクトトレーシング（感染接触確認）アプリの効果が限定的にすぎないことがわかりました。そこでシンガポール政府技術庁が独自のアプリ「セーフ・エントリー」を開発し、導入の義務化に転じました。客や従業員の個人情報を記録し、来店時にＱＲコードで接触履歴の確認を義務付けています。これは中国とまったく同じ手法で、QRコードや携帯のGPS（全地球測位システム）を用いた行動監視は韓国、台湾でも行なわれています。

グーグルにはじつはGPSを携帯端末にダウンロードできる機能があるのですが、イギリスの場合は米国のグーグルの影響を嫌ってNHS（国民保健サービス）がオプトイン（同意・許可式）のGPSアプリをつくり、中央管理を行なっています。GPSの感染症対策への活用は、たしかに効果があります。中国のように陽性患者のログを辿《たど》って接触者を見つけ出し、「数日前に電車の同じ車両に乗っていた」という理由で接触者を隔離することができる。

しかし民主主義国で個人の行動監視を行なうには、少なくとも国民の同意が必要でしょう。台湾の場合、蔡英文《さいえいぶん》と唐鳳《とうほう》（オードリー・タン、デジタル担当大臣）がGPSの必要性を国民に徹底的に説いて理解を得る、というプロセスを経て導入を決めました。プライバシーと感染症対策のバランス、説明責任や透明性をふまえて民主主義の輪郭《りんかく》を描き直す時期に差し掛かっている、といえます。

医療情報は共有財である

宮田　コロナ・ショック後の新しい日常として誰もが実感したのは、テレワークの導入でしょう。感染予防上も、五月上旬の大都市の指標を見ると、テレワークにはきちんと予防効果があったことが明らかになっています。

いままで妊娠・出産や子育て、介護中の社員にテレワークを認めなかった企業や組織が、コロナ対応によって一気に導入へ舵《かじ》を切ったことは大きい。とくに東京での普及スピードは顕著で、緊急事態宣言を挟んでわずか五日間で二〇％以上、テレワークの導入が広がりました。通常なら四、五年かかるパラダイムシフトが数十倍の速さで起きたのです。印鑑文化の撤廃やデジタルトランスフォーメーション（DX）への移行、さらに私自身、半ば諦めていた遠隔医療の導入もようやく動きはじめました。教育も同じで、子供たちを密集させて詰め込み教育を行なうというやり方は変わっていくと思います。

たとえば、統計学の基礎のような基本的には一方通行で行なわれる講義であれば、教室に来る必要は必ずしもありません。それなら、教えるのが抜群にうまい講師を日本全国から五人から一〇人選んで、その先生たちの講義をリモートで受けられるほうが、学ぶ側にとっては絶対にいいんです。一人、二人だと腐敗するリスクがありますが、五人から一〇人いれば、切磋琢磨して教え方のフォーマットを進化させていくことが期待できます。一方で、それ以外の教員が必要ないというわけではありません。彼らは、一方通行の講義から解放される分、一人ひとりの学生としっかり向き合って、それぞれの可能性を伸ばすサポートをすることに時間を使うことができます。知識の伝達よりも、将来の可能性をつかむためのコーチング、サポートこそ教育の本質である、と私は考えています。

もう一つ、DXによる大きな変化は「モノを体験に置き換えられること」。たとえば従来の保険会社は、契約後の顧客とはなるべく接触せず、解約されないようにするのが基本でした。ところが中国の平安保険が行なっているのは、契約をビジネスの起点に据え、アプリを通じて顧客によい病院を紹介して「診察を受けて病気が治った」という体験の販売です。

その半面、ケンブリッジ・アナリティカ事件（二〇一八年、フェイスブックの個人情報を不正取得したコンサルティング会社が廃業に追い込まれる）で明らかになったように、既往歴などの個人情報をモノとして捉え、本人の与《あずか》り知らないところで得てお金に換えるビジネスはもはや許されません。

今後は「個人データは排他的独占のできない共有財である」という前提に立ち、医療情報の使用ルールを考えるべきでしょう。石油と医療情報の違いは、石油は「使えばなくなる資源」なので、排他的独占につながります。しかし医療情報は、一人の個人データを一万人が共有することで、一万人がよりよい医療を受けられるようになるのです。小黒さんも提案に加わった私たちの医療情報基盤プロジェクト「PeOPLe」(Person centered Open PLatform for wellbeing)は、共有財としての個人データを活用する試みです。厚生労働省の協力を得て、国民一人ひとりの既往歴から薬の服用歴まで保健医療データを再編成・管理するというもの。国が個人情報を一方的に要求するのではなく、同意を得た一人ひとりにメリットを返しながらデータを共有し、社会を駆動させていくのが狙いです。

新たな資源としてデータが活用できることになったことによる本質的な変化の一つは、これまでは最大多数に適合するようにパッケージで提供されていた世界から、個別最適をめざせる世界に変わったことです。

パンデミックで社会が大きく揺らぎ、個人の行動が社会全体の未来につながるいまだからこそ、一人ひとりを軸に新しい医療や健康のあり方を構築し、社会デザインを再設計する必要があります。

たとえば「食」一つ取っても、多元的な食と味のデータベースを共有し、過剰な栄養摂取をしないことで食品ロスを減らす、あるいは地産地消で地域経済に貢献するなど、よりよく生きるための料理（Well Being Cuisine）が可能になります。国民が健康情報にアクセスできる環境づくりは、スマートシティや街づくりなど広範な領域に関連するでしょう。

さらに環境問題を考えた際、ＡＩやビッグデータの「ソサエティ５・０」を人間中心の社会変革として見るのはもはや時代にそぐわない。建築でいえば、人間中心の思想はルイス・カーン（一九〇一―一九七四。人間のつくる建築物は自然の造形ではなしえないという考え）で終わった、というのがヨーロッパ人のコンセンサスです。

コロナ・ショックの先に求められる思想は、「Human BeingからHuman Co-beingへ」。感染症対策にとどまらず、国の枠組みを超えて多元的な体験、価値の共有と共存をめざすものです。現在、私はうめきた（北梅田）のスマートシティづくりに携《たずさ》わっていますが、データを共有できるところがあれば国を問わず連携したいと考えています。街づくりや医療、教育、スポーツなど各分野で神戸、上海、バルセロナほか街同士が直接、相互連携してマルチレイヤーの経済圏が生成すれば、全国一律ではない、多元的な「生きる」声が響き合う新しい社会が生まれるのではないでしょうか。

新しい中世、新しい縄文

平泉　コロナ・ショックを契機にテレワークやリモートワークが浸透し、どこに住んでも働けるようになると、個人が住みたい街や自治体を選べるようになります。宮田先生が仰《おお》せの新常態とは、ある面で江戸三百藩が独自の経営を行なっていた廃藩置県前の姿に戻ることに似ている。「新しい中世」が到来するような印象を受けました。

宮田　人間が医療や教育の物理的な制約から離れることは、おっしゃるように「好きな場所に住む」変化のトリガーとなりえます。税のような社会契約ですら、税別に違う国で収めるようになるかもしれない。

平泉　個人的には、春夏秋冬で季節ごとに異なる街に住むのが最高だと思います。都市は消滅しないものの、中世の城郭《じょうかく》都市や稠密《ちゅうみつ》な城下町とは異なる、たとえば「開放的・散在・（人と人との接触が）疎遠（密閉・密集・密接の逆）」な新しい空間をお考えでしょうか。

宮田　おっしゃるとおりで、バーチャル世界も含め、一人の個人が複数のレイヤーに属する社会をイメージしています。もちろん従来どおり密集で暮らしたいと思う人も多いので、オルタナティブな価値の魅力をどれだけ伝えられるかの勝負だと思います。

御立　私のイメージは、できる限りプラットフォームは共通化して、そのうえで地域や組織ごとに自分たちに適したデータ活用を行なう。いってみれば、土地と栽培植物という場に縛られずに、コミュニティごとにめいめい狩猟と採集を行なう縄文時代のような「縄文プラットフォーム社会」です。ただし、データが集約されるプラットフォームが独占にあぐらをかかないようにする仕掛けが必要ですが。

宮田　健全に機能するのであれば、プラットフォームは一つであるに越したことはありません。各人共通にアクセスが可能で、相互運用ができればリスクはおおむね管理できるのではないでしょうか。

日本に最も欠けているのは、データへのアクセス権と共有権です。現在のシステムに疑義をもつ個人がプラットフォームから抜け出そうとした際、データをもち出して移せるデータポータビリティがないことが、多元的な居住や所属の移動を妨げています。

御立　さらにいえば、「デジタルデバイド（IT使用の格差）で劣位に置かれた人びとへの手当をどうするのか」という論点と、「AIによって無意識に好む情報だけに触れる機会が増え、一方で匿名性に隠れてわかりやすい敵をつくり、叩くという姿勢を助長するネットの特性」がポピュリズムを強めてしまう点は、データ駆動型社会で解決せねばならない問題だと思います。

宮田　今回のコロナ対応で明らかになったのは、同調圧力のムード以上にデータで可視化された現実の大切さです。エビデンス（根拠・証拠）ベースの政策を示し、浅いポピュリズムで票を獲得する動きに反駁《はんばく》できれば、社会をよりよい方向へ導くためのリスクマネジメントに近付くと見ています。

松本　卑近な質問ですが、延期された東京オリンピックの開催についてどのようにご覧になっていますか。ワクチン開発の進展度合いにもよりますが、仮に日本国内で感染が収束したとしても、海外から訪日客が訪れるかぎり、水際対策には限界があるようにも思います。

宮田　感染症対策の専門家たちの見解では、かつてとまったく同じようなオリンピックの開催は絶望的です。ワクチンができるのは最短でも一年後で、開催までに先進国に行き渡るかどうかも心許《こころもと》ない。全世界の移動を自由に認めて東京でオリンピックを開く、という話は、最楽観のシナリオにすら入らないのが現状です。ただ無観客であればもちろん開催可能ですし、パッケージツアーのようなかたちで集団と地元の接触をコントロールできれば、観客を入れた開催も可能かもしれません。

本来、オリンピックの価値は「多文化共生」にあります。日本を訪れてオリンピックを見るような人たちは、どちらかといえば富裕層です。たとえば多言語翻訳を最大限活用して、自国以外の選手でもストーリーを共有してリモートで応援できる仕組みを整備するほうが、途上国の人びとに観戦で盛り上がる体験をもたらし、オリンピックの可能性を引き出せる気がします。

松本　もう一点、日本がフェイスブックやグーグルとは別の観点から独自にデータを集めるプラットフォーマーになれる可能性はあるでしょうか。

宮田　「食」と「健康」に関していえば、日本主導のプラットフォームづくりは十分に可能だと思います。先述のように、DXの核心は体験をつくることにある。食べるというのは味や値段だけではなく、「どこで食べるか」「誰と食べるか」など多元的な価値を共有する行為です。日本人がデータをタグ付けして編集することで、欧米とはまったく異なる価値付けができるはずです。

ネットワークを解放する力

亀井　新しい社会の構築というお話に関連して、かつてトクヴィル（フランスの政治思想家）が個人主義を利己主義に変質させる近代社会の問題を指摘したように、いまの世界は個人主義が進むことで他者とのつながりや公共性が忘れられているように感じます。

本来、個人の選択というのはたんなる好き嫌いではありません。これからの社会にとって真に大切なことを見極めて判断する能力や責任、負担も要求されるものです。コロナ・ショックで「民主主義の輪郭を描き直す」大事な時期にあたり、社会にとって大切なものを感じ取る現代人の感覚がむしろ弱まっているのではないか、と懸念しますが。

宮田　Human Co-beingの本質に関わる、じつに重要なご指摘だと思います。教育者の方と話をすると、教育の本質は、世界に貢献するという共通理解のもとで、自分の生き方を選べる人間をつくることにあるそうです。人間の生み出す価値が、社会のどこにいかなる影響を与えるのか。それを感じ取る力がないと、己の存在を社会の歯車のように思って生きる実感が湧かず、目先の感情や同調圧力に流されて行動してしまう、という。

亀井　一人ひとりが響き合う、その価値を感じ取るためにも、価値を明示できる多元的で多様なデータがさらに重要になりますね。

小黒　データ産業革命の起爆剤として、拙著『日本経済の再構築』（日本経済新聞出版）では、データ金融革命の重要性を強調しています。いま政府は「情報銀行」構想（一般の消費者や企業から個人データを預かって企業に貸し出し、情報を活用して生まれた利益を個人に還元する仕組み）を推進していますが、直接金融の活用も重要です。私は、それを「データ証券化」構想、あるいはデータ・ファンド構想と呼んでいます。データ結合や、データの蓄積には一定の投資費用が生じますが、人工知能プログラムを含め、経済取引の裏側で生成されるビッグデータを融合することで莫大な価値を創造できる。このため、投資費用を集団投資スキームで賄《まかな》う発想があってもいいはずです。

また、経済学的にデータは公共財に近い性質をもち、「ただ乗り」が可能なため、データを生成する個人や企業の側に「データ利用権」というかたちで収益の一部を還元するルールも重要です。こうした構想の司令塔として最適なのは、金融庁などのように思います。

宮田　まったく賛成です。年間で数億円を投じて取得したデータがまったくのフリー（無料）になったら、データベースをつくる人間が誰もいなくなってしまう。

永久　テレワークについて、たしかにいろんな場所にいながら同時並行で多くの仕事をこなせるので、たいへん効率的ですが、在宅特有のストレスや、ネットでつながる世界と現実世界との乖離《かいり》に自分を調整するストレスもあります。一方、コロナの影響が小さな地方では本来テレワークの恩恵は大きいはずなのに、浸透していません。バーチャルとリアルの共存に順応できる人とできない人のあいだで、社会的な亀裂が生じる恐れはないでしょうか。

宮田　たしかに在宅勤務で楽になった面もあれば、ストレスフルな面もあります。ただし、そのストレスは「人と会えない」「外出できない」などコロナに起因するものが大半で、今後は対面とウェブを選択して使い分けるのが一つの方法になると思います。インターネットが存在しなかった時代と比べて、いまやメールや検索なしで仕事をするのは考えづらいし、逆にあらゆるネット環境を断つとしたらそうとうの工夫が必要です。

「地方でテレワークが進んでいない」というのはご指摘のとおりです。そもそもテレワークは本来、地方でこそメリットがあります。職住環境の分離に加え、情報発信という点でも「食」を筆頭に、日本の各地方にはよいものがたくさんあります。ローカルの情報を内外に発信して地域を訪れてもらい、体験の価値と結びつけるかたちで伝統文化を残せる可能性が高い。

永久　距離を超えてグローバルとローカルをつなげる人の存在や役割に価値が生まれる、ということですね。

宮田　そうです。日本の「失われた三十年」の要因の一つは、キャッシュレス化など中国やインドが受け入れたデジタル革命を完全にスルーしてしまったこと。ついていくべき技術革新と、そうでないものを選《え》り分ける目が求められています。

末松　コロナウイルスの感染拡大時、私も広島県の神石高原《じんせきこうげん》という田舎で二カ月間、新設の小学校の運営にあたっていました。広島県では、都市部の学校でも過疎地の全校生徒十数人の学校でも軒並み休校でしたが、隣の岡山県を見ると、小さな市町村で開校している学校もありました。一律の対応ではたしてよかったのか、いまでも疑問が残ります。

さらに『ジャパンタイムズ』という英字新聞に携わる立場上、地域と国の枠組みについてどこまで細分化してフォーカスすべきか、悩むところがあります。地域の人たちが共感や納得をもって運営できるコミュニティの規模や、報道のあり方についてどうお考えですか。

宮田　神石高原には同町のNGOピースウィンズ・ジャパンと一緒に仕事をした関係で、私も行ったことがあります。地上の星（ホタルの光）と天上の星に覆われ、両者の境目がわからなくなるような素晴らしい土地。地域でなければ生まれない考え方や共感のつながり、ネットワークを解放するのがまさに先述したテレワークやデータ化の力だと思います。
一国二制度を謳《うた》いながら、異論をいっさい許さずに一元的なコミュニティに固執する隣の中国に比べれば、日本は多元的な声を響かせることが可能な社会です。メディアの報道も個別の人や地域に寄り添いつつ、社会に伝えるべきことを発見するスタイルに変わっていくのではないでしょうか。媒体の評価についても、部数や視聴率より「どれだけ学びの深さを得られたか」「多様な価値観に触れられたか」など新しい評価軸で判断することが望ましい。

金子　宮田先生のいうように、われわれは新型コロナウイルスやDX、ソサエティ5・0など絶え間ない変化と不確実性のなかで社会的な決定を下さなければならない。その一方で、日本人について「ムラ社会の日本では不確実性を嫌い、予定調和を好む」という指摘があります。両者の兼ね合いをどう考えるべきでしょうか。

宮田　不確実性のなかで社会的な決定を下す、といういまのご質問のなかに、答えがあると思います。不確実性を嫌うのは何も日本人だけではありません。西欧人もまた、文明の始まりから洪水や疫病などの不確実性に見舞われるなかで、「神」という絶対的な安心・保証となる存在を生み出しました。ペストの流行後にルネサンスが興《おこ》り、金融や工業化の合理的システムを絶対視したのも同じ現象です。

いってみれば、人間は自分を安心させるためにさまざまな制約を自らつくり出してきたので、「人間中心の社会」になって一人ひとりが選べるようになる、ということにはなかなかならない。だからこそ評価軸を従来の合理性だけではなく、よりよい生き方や共有の価値へとシフトさせてよりよい制約を新たにつくり、変化するなかでベターなものをみんなで模索することが大切ではないでしょうか。

（『Voice』二〇二〇年九月号に加筆・修正）

第三部

せめぎあいの時代を生き抜くために

1．せめぎあいの時代には楕円型の社会を

いまの時代にあって、世界と日本をよく見て、具体的な活動を興している実践者・実務家、そして、時代の動きをしっかりととらえ、未来に思いをはせる先覚者や知的リーダーたちの声を、皆さんはどのように受けとめたでしょうか。

心に響いた言葉もあるでしょうし、すでに始まっている具体的なアクションからの学びもあったかもしれません。それぞれの心に浮かんだ考えやアイデア、そして、その根底にある強い思いこそ、次なる具体的なステップそのものですが、第三部では、あらためて一七回におよぶ対話から得られた知見をまとめます。

第一部で、現代の日本を取り巻く「せめぎあい」の時代について述べました。しばらくの間は「こっちに向かう」と明確には言い切れない不安定な時代が続くということは、第二部のそれぞれの声からもききとることができたのではないでしょうか。

せめぎあいに「向き合い続ける力」が求められる

ハイテク競争やパンデミックによって加速する国家の復権も目の前にある流れですが、都市や地域が国家を飛び越えて世界と直接つながることが、地域の活力の源泉であることは明らかです。また、デジタル化の進展にしても、工業化の成功体験にしばられず、かと言ってその経験を全否定するのではなく、活かすべき部分を見極めながら、組織や自分自身を変えていくことが求められます。第二部の対話においても、ゲストスピーカーの話が一見矛盾して読みとれることもありますが、せめぎあいの時代の真っ只中の現実として受けとめるべきでしょう。どちらか片方だけが正解ではありません。こちらがダメだからあちらに乗り換えるのではなく、せめぎあいそのものに向き合い続ける力が求められています。「向き合い続ける力」とは、じっと我慢して何もしないのではなく、変化や不安定さに向き合い、結論を焦らずに、考え続ける力です。その場から逃げずに、わからないとしても対象に向き合い続ける力です。

安宅さんのお話で出てきた「じゃまオジ」の話が象徴的ですが、研究会を始めたばかりの頃、旧来の成功体験に縛られ、なかなか変われない存在をいかに変えていくのか、議論しました。変われない存在というのは、旧来の右肩上がりの工業化モデルの守護者である、大企業、国の政治家、官僚機構に代表される人たちです。ものづくりへのこだわりも含めた昭和の成功体験への過剰適応が続いており、いまも既存システムの温存を志向する人たちです。

政治の世界では、平成の時代には政権交代があり、転換が期待されましたが、結局は、反対勢力も同じ発想の延長にあって、社会そのものの変化にはつながりませんでした。旧来のモデルへのこだわりには根強いものがあり、また、転換させるには、日本全体は大きすぎました。

制度の変更や規制の緩和を含む、国家レベルの政治的な決断というのは、対応を迫られるようになってから行われることが多く、どうしても動きは後手後手です。やはり、まず局所的に動き出す人がいて、その後、ようやく社会や政治が追いかけるかたちとなるのだと考えておいたほうがよさそうです。

新たな中心をつくり、増やし、円を楕円にしていく

対話を重ねてよくわかったのは、既存の制度の下であっても、新たな具体の動きを実現できる人たちがいることです。真ん中（例えば、地域でいえば東京、産業でいえば自動車というイメージ）ではなく、そこから少し離れたところ、周縁において具体的な変化は起きています。Facebookの共同創業者であるマーク・ザッカーバーグは、二〇一七年、自らの母校ハーバード大学の卒業式において、「変化はローカルから始まる。グローバルな変化も最初は小さく始まる」と後輩たちに語りました。研究会では、広島県（広域自治体）の湯﨑さん、福岡市（政令指定都市、大きな基礎自治体）の髙島さん、ニセコ町（小さな基礎自治体）の片山健也さん、とそれぞれの地域で選ばれたリーダーたちから話を聞きましたが、それぞれの活動と根っこにある考え方は、ローカルならではのアイデアと意欲に溢れたものでした。また、食をテーマに各地の「あるもの探し」を続け、人が惹き付けられるプロジェクトを続ける本田さんの話は、ローカルこそ日本の価値の源泉であることに気付かせてくれます。

こうした動きを見れば、まるで、楕円ができていくかのようです。楕円を描くには、二つの焦点が不可欠です。いままでの中心、旧来の守護者たちが堅持しているものに加えて、新たなもう一つの中心を確実につくり、ついにはそれらを二つの焦点とする楕円としていく。日本に必要なのはそうした発想ではないでしょうか。元々の中心はそのままでも構いません。それで支えられている人もいます。せめぎあいの時代にはむしろ必要な場面も出てくるかもしれません。既存の中心を打ち倒す、そこに多大なエネルギーを投じることはありません。円が、私たちの意志や行動によって、楕円となり、さらに複雑な図形が拡がっていく。私たちはそんな社会を目指していくのではないでしょうか。

片山杜秀さんが指摘したように、日本は自然災害リスクから無縁ではいられません。気候変動の影響はますます深刻化するかもしれません。一つのシステムに頼らず、多様なサブシステムが存在すればこそ、リスクに強い社会を構築することもできるでしょう。

その際、大切なのは、せめぎあいの時代の個別の動きを、バラバラにではなく、大きな流れとして受けとめ、有機的に文脈をつかみとる力が求められるということです。個々の現象や症状ばかりに引きずられるのではなく、せめぎあう全体を俯瞰し、対立する二つ以上の概念や異なる軸を統合して考え、向き合い続ける、ホリスティックなアプローチが必要な時代に私たちは生きているのです。

2. 新たな中心をつくるための三つの「場」

では、新たな中心はどんなところにできるのでしょうか。新たな中心が生まれる場として、「地域」、「企業」、「教育」の三つを提起します。これらはそれぞれの中に新しい中心が生まれる「場」である場合もあれば、新たな中心の担い手そのものとなる場合もあります。さらには、一つの場で同時に発揮される「機能」となる場合もあるかもしれません。

「地域」が変える、「地域」が変わる

これまでの中心は東京であり、中央でした。しかし、地域のリーダーたちが示したとおり、「地域」は新たな中心の一つになるでしょう。それは〇〇銀座のような小さな東京を各地につくるのではなく、それぞれの独自性や強みを生かした強い地域が各地に並び立つことを意味します。

それぞれの風土や文化、日々の暮らしは地方それぞれに異なります。その違いこそが価値の源泉です。「食」は地域の価値の源泉をホリスティックに見た一つの象徴です。食ばかりではなく、「祭」や「アート」も同様です。「スポーツ」も可能性があるかもしれません。地域にある価値を再発見し、一つのかたちに統合し、心が動くかたちで表現する。それは、まさに人間ならではの営みであり、そうしたプロセスそのものが地域を元気づけることになります。

また、地域は規模が小さく、変化を起こすために必要な条件が揃っています。地域が何かを始めるとき、そこには様々な登場人物が必要となります。もちろん、地域の人がみんなで関わることができる、オープンなかたちが求められることは言うまでもありませんが、その核になるのは、三つのタイプの人材です。

一人目は「突き抜ける人」です。ワカモノ、バカモノ、ヨソモノと重なる場合が多いかもしれません。地域にある「もの」や「こと」の価値を信じて、何かをやろうと信念を持ち、猪突猛進に突き進む人です。ただ、それだけでは、最初はよいかもしれませんが、持続できません。多くの場合、突き抜ける人は孤立してしまいがちです。

そうならないために大切なのが、二人目の「プロモーター」です。「突き抜ける人」の言葉や行動の意味を、地域の人たちにわかりやすい言葉で伝える人です。実際の活動の仲間を増やすために不可欠な存在です。しかし、それだけでは、地域全体が動くようなところにまでは至りません。

そこで求められるのが、三人目の「ゴッドファーザー／マザー」です。大きな方向性を理解し、動き出した「突き抜ける人」や「プロモーター」、そして仲間たちの小さな動きの後ろ盾になる人です。地域には、いまも信頼の関係が残ります。少なくなってきたとはいえ、その信頼を体現した存在というのは、どの地域にもいるものです。地域で多くの雇用を産む仕事を動かしている人はそういう存在の一人かもしれません。研究会の対話では「地方豪族」と呼んでいましたが、彼らこそ、長い時間軸で地域の持続的な発展を考えている人材の一人です。政治からは距離を置いている場合も多いのですが、彼らの力を活かすことを忘れてはいけません。

地域において、もうひとつ大切なのは、国に頼らない首長の存在です。北海道ニセコ町は自らを「小さな世界都市」と名付け、国や東京とは関係なく、直接、世界とつながり、自らの価値を伝えられることを示しました。地域の力を再発見し、時代の流れを読むことができる、自らの範囲でできることをよく理解したリーダーがそれぞれの地域で必要です。そして、なにより大切なことは、それぞれの地域において、主権者である私たちがそういう人を選んで、育てていくことです。

社会とつながる「企業」に人材が集まる

新たな中心が生まれる場であると同時に、新たな中心として変化の担い手ともなりうる二つ目は「企業」です。これまでは途上国型の行政依存の国づくりだったかもしれませんが、企業は自らの役割の大きさをあらためて自覚する必要があります。また、中心となる存在というと大企業を思い浮かべがちですが、むしろ、新たな中心はベンチャーであったり、中小企業となる可能性が高いでしょう。

組織力・技術力を持ち、国境を越えて活動できる企業は、これまで以上に、社会に対する責任の重さを自覚しなければなりません。経営学の最前線を担う三品さんは、企業経営に社会の視点を持ち込み、株主中心に行き過ぎた欧米型とは異なる、中庸な企業の設計を求めています。同時に、国際競争の舞台で闘っていくには、経営者を従来の管理型（操業）人材から経営型（創業）人材にシフトしていかねばなりません。そのための人材育成の方法論の転換も求められるでしょう。日本型経営を長く見てきた伊丹さんも、「厳しい」人本主義の必要性を語りました。人を大切にするためには、甘やかすことではなく、人それぞれの力をしっかり引き出せる経営が不可欠なのです。

柔軟な働き方、新たな組織のあり方を提唱し、人を大切にする経営、組織を実践してきた青野さんは、テクノロジーをもっとうまく活かすことで、そうした経営をより進めることが可能だとしています。なにより、人材を真に活かすことができなければ、企業の持続可能性そのものに関わることも実感させてくれました。また、社会の変化に目を向けることが新たなビジネスの源泉であると同時に、リスクを避けるためにも必要だと教えてくれました。長谷川順一さんが取り組む、最先端のテクノロジーを活かした企業活動からも、時代認識を深め、社会課題をしっかりと捉えることで、企業活動そのものが活発となり、人も組織も育つこと、そして、そういう組織には優れた人材が集まることがわかります。

企業は、社会とつながり、その声に応える「社会の公器」であると唱えたのは松下幸之助でした。企業とは、自らの製品やサービスはもちろんのこと、その価値創造プロセスそれぞれにおいても、社会にとってのプラスを大きくし、マイナスを小さくする、社会と事業それぞれの利益を統合できる存在でなければなりません。また、後節で「教育」についても触れますが、公器である企業においては、そこでの経験を通じて、その人材一人ひとりを育てて社会に返すことができるかどうかが問われます。企業が社会の変化に応え、時代にふさわしい社会の公器としての役割を徹底して果たしていくことこそ、これまでとは異なる新たな中心を生み出す原動力となるはずです。

もっとも変わることを迫られている「教育」

三つ目は「教育」です。「地域」と「企業」のように変化の兆しが見えているというわけではありませんが、変わらなければならない、もっともクリティカルな「場」であり「機能」であることを忘れてはなりません。せめぎあいの時代に向き合う力をもって考え続けることができる人材、もう一つの中心を生み出す人材を育てるのは「教育」の役割です。まず、教育の担い手がそうした認識を持つことが第一歩です。

それは初等、中等、高等、そして、生涯教育、すべての場面において求められます。とくに初等教育は大切です。世界がどう動いているのか、そして、自分の足元はどうか、その相対的な比較ができて、はじめて、自分が生きている時代を理解できます。自然の中での遊びも含めた豊かな経験の身体性、そして、それが自らの知覚の源泉となり、知性に至ることは、長谷川眞理子さんや安宅さんのお話に通じるところです。また、人そのものの力という意味では、集合知の大切さについて説かれた西垣さんのお話も忘れてはいけません。自分自身、そして他者も含めた人の力、とくに直感や感性といったものはまだまだ高めることができそうです。

世界を身近に感じ、自己を相対化し、せめぎあいの時代に向き合う知性を育てるためには、人と人の直接の交わりがなくてはなりません。世界から人材を受け入れ、交わる。そうして育った人材が世界に輩出し、さらに成長して帰ってくる。そうした流れをつくることができれば、新たな発想によって新たな中心をつくる人材が育つ環境となるでしょう。研究会メンバーの末松さんは、広島県神石高原町に、神石インターナショナルスクールを二〇二〇年四月に開校しました。豊かな自然の中で、世界中から集まった子どもたちが世界の第一級の人材と共に学ぶ、全寮制の初等教育を担う学校です。こうした試みは、これからの教育の新たな中心の一つとなっていくでしょう。また、広島県が設立した若手人材の育成の場も、地域における教育の新たな可能性を示すものです。大学における人材、企業における人材、それぞれを育てる場を分けるのではなく、それぞれの知や創造力が集まり、お互いに刺激し合い成長し合える関係性をつくることができる場を、それぞれの地域が持てるようにしていかねばなりません。

研究会の対話において、ほとんどのゲストが触れたのが、教育の重要性でした。けっきょく、課題を見極め、解決するのは人材に他なりません。そして、常に、新たな時代は人材によって拓かれていくのです。経済の格差が教育の格差に直結しているとの指摘も聞かれます。また、国のお金の使い道を見ると、その多くが社会保障費、つまり高齢者向けに分配されているのが現状です。こうした現状を転換させ、次の世代のためにリソースが配分されるようにしていかねばなりません。

3. この時代を日本が生き抜くための五つの原則

せめぎあいの時代にふさわしい楕円型の社会をつくるには、新しい中心を加えていくことが欠かせません。新しい中心が生まれる場、あるいはその担い手として地域、企業、教育を考えましたが、言うまでもなくそれ以外の様々な場において新しい中心が創り出されることで楕円型社会はさらに豊かなものになるでしょう。

もう一つの中心を創り、結果として楕円型の日本を築くために大切なことはどのようなことでしょうか。私たちは、多くの対話を通じて、その本質を照らすようなヒントや気づきを得てきました。それらは、この時代に臨む私たちの意志に通底する五つの原則としてまとめることができます。

①人を大切にする社会、人に投資する日本に

次なる変化が見えにくい時代だからこそ、ファクツをしっかりと見て、歴史や経験を踏まえ、決断し、実践できる人材を育てることが大切です。また、危機が頻発する社会にあっては、これを乗り越えるのもまた、人材が為すことです。右肩上がりの時代は「もの」への投資を重んじてきましたが、技術革新や自然災害があれば、「もの」への投資は陳腐化、無に帰することもあります。人材は、どんな場面であっても、必ず活躍し、そして、次なる人材を育てます。

大規模な自然災害や新型コロナウイルスのパンデミックといった緊急時に痛感させられるのは、平時からの準備の大切さです。様々な準備がありますが、ハード面の準備には限界が

あります。だからこそ、人材については、どんな時も自ら判断ができる人を育てておくしかありません。不確実性を吸収し、創造の契機にできるのは、けっきょく、人しかないのです。

そのためには、常日頃から、主体的選択ができることの大切さを知り、主体的選択の実践を積み重ねること、そして、一人ひとりの主体的選択を周囲が支えることができる社会をつくっておくことが求められます。

「投資」というとお金をかけることばかりを考えがちですが、他者が積極的に関わることがなによりの投資です。これからますます進む高齢化社会ですが、そうであっても「若い人に資源を注ぐ」「若い人に人手や時間をかける」という原則を確立していくことが大切でしょう。

そうやって人を育てていけば、その人は社会課題に向き合い、その解決策を産み出してくれるかもしれません。新たな仕事をつくることもできるかもしれません。日本人は、すでに存在するお手本や経験をベースに1→10→100にしていくのが上手でしたが、それだけでは、これからの社会は生き抜けません。むしろ、新たな何かを産み出す人、0→1を生み出す人を育てることを、いままで以上に意識していく必要があります。0→1を実現するためには、多くの失敗が伴います。失敗してもまたチャレンジできる、寛容な社会が必要です。0→1の人材を育てるためには、これまでの「知識」偏重から、「知性」尊重の教育に転換していかねばなりません。物事をよく知っているという「知識」ではありません。全人的な感覚の鍛錬によって育てられた「知性」が求められる時代です。キャッチアップに対応した従来型教育そのものの転換が必要です。また、青年期までだけではなく、生涯かけて継続して学び続けられる環境整備も必要でしょう。デジタル・データやＡＩがより積極的に使われる社会だからこそ、人そのものの力が試されます。知性を育てるためには、全人的な感覚の鍛錬、つまり、意識された全人的な経験の蓄積を若い時から継続して重ねていくことが肝心です。幼年期からの遊びも含めた、知的体験、自然体験、人的体験の積み重ねがその土台となるでしょう。

安宅さんによれば、日本人の強みといえば、妄想力のたくましさです。マンガとアニメで育ってきた私たちは、『ドラえもん』に親しみ、『攻殻機動隊』や『新世紀エヴァンゲリオン』と共に成長を重ねてきました。妄想こそが技術を生み、社会課題解決のエンジンになっていくのがこれからの社会です。一人の妄想力をさらに深め、伸ばし、そして、個々の妄想力をつなぎ、掛け合わせて、組織や社会の力にしていくこともできるはずです。

デジタル化が進むテクノロジーの実装と社会の協力を通じて、情報の共有と参加による新たな社会契約の可能性を探求する宮田さんは、デジタル・データの活用の最大の意義は、従来の最大多数への適合から個別最適へのシフトにあるとお話しされました。マスではなくミクロの対応ができるということです。プライバシーに配慮しながら、一人ひとりの課題やニーズをしっかり見ることができるのがデジタル・データの大きな特徴です。一人ひとりを大切にし、それぞれの思いや力が響き合う社会にしていく基盤として、デジタル・データは位置付けられねばなりません。

②言葉・歴史・風土に根ざす価値を再発見し、世界に伝えられる日本に

世界中の国や地域も同じですが、私たちにも、風土と歴史で育てられてきた文化があります。海外からさまざまな影響を受けながらも、日本語をはじめとする独自の文化を築いてきました。他方で、日本文化といっても一様ではありません。南北に長く、様々な地形も影響し、各地に伝承される文化は多彩です。それぞれの地域に、地域特有の歴史や風土によってかたちづくられた美を発見できます。

ここで、日本人の多くが知る文を読んでみましょう。

やまと歌は、人の心を種として、よろづの言（こと）の葉とぞなれりける。世の中にある人、ことわざ繁きものなれば、心に思ふことを、見るもの聞くものにつけて言ひ出だせるなり。花に鳴く鶯、水にすむ蛙（かはづ）の声を聞けば、生きとし生けるもの、いづれか歌をよまざりける。力をも入れずして天地（あめつち）を動かし、目に見えぬ鬼神をもあはれと思はせ、男女（をとこをむな）の中をもやはらげ、猛きもののふの心をも慰むるは歌なり。（「古今和歌集仮名序」『新潮日本古典集成』より）

紀貫之《きのつらゆき》が記したとされます。声に出して読んでみると、その言葉は、さらに深く沁みてくることでしょう。「歌」について書かれたものですが、むしろ、「美」について語っているようです。さらには、この文こそ「美」そのものとも気付かされます。

日本の美の原型について、古代まで辿れば、縄文的なものと弥生的なものがあると、哲学者である谷川徹三は『縄文的原型と弥生的原型』で指摘しています。私たちは、岡本太郎の作品の中に、彼自身が再発見した、情動的な縄文の美を見ます。金色の背景にかきつばたの群生が配置された尾形光琳の屏風「燕子花図《かきつばたず》」に、整ったデザインともいえる弥生の美を見ることもあるでしょう。荒々しく躍動感溢れる縄文的なものと機能的で整った弥生的なものを混在させ、異なる美が共にあることを楽しむ人もいるかもしれません。

日本に息づく美は、食の世界にも見出すことができます。食とは、食材、調理、器によって完成される総合的な美の一つです。高級な料亭だけの話のようですが、本来の食の美は、むしろそれぞれの地域の風土や文化と直結する地元食にあります。風土がかたちになった食材を、伝承された知恵と技術で調理し、その地の土と火の力でつくられた陶器や山から切り出した木や漆でできた椀に盛り付ける、これこそ、その地の美の集大成です。現地にしか存在しないその美を体験するために、国を越えて、遠くから訪れる人がいるのです。

しかし、日本の美はすばらしいと自画自賛しても意味はありません。大切なことは、椿さんの話にもあったように、世界との相対化を経て、自らを再発見し、磨き、外からも理解され高く評価されるものにしていくことです。日本人だけがわかるのではなく、美の文脈を言葉にし、具体的にその価値を示すことが求められます。

その際、日本人同士のコミュニケーションは、同質な背景を持つ者同士のやりとりに慣れた世界で使われてきた、ハイ・コンテクストなものであることを忘れてはなりません。美は五感をたくましくして受けとめるものです。情動、感情、直感等も含め、その文脈、ストーリーをしっかりと言語化し、日本語だけでなく、多言語で世界に伝える努力を続けることが必要です。

言語化という点で言えば、美に限らず、日本がこれまでつくりあげてきたもの、また私たちがこれから選択していくものにも、言語化が求められます。進化したテクノロジーが日々の暮らしや社会へ実装されていく中で、あるいは、コロナのような危機に対応する中で、私たちの民主主義の輪郭は形作られていきます。民主主義、法の支配、人権の尊重といった同じ言葉を使っていても、それぞれの国や社会の選択の結果、その輪郭の違いはよりはっきりとしてくると宮田さんは語っていました。この過程で必要となるのは、どんな社会にしていきたいか、という私たちの意志の存在なのです。

こうした民主主義の輪郭が形作られる現代において、自らの立ち位置を言葉にして発信する必要性について、大屋さんは、権威vs自由といった、アカデミアにおいて語られる枠組みが西洋社会から発出したものであることを踏まえつつ、日本の社会や政治の経験や選択がどのような普遍的な意味を持つのか、きちんと言語化し、説明し続けることの必要性をお話しされました。これができなければ、日本は「不思議の国」のまま、世界の中で孤立してしまうかもしれません。

③変化の兆しを受けとめ、学び合える、寛容な日本に

せめぎあいの時代にあっても、既存の強固な統治システムが自ら変化することは困難です。やはり、変化は常に辺境から起きています。第二部でご紹介したように、様々な現場における変化をしっかりと捉え、現場から手触り感を持って変革を担うリーダーがたしかに存在します。そうした変化のエッセンスをわかりやすく社会全体で共有していくことが必要です。

言い換えれば、各地で生まれつつある新たな中心を見出し育てる、前向きな情報共有が必要です。日本のメディアは東京中心で情報の中央集権化が進んでいます。また、日本語という言語のカベもあって、鎖国化も進んでしまいました。こうした現状を転換し、ソーシャルメディアやインターネットもうまく活かしながら、ネットワーク（ヨコ）型のコミュニケーションを活発にしていかねばなりません。新しい中心ができることを歓迎し、異なる中心の存在を受容し、育てるメディアが必要です。新たなチャレンジは、最初は異端視されることもあるでしょう。コロナ禍では、自分と異なる意見の発信や行動を叩く姿もあり、これをそのまま流すメディアもありました。これでは新たな芽は育ちません。メディアにこそ、社会

とのコミュニケーションの専門家として、新たな芽が社会にもたらす意義を前向きに受けとめ、これを励まし、社会の賛同を得るための情報共有をしていく、双方向型のコミュニケーションの時代における新たな役割があるはずです。それこそ、これからの時代のジャーナリズムと言えるでしょう。

世界の変化を正確に伝え、自らを相対化させる基盤となる日本語メディアに加え、新たな変化やその兆しを伝える言論空間を構築し、志を持つ人がつながる仕組みをつくっていくことが必要です。こうしたネットワークは、国の外にも拡がっていき、積極的に外に出ていく人々が、外の人から得る外の文脈と自己の文脈を比較することで自分の価値を再認識し、自己の文脈を再編集する「相対化」のインフラにもなっていくはずです。

こうしたネットワーク化は、メディアを通じてばかりではなく、さまざまな育成の場、実践の場での交流によって、さらに大きく豊かになっていくでしょう。ここで重要なのは、どこに誰がいるか、手触り感がある、実態を伴う信頼に支えられた関係性やネットワークをつくっていくことです。すでに地域レベルでは顔が見える関係として構築されているところもありますが、ヒエラルキーの関係性ではなく、組織の殻を越えた対等なネットワークの関係によって、それぞれの専門性や得意なことも補完できるようになります。安宅さんが言う妄想力の掛け算もこういうところで起きるのです。

コロナ禍はデジタル化を一気に推し進め、オンラインでの会議も増えました。一時期の制限はやむを得ないことですが、全人的な経験によって知性が鍛えられることを考えると、リアルな場での顔が見えるコミュニケーションはやはり重要です。フラットな関係性を育て、具体的な実践の舞台となる「場」もますます重要になります。大学や研究所はもちろん、知や創造力が集まる、具体的な「場」を、それぞれの地域ごとに持てるようにしていかねばなりません。

また、こうした変化の兆しを大切にする社会では、複数の選択肢を確保することが求められます。例えば、これまで、建物を建築するときには、政府によって定められた建築基準法に適合しているかどうかばかりが見られていました。自然災害が多い日本では、頑丈・堅牢な建物であることが法律等により求められていましたが、これは高いコストがかかるものです。しかし、それ以外の選択肢があってもいいはずです。例えば、それほど堅牢ではなくともコストが低く、建て直しが容易な建物を、私たちは選ぶこともできるのではないでしょうか。楕円型の社会と同様、複数の選択肢を備えた複線型システムを持つ社会にしていかねばなりません。

そうした複線型の社会において、考えておかねばならないのは、全体観の醸成です。多様化が進めば、気持ちを一つにできるものがより求められるようになります。おそらく、その際に求心力を持つのが「美」や「食」や「スポーツ」のように、人の心を動かすものでしょう。大切なことは、美も食もスポーツも、私たちの風土、そして、心に根差したものでなければならないということです。そうしたものには、誰もが心に思い浮かべることができる、共通のストーリーが存在します。地域の価値を再編集し、文脈を明らかにした地元の「食」の再発見がよい例です。美やスポーツ等においても、そうした再編集ができてはじめて、求心力の源泉となるのです。

④検証可能な記録を残し、自らを律し育てる日本に

せめぎあいの時代は、方向性がはっきりしない、わからないことが多い、モヤモヤした時代です。そうした時代でも、組織や社会は何かしらの決断をしていかねばなりません。大切なことは、失敗を恐れず、新たなチャレンジを認めることです。多産多死への寛容性を持つことだと考えてもよいでしょう。失敗した場合に責任を取らされることを恐れて、実績のある手段しか選択しないのでは、新たな変化に応じることはできません。

新たなチャレンジの際に重要なのが記録です。どんなものを見て判断したのか、異なるオプションと比較して、なぜこの選択をしたのか、意思決定の記録をしっかり残し、検証可能にすることで、その後の意思決定の精度を向上させるために活かしていかねばなりません。

国や地域を動かす政治の世界では、ある時に下された政治による判断が正しかったのか、誤っていたのか、誤ったとすればなぜそうなったのか、後年検証するために記録を残します。記録を残すことで、後年の評価に謙虚に向き合わざるをえなくなり、判断が緊張感をもって適切に行われることも期待したものです。

新型コロナウイルスの感染拡大に伴う対応では、日本政府はウイルスの正体がなかなか見えない中、限られた知見に基づき、様々な判断をしてきました。大切なことは、その結果を過程も含めて後で評価・検証し、私たちの次の選択に活かすことです。新型コロナウイルスに関する一連の対応について、内閣では、「行政文書の管理に関するガイドライン（平成二十三年四月一日内閣総理大臣決定）」に規定する「歴史的緊急事態」に該当するものとしました（三月十日閣議了解）が、これに限らず、あらゆる意思決定の記録を残すことは、せめぎあいの時代、不安定な時代において、私たちの判断をより正しいものとするために必ず無くてはならないものです。また、記録することによって、組織も社会も育つことが期待できます。「なんとなく決まる」をやめるため、きちんと記録を残すのです。

気をつけなければならないのは、責任をとらせるための記録にしないことです。そうすると、記録そのものをとらなくなってしまう懸念があります。大切なのは、個人や組織、ひいては社会の経験知を積み上げ、高めながら、意思決定の精度を高めていくことです。政治家の責任が次の選挙で問われることは当然ですが、組織における隠蔽《いんぺい》を防ぐためには、それ以外の責任と切り離すといった工夫も必要でしょう。

過去の成功体験がパラダイムシフトを妨げてしまうという戸部さんのご指摘を忘れてはいけません。記録をきちんと残すことによって、過去の成功についても冷静にその要因を分析することが可能になります。現在置かれた環境との違いをしっかり見ることによって、同じ成功体験を活かすことができるのか、それとも、別の対応を用意しなければならないのか、しっかりと考える習慣をつけることにつながります。これは、変化の時代に臨むためには不可欠な姿勢といえるでしょう。

⑤情報を共有し、みんなで未来を決めることができる日本に

ニセコ町のまちづくりから見えてきたのは、町民のまちづくりへの参加の前提に、行政ば

かりではない、地域にある「もの」や「こと」も含めた情報共有の徹底が図られていることでした。また、新型コロナウイルスのパンデミックにおいても、さまざまな情報の共有によって、国民一人ひとりが積極的に社会的隔離に協力し、社会の危機に立ち向かう経験をしてきました。

一方、世界全体を見れば、社会的隔離政策をめぐる二つの方針が存在しています。一つは、国家・政府に強大な権限を持たせ、一人ひとりの社会的経済的活動の自由をテクノロジー等も含めた手段で厳しく監視・制限することを受け入れるものです。代表例が中国で、これと同じような方法をとる国も出てきています。もう一つは、国家・政府が積極的に問題に関する情報を公開・共有することで、市民社会が現状や未来について自主的に考え、自ら協力できるようにするものです。

一時的な緊急避難的措置はあるかもしれませんが、中長期的には、日本の進むべきは後者しかありません。それこそが、先人たちが命をかけて築き上げてきた、自由で活発なみんなで未来を決める社会です。

私たちの実生活に影響を及ぼす選択が目の前にあります。新型コロナウイルスは人類にとって大きな危機ですが、それ以上に、私たちが選択する未来を誤ることこそが、本当の危機ではないでしょうか。

すでに直前の④で示したとおり、大屋さんが指摘された日本の経験や選択を普遍的なものとして語るためにも、また、自らの選択を言語化するためにも、記録を残すことは不可欠です。結果としてうまくいったからとそこに至るプロセスを見過ごしていては、より深刻な危機が進行していることに気がつかず、取り返しのつかない事態に至ったという過去のあやまちを繰り返すことになりかねません。

戸部さんには、成功体験にこだわりパラダイムシフトに応じることができなかった、先の大戦に至る日本の陸軍と海軍の失敗について、お話しいただきました。組織のしがらみや慣行にとらわれず、健全な常識に基づいてそもそも論で考えることができるリーダーや第三者による反対意見に耳を傾けることができなければ、組織は過去の成功体験に囚われ、果たすべき機能を考え直したり、必要な方針転換をしたりすることができないということを学びました。閉じた組織はブレーキもハンドルもないクルマになってしまいます。

せめぎあいの時代において、大切なことは、あらゆる知見を広く取り入れることです。「炭鉱のカナリア」という先人の知恵がありますが、変化の大きな時代こそ、社会のあらゆるところにセンサーを張り巡らし、これを社会全体で共有できるようにしていかねばなりません。デジタル化する社会のメリットもそうしたところにあるのでしょう。
①でも触れましたが、宮田さんによれば、デジタル・データの活用の最大の意義は、従来の最大多数への適合から個別最適へのシフトにあります。一人ひとりの思いや力が真に響き合うためには、それぞれの意思決定が社会全体のそれとつながっていることが見えるようにする工夫が必要です。これまでの多数決による決め方だけではない、納得感が高く、自分自身がコミュニティに参加している実感を持つことができる社会への参加のかたちをつくっていくことが、デジタル・データの活用によって可能になるのではないでしょうか。

4. むすびにかえて

二〇一九年のワグビー・ワールドカップは日本で開かれました。たくさんの感動がありましたが、中でも私たち日本人を、そして世界を驚かせたのは、ラグビー日本代表の活躍でした。彼らの活躍にこそ、せめぎあいの時代に生きるヒントが隠されています。

それまでのラグビー日本代表は、世界の強豪には追い付くことができない存在でした。そんな中、彼らが取り組んだのは、世界を踏まえた相対化です。自らを閉じて自己満足することはありませんでした。具体的なデータに基づき、これを分析して、自らの強みを磨き、弱みを克服しようと努力を重ねました。そして、内輪の論理に閉じこもらず、生まれた国にこだわらない、誰にも開かれたチームをつくり、適材適所を徹底させました。かつての成功体験に酔わず、時代に適合した戦略を追求する姿勢も忘れることはできません。

チームをつくっていく上で、心が動く歌の存在もありました。カントリーロードの替え歌です。誰もが歌えるメロディにのった「ビクトリーロード」と呼ばれる歌は、チームばかりではなくファンの心も一つにしました。心を一つにする求心力は素朴なところに生まれます。「言葉遊びのスローガンをいくら並べてもこれに勝つことはできません。

なにより大切なことは、彼らは、チームの一員として、情報や分析を共有し、目指すべき方向を決めて、努力を徹底し、実践を継続したことです。チームの外の声は、最初の勝利まできわめて厳しいものでした。日本ラグビーが世界に勝てるはずがない、とネガティブな言葉を口にする人も少なくはありませんでした。しかし、チームのメンバーは誰一人、ネガティブになることはなく、試合の前からずっと「ポジティブ」であり続けました。それは自分たちが積み重ねてきた努力や実践の継続を信頼し、自分自身やチームが身に付けた力は決してネガティブな声に揺らぐようなものではなく、大きな希望をもって試合に臨むことができると確信することができたからです。

せめぎあいの時代は、何もしないで乗り切れるほど甘いものではありません。「どうにかなるさ」という楽観だけでも乗り切ることはできないでしょう。大切なことは、自分自身もチームの一員として、チームの相対的な力を冷静に把握し、考え抜いて方向性を定めたら、徹底的に努力を積み重ねていくことです。傍観者ではなく、一人の実践者、そしてチームの一人として実践に踏み出すことなのです。

せめぎあいの時代を生きていくことは、どうにもならないことでもありません。すでに、先駆者たちが示している通り、彼らの言葉はいずれもポジティブで力強いものでした。私たちの誰もがそうなる底力をもっています。確かな意志、冷静な頭脳と温かい心、そして、明るい気持ちで力を合わせて、これからの時代を生きていこうではありませんか。

【初出一覧】（原題）

第一部　書き下ろし
第二部『Voice』（PHP研究所）
二〇一九年一月号　「大学に10兆円の基金を」安宅和人
二月号　「AIは意味を扱えない」西垣　通
三月号　「食こそ最強の観光ツール」本田直之
四月号　「国家を守る保険制度」片山杜秀
五月号　「株主重視と社員重視のあいだ」三品和広
六月号　「小さな世界都市をつくる」片山健也
七月号　「『わがまま』を認める会社」青野慶久
八月号　「アジアのリーダー都市へ」髙島宗一郎
九月号　「日本版故宮をつくれ」椿　昇
十一月号「人間とチンパンジーを分けるもの」長谷川眞理子
二〇二〇年一月号　「デジタルトランスフォーメーションの挑戦　湯﨑英彦
二月号　「爆発するルネサンス」御立尚資
三月号　「『厳しい人本主義』への回帰」伊丹敬之

四月号　「ディープラーニングの実装」長谷川順一
八月号　「謎の国・日本を言語化せよ」大屋雄裕
九月号　「同調圧力を超えるエビデンス」宮田裕章
十月号　「日本軍のパラダイムを考える」戸部良一
第三部　書き下ろし

【編者略歴】

鹿島平和研究所［かじまへいわけんきゅうじょ］

1966年、冷戦がアジアで最高潮となる中、元外交官で外交史家だった鹿島守之助博士（当時参議院議員、鹿島建設会長）の寄付により、日本の世界平和への貢献及び日本の安全と繁栄に関わる調査研究を目的に、設立。博士の意思により、広く外交界・政官財界の実務経験豊富な人材を役員等に迎えその意見を徴してきた。設立以来続く外交研究会をはじめ、多様な研究会を開催、国際間及び日本の外交、安全保障、経済、政治、社会につき書籍刊行・政策提言を行っている。

ＰＨＰ総研［ぴーえいちぴーそうけん］

1946年に松下幸之助が設立したＰＨＰ研究所の政策シンクタンク。民間独立の自由な立場で、政治、行財政、外交・安全保障、地域経営、教育、企業活動等の個別重要課題から、憲法、統治機構、国家戦略、国際秩序構想にいたるまで、骨太で実践的な研究提言を行なう。ホームページや『Voice』をはじめとするPHP研究所の出版物、シンポジウム等を通じて研究成果を世の中に広く提案し、よりよい日本と世界の実現をめざして積極的に活動している。

PHP新書 1237

日本の新時代ビジョン

「せめぎあいの時代」を生き抜く楕円型社会へ

二〇二〇年十月二十九日　第一版第一刷

編者――鹿島平和研究所／PHP総研
発行者――後藤淳一
発行所――株式会社PHP研究所
東京本部――〒135-8137 江東区豊洲5-6-52
第一制作部 ☎03-3520-9615(編集)
普及部 ☎03-3520-9630(販売)
京都本部――〒601-8411 京都市南区西九条北ノ内町11
組版――有限会社メディアネット
装幀者――芦澤泰偉＋児崎雅淑
印刷所
製本所――図書印刷株式会社

ISBN978-4-569-84771-9

PHP新書
PHP INTERFACE
https://www.php.co.jp/

PHP新書刊行にあたって

「繁栄を通じて平和と幸福を」(PEACE and HAPPINESS through PROSPERITY)の願いのもと、PHP研究所が創設されて今年で五十周年を迎えます。その歩みは、日本人が先の戦争を乗り越え、並々ならぬ努力を続けて、今日の繁栄を築き上げてきた軌跡に重なります。

しかし、平和で豊かな生活を手にした現在、多くの日本人は、自分が何のために生きているのか、どのように生きていきたいのかを、見失いつつあるように思われます。そして、その間にも、日本国内や世界のみならず地球規模での大きな変化が日々生起し、解決すべき問題となって私たちのもとに押し寄せてきます。

このような時代に人生の確かな価値を見出し、生きる喜びに満ちあふれた社会を実現するために、いま何が求められているのでしょうか。それは、先達が培ってきた知恵を紡ぎ直すこと、その上で自分たち一人一人がおかれた現実と進むべき未来について丹念に考えていくこと以外にはありません。

その営みは、単なる知識に終わらない深い思索へ、そしてよく生きるための哲学への旅でもあります。弊所が創設五十周年を迎えましたのを機に、PHP新書を創刊し、この新たな旅を読者と共に歩んでいきたいと思っています。多くの読者の共感と支援を心よりお願いいたします。

一九九六年十月

PHP研究所

PHP新書

［政治・外交］

318・319 憲法で読むアメリカ史（上・下） 阿川尚之
426 日本人としてこれだけは知っておきたいこと 中西輝政
745 官僚の責任 古賀茂明
826 迫りくる日中冷戦の時代 中西輝政
841 日本の「情報と外交」 孫崎 享
874 憲法問題 伊藤 真
881 官房長官を見れば政権の実力がわかる 菊池正史
891 利権の復活 古賀茂明
893 語られざる中国の結末 宮家邦彦
898 なぜ中国から離れると日本はうまくいくのか 石 平
920 テレビが伝えない憲法の話 木村草太
931 中国の大問題 丹羽宇一郎
954 哀しき半島国家 韓国の結末 宮家邦彦
964 中国外交の大失敗 中西輝政
965 アメリカはイスラム国に勝てない 宮田 律
967 新・台湾の主張 李 登輝
972 安倍政権は本当に強いのか 御厨 貴
979 なぜ中国は覇権の妄想をやめられないのか 石 平
982 戦後リベラルの終焉 池田信夫
986 こんなに脆い中国共産党 日暮高則
988 従属国家論 佐伯啓思
989 東アジアの軍事情勢はこれからどうなるのか 能勢伸之
993 中国は腹の底で日本をどう思っているのか 富坂 聰
999 国を守る責任 折木良一
1000 アメリカの戦争責任 竹田恒泰
1005 ほんとうは共産党が嫌いな中国人 宇田川敬介
1008 護憲派メディアの何が気持ち悪いのか 潮 匡人
1014 優しいサヨクの復活 島田雅彦
1019 愛国ってなんだ 民族・郷土・戦争 古谷経衡［著］／奥田愛基［対談者］
1024 ヨーロッパから民主主義が消える 川口マーン惠美
1031 中東複合危機から第三次世界大戦へ 山内昌之
1042 だれが沖縄を殺すのか ロバート・D・エルドリッヂ
1043 なぜ韓国外交は日本に敗れたのか 武貞秀士
1045 世界に負けない日本 薮中三十二
1058 「強すぎる自民党」の病理 池田信夫
1060 イギリス解体、EU崩落、ロシア台頭 岡部 伸
1066 習近平はいったい何を考えているのか 丹羽宇一郎
1076 日本人として知っておきたい「世界激変」の行方 中西輝政
1082 日本の政治報道はなぜ「嘘八百」なのか 潮 匡人

1083 なぜローマ法王は世界を動かせるのか　徳安 茂
1089 イスラム唯一の希望の国 日本　宮田 律
1090 返還交渉 沖縄・北方領土の「光と影」　東郷和彦
1122 強硬外交を反省する中国　宮本雄二
1124 チベット 自由への闘い　櫻井よしこ
1135 リベラルの毒に侵された日米の憂鬱　ケント・ギルバート
1137 「官僚とマスコミ」は嘘ばかり　髙橋洋一
1153 日本転覆テロの怖すぎる手口　兵頭二十八
1155 中国人民解放軍　茅原郁生
1157 二〇二五年、日中企業格差　近藤大介
1163 AI監視社会・中国の恐怖　宮崎正弘
1169 韓国壊乱　櫻井よしこ／洪 熒
1180 プーチン幻想　グレンコ・アンドリー
1188 シミュレーション日本降伏　北村 淳
1189 ウイグル人に何が起きているのか　福島香織
1196 イギリスの失敗　岡部 伸
1208 アメリカ 情報・文化支配の終焉　石澤靖治
1212 メディアが絶対に知らない2020年の米国と日本　渡瀬裕哉
1225 ルポ・外国人ぎらい　宮下洋一
1226 「NHKと新聞」は嘘ばかり　髙橋洋一

［経済・経営］

187 働くひとのためのキャリア・デザイン　金井壽宏
379 なぜトヨタは人を育てるのがうまいのか　若松義人
450 トヨタの上司は現場で何を伝えているのか　若松義人
543 ハイエク 知識社会の自由主義　池田信夫
587 微分・積分を知らずに経営を語るな　内山 力
594 新しい資本主義　原 丈人
620 自分らしいキャリアのつくり方　高橋俊介
752 日本企業にいま大切なこと　野中郁次郎／遠藤 功
852 ドラッカーとオーケストラの組織論　山岸淳子
882 成長戦略のまやかし　小幡 績
887 そして日本経済が世界の希望になる　ポール・クルーグマン［著］／山形浩生［監修・解説］／大野和基［訳］
892 知の最先端　クレイトン・クリステンセンほか［著］／大野和基［インタビュー・編］
901 ホワイト企業　高橋俊介
908 インフレどころか世界はデフレで蘇る　中原圭介
932 なぜローカル経済から日本は甦るのか　冨山和彦
958 ケインズの逆襲、ハイエクの慧眼　松尾 匡
973 ネオアベノミクスの論点　若田部昌澄
980 三越伊勢丹 ブランド力の神髄　大西 洋
984 逆流するグローバリズム　竹森俊平

［歴史］

784 日本古代史を科学する　中田 力
791 『古事記』と壬申の乱　関 裕二
848 院政とは何だったか　岡野友彦
865 徳川某重大事件　徳川宗英
903 アジアを救った近代日本史講義　渡辺利夫
922 木材・石炭・シェールガス　石井 彰
943 科学者が読み解く日本建国史　中田 力
968 古代史の謎は「海路」で解ける　長野正孝
1001 日中関係史　岡本隆司
1012 古代史の謎は「鉄」で解ける　長野正孝
1015 徳川がみた「真田丸の真相」　徳川宗英
1028 歴史の謎は透視技術「ミュオグラフィ」で解ける　田中宏幸／大城道則
1037 なぜ二宮尊徳に学ぶ人は成功するのか　松沢成文
1057 なぜ会津は希代の雄藩になったか　中村彰彦
1061 江戸はスゴイ　堀口茉純
1064 真田信之 父の知略に勝《まさ》った決断力　平山 優
1071 国際法で読み解く世界史の真実　倉山 満
1074 龍馬の「八策」　松浦光修
1075 誰が天照大神を女神に変えたのか　武光 誠
1077 三笠宮と東條英機暗殺計画　加藤康男
1085 新渡戸稲造はなぜ『武士道』を書いたのか　草原克豪
1086 日本にしかない「商いの心」の謎を解く　呉 善花
1096 名刀に挑む　松田次泰
1097 戦国武将の病《やまい》が歴史を動かした　若林利光
1104 一九四五 占守島の真実　相原秀起
1107 ついに「愛国心」のタブーから解き放たれる日本人　ケント・ギルバート
1108 コミンテルンの謀略と日本の敗戦　江崎道朗
1111 北条氏康 関東に王道楽土を築いた男　伊東 潤／板嶋常明
1115 古代の技術を知れば、『日本書紀』の謎が解ける　長野正孝
1116 国際法で読み解く戦後史の真実　倉山 満
1118 歴史の勉強法　山本博文
1121 明治維新で変わらなかった日本の核心　猪瀬直樹／磯田道史
1123 天皇は本当にただの象徴に堕ちたのか　竹田恒泰
1129 物流は世界史をどう変えたのか　玉木俊明
1130 なぜ日本だけが中国の呪縛から逃れられたのか　石 平
1138 吉原はスゴイ　堀口茉純
1141 福沢諭吉 しなやかな日本精神　小浜逸郎
1142 卑弥呼以前の倭国五〇〇年　大平 裕
1152 日本占領と「敗戦革命」の危機　江崎道朗
1160 明治天皇の世界史　倉山 満

1167 吉田松陰『孫子評註』を読む　森田吉彦
1168 特攻　知られざる内幕　戸髙一成［編］
1176 「縄文」の新常識を知れば 日本の謎が解ける　関 裕二
1177 「親日派」朝鮮人　消された歴史　拳骨拓史
1178 歌舞伎はスゴイ　堀口茉純
1181 日本の民主主義はなぜ世界一長く続いているのか　竹田恒泰
1185 戦略で読み解く日本合戦史　海上知明
1192 中国をつくった12人の悪党たち　石 平
1194 太平洋戦争の新常識　歴史街道編集部［編］
1197 朝鮮戦争と日本・台湾「侵略」工作　江崎道朗
1199 関ヶ原合戦は「作り話」だったのか　渡邊大門
1206 ウェストファリア体制　倉山 満
1207 本当の武士道とは何か　菅野覚明
1209 満洲事変　宮田昌明
1210 日本の心をつくった12人　石 平
1213 岩崎小彌太　武田晴人
1217 縄文文明と中国文明　関 裕二
1218 戦国時代を読み解く新視点　歴史街道編集部［編］
1228 太平洋戦争の名将たち　歴史街道編集部［編］

［社会・教育］

117 社会的ジレンマ　山岸俊男
335 NPOという生き方　島田 恒
418 女性の品格　坂東眞理子
495 親の品格　坂東眞理子
504 生活保護vsワーキングプア　大山典宏
522 プロ法律家のクレーマー対応術　横山雅文
537 ネットいじめ　荻上チキ
546 本質を見抜く力——環境・食料・エネルギー　養老孟司／竹村公太郎
586 理系バカと文系バカ　竹内 薫［著］／嵯峨野功一［構成］
602 「勉強しろ」と言わずに子供を勉強させる法　小林公夫
618 世界一幸福な国デンマークの暮らし方　千葉忠夫
621 コミュニケーション力を引き出す　平田オリザ／蓮行
629 テレビは見てはいけない　苫米地英人
632 あの演説はなぜ人を動かしたのか　川上徹也
681 スウェーデンはなぜ強いのか　北岡孝義
692 女性の幸福［仕事編］　坂東眞理子
706 日本はスウェーデンになるべきか　高岡 望
720 格差と貧困のないデンマーク　千葉忠夫
741 本物の医師になれる人、なれない人　小林公夫
780 幸せな小国オランダの智慧　紺野 登

1025 人類と地球の大問題 丹羽宇一郎
1032 なぜ疑似科学が社会を動かすのか 石川幹人
1040 世界のエリートなら誰でも知っているお洒落の本質 干場義雅
1044 現代建築のトリセツ 松葉一清
1046 ママっ子男子とバブルママ 原田曜平
1059 広島大学は世界トップ100に入れるのか 山下柚実
1065 ネコがこんなにかわいくなった理由 黒瀬奈緒子
1069 この三つの言葉で、勉強好きな子どもが育つ 齋藤 孝
1070 日本語の建築 伊東豊雄
1072 縮充する日本 「参加」が創り出す人口減少社会の希望 山崎 亮
1073 「やさしさ」過剰社会 榎本博明
1079 超ソロ社会 荒川和久
1087 羽田空港のひみつ 秋本俊二
1093 震災が起きた後で死なないために 野口 健
1098 日本の建築家はなぜ世界で愛されるのか 五十嵐太郎
1106 御社の働き方改革、ここが間違ってます! 白河桃子
1125 『週刊文春』と『週刊新潮』 闘うメディアの全内幕 花田紀凱/門田隆将
1128 男性という孤独な存在 橘木俊詔
1140 「情の力」で勝つ日本 日下公人
1144 未来を読む ジャレド・ダイアモンドほか[著] 大野和基[インタビュー・編]
1146 「都市の正義」が地方を壊す 山下祐介
1149 世界の路地裏を歩いて見つけた「憧れのニッポン」 早坂 隆
1150 いじめを生む教室 荻上チキ
1151 オウム真理教事件とは何だったのか? 一橋文哉
1154 孤独の達人 諸富祥彦
1161 貧困を救えない国 日本 阿部彩/鈴木大介
1164 ユーチューバーが消滅する未来 岡田斗司夫
1183 本当に頭のいい子を育てる 世界標準の勉強法 茂木健一郎
1190 なぜ共働きも専業もしんどいのか 中野円佳
1201 未完の資本主義 ポール・クルーグマンほか[著]/大野和基[インタビュー・編]
1202 トイレは世界を救う ジャック・シム[著]/近藤奈香[訳]
1219 本屋を守れ 藤原正彦
1223 教師崩壊 妹尾昌俊
1229 大分断 エマニュエル・トッド[著]/大野 舞[訳]

[地理・文化]

264 「国民の祝日」の由来がわかる小事典 所 功

465・466 [決定版]京都の寺社505を歩く(上・下) 山折哲雄/槇野 修
592 日本の曖昧《あいまい》力 呉 善花
639 世界カワイイ革命 櫻井孝昌
650 奈良の寺社150を歩く 山折哲雄/槇野 修
670 発酵食品の魔法の力 小泉武夫/石毛直道[編著]
705 日本はなぜ世界でいちばん人気があるのか 竹田恒泰
757 江戸東京の寺社609を歩く 下町・東郊編 山折哲雄/槇野 修
758 江戸東京の寺社609を歩く 山の手・西郊編 山折哲雄/槇野 修
845 鎌倉の寺社122を歩く 山折哲雄/槇野 修
877 日本が好きすぎる中国人女子 櫻井孝昌
889 京都早起き案内 麻生圭子
890 反日・愛国の由来 呉 善花
934 世界遺産にされて富士山は泣いている 野口 健
936 山折哲雄の新・四国遍路 山折哲雄
948 新・世界三大料理 神山典士[著]/中村勝宏、山本豊、辻芳樹[監修]
971 中国人はつらいよ——その悲惨と悦楽 大木 康
1119 川と掘割"20の跡"を辿る江戸東京歴史散歩 岡本哲志
1182 京都の通りを歩いて愉しむ 柏井 壽
1184 現代の職人 早坂 隆

[言語・外国語]

996 にほんご歳時記 山口謠司
1011 みっともない女 川北義則
1110 実践 ポジティブ心理学 前野隆司

[思想・哲学]

032 〈対話〉のない社会 中島義道
058 悲鳴をあげる身体 鷲田清一
086 脳死・クローン・遺伝子治療 加藤尚武
204 はじめての哲学史講義 鷲田小彌太
468 「人間嫌い」のルール 中島義道
492 自由をいかに守るか ハイエクを読み直す 渡部昇一
856 現代語訳 西国立志編 サミュエル・スマイルズ[著]/中村正直[訳]/金谷俊一郎[現代語訳]
884 田辺元とハイデガー 合田正人
976 もてるための哲学 小川仁志
1095 日本人は死んだらどこへ行くのか 鎌田東二
1117 和辻哲郎と昭和の悲劇 小堀桂一郎
1159 靖國の精神史 小堀桂一郎
1215 世界史の針が巻き戻るとき マルクス・ガブリエル